SIDNEY SHELDON

IF TOMORROW COMES

明日があるなら（下）

作・シドニィ・シェルダン

英意和訳・天馬龍行
日本語文章・中山和郎
助　言・亀井俊介

（第十七章つづき）


トレイシーはめまいがした。目の前に赤い霞がかかり、すべてのものがぼやけて見える。

年長者のデニス・トレバーが言った。

「あなたの旅行カバンを開けていただけますか？」

依頼ではなく命令だ。

この場を切り抜けるには虚勢を張るしかない。

「もちろん、お断りします！　何の権利でこんなふうにして、わたしの個室に押し入れるのですか！」

トレイシーは憤りに満ちた声で言った。

「あなた方は、そんなこと——善良な市民をこづきまわすことしかできないんですか？　車掌を呼びます」

「車掌にはもう了解を得ています」

年長のトレバーが言った。

虚勢は通用しないようだ。

「捜査——捜査令状がありますか?」

若いほうの男が穏やかに言った。

「我々には捜査令状など必要ないのですよ、ホイットニーさん。現行犯逮捕です」

FBIは彼女の名前まで知っている。ハメられたのだ。逃れる方法はない。万事休すだ。

トレバーはトレイシーのスーツケースを開けにかかった。止める手立てはもはやない。トレイシーが見つめる中、トレバーはカバンからセーム皮の袋を引っぱり出した。袋を開け、相棒に中身を見せてうなずいた。トレイシーは張りつめていたものが抜けて、突然よろよろとシートにへたり込んだ。トレバーはポケットから書付を取り出し、中身を照合していき、宝石が入った袋をポケットにしまい込んだ。

「ここに全部あるよ、トム」

「どうして——どうしてこのことがわかったんですか?」

トレイシーはみじめな気持ちをふるい立たせて聞いてみた。

「捜査上の秘密を外部に漏らすわけにいかないんだ」

トレバーは答えた。

「あんたを逮捕する。あんたには黙秘権と、何か言う前に弁護士を呼ぶ権利がある。あんたがこれから言うことは、すべて証拠として使われる。わかってるね?」

トレイシーの返事は、声にならないほどかすれていた。

「ええ」

若いほうのトム・バワースが言った。

「気の毒なことをしたね。きみの経歴がわかっているから、本当に気の毒だと思っているよ」

「つまらんことを言ってる場合じゃないよ」

年長者のトレバーが言った。

「ここは社交の場じゃないんだ」

「わかってますよ。だけど——」

年長の男が手錠を取り出し、トレイシーに顔を向けた。

「さあ、両手首を揃えなさい」

トレイシーの心臓はのたくり返って悶えた。ニューオリンズ空港で手錠をかけられ、みんなにじろじろ見つめられた時の光景を思い出した。

「すみません——それ、どうしても必要なんですか？」

「ええ、必要です、マダム」

若いほうの男が言った。

「ちょっとだけお話がしたいんですが、デニス？」

デニス・トレバーは肩をすくめた。

「いいよ」

二人の男は廊下へと出ていった。トレイシーは絶望感に打ちひしがれながら、ぼんやりと力なくシートに座り込んでいた。二人の会話が断片的に聞こえる。

「頼みますよ、デニス、手錠をかけることないじゃないですか。彼女はどこにも逃げられやしないし……」

「おまえはいつまでボーイスカウトのつもりでいるんだい？　おれと同じくらい局に長くいれば……」

「いいでしょう、そう邪険にしなくても。もうすっかり面食らってる……」

「そんなこと、これからの彼女の運命と比べれば……」

この会話の先は、トレイシーには聞くに耐えなかった。聞きたくもなかった。

しばらくたって二人は個室に戻ってきた。年長の男は怒っているようだ。

「よろしい」

年長者は言った。

「手錠はかけないでおこう。次の駅であんたを降ろす。無線で捜査局の車を呼び出すからな。この個室から出るんじゃないぞ。わかったな？」

トレイシーはうなずいた。すっかり落胆して喋る気もなかった。

若いほうの男のトム・バワースが、肩をすくめて同情を示した。

「何か、もっとしてあげたいんだけど？」

とでも言いたげだった。

何もしてもらうことなどなかった。今となっては何もない。遅すぎるではないか。わたしは現行

犯で捕まってしまった。どういうわけか警察はわたしを尾行し、FBIに知らせたのだ。

捜査官は廊下に出て車掌に話していた。若いバワースがトレイシーを指差して、何か言っている。車掌がうなずくと、バワースは個室のドアを閉めた。トレイシーには監房の扉がバタンと閉じられたように感じられた。

走る列車の窓を額縁にして、のどかな田園風景が次々に過ぎ去ってゆく。が、トレイシーには風景を鑑賞している余裕などなかった。恐怖に打ちひしがれて、ただぼんやりと座っていた。列車が立てる音とは別の轟音が、トレイシーの耳で鳴り響いた。今度入れば、もう駄目だろう。二度目の犯行だ。目いっぱいの判決が下されるだろう。今度は所長の娘を救助するなんて偶然はないだろうし、もうチャンスは来ないだろう。絶望的で終わりのない長い刑務所生活を送るほかない。あの、ビッグ・バーサが待っている!

〈どこで犯行がバレたのかしら?〉

今度の盗難事件を知っているのは、コンラッド・モーガンただ一人だ。彼がわたしを陥れる理由などないし、宝石をFBIに差し出す理由もないはずだ。考えられる可能性は、モーガン宝石商店の誰かが計画のことを知り、警察に密告したということぐらいだ。だけど、誰が、どうして? 考えたところで今は無意味だ。わたしは捕まってしまった。列車が停まれば、再び刑務所へ連れ戻されることになる。取り調べがあって、裁判になり、それから……。

トレイシーは目をぎゅっと閉じ、それから先のことは考えまいとした。頰を熱い涙が流れ落ちてきた。

列車は速度をゆるめた。トレイシーは十分な空気を吸おうと深呼吸を始めた。さっきの二人が、彼女を連れにもうすぐ入ってくるはずだ。駅舎が視界に入り、やがて列車はガクンと揺れて停車した。行く時間だ。トレイシーはスーツケースを閉じ、コートを着て腰を下ろした。閉められたままのドアを見つめ、それが開けられるのを待った。数分が過ぎた。二人の捜査官は現れない。何をしているんだろう？ トレイシーは二人の会話を思い返した。

『次の駅であんたを降ろす。無線で捜査局の車を呼び出すからな。この個室から出るんじゃないぞ』

その時、トレイシーは車掌の声を聞いた。

「全員乗車……」

トレイシーは急に胸騒ぎがしてきた。捜査官はプラットホームで待つと言ったのだろうか。

〈そうに違いない〉

このまま列車内に留まれば、FBIは逃亡の罪でわたしを責めたて、状況はますます不利となるだろう。トレイシーはスーツケースをつかむと、個室のドアを開け、廊下へ飛び出た。

車掌がやって来た。

「この駅で下車するんですか？お嬢さん、あんたも」

車掌が尋ねた。

「それなら急がなくては。お手伝いしましょう。あなたのような方は物を持たないほうがいいです

からね」

トレイシーは車掌を見つめた。

「わたしのような方、ですって？」

「そんなに不思議がらなくてもいいんですよ。あなたのご兄弟の方が、妹は妊娠しているから目を離さないでくれ、とわたしにおっしゃったんですよ」

「わたしの兄弟たちが——？」

「いいご兄弟ですなあ。お二人とも、あなたのことを本当に心配していましたよ」

世界がぐるぐる回り出した。何が何だかさっぱりわからない。

車掌はスーツケースを車両の出口まで運び、トレイシーがステップに降りるのを手伝った。列車は動きだした。

「兄たちがどこへ行ったかご存知ですか？」

トレイシーは叫んだ。

「いいえ、知りません。お二人は列車から降りると、タクシーに飛び乗って行かれましたよ」

持ち逃げだ——百万ドル相当の宝石類の。

トレイシーは空港へ向かった。そこしか場所は考えられない。タクシーに乗ったということは、彼らは、車も飛行機も用意していないということだ。それに二人は、一刻も早くこの町から出たい

はずだ。

トレイシーはタクシーの席に座ったが、悔しくて、腹立たしくて、身の置き場がなかった。どうしてあんなに簡単に騙されてしまったのか、自分自身が恥ずかしい。それにしても連中はうまかった。二人ともうまかった。つい信じ込んでしまった。あの、おきまりの、敵役と同情役の警官芝居にひっかかった自分が恥ずかしくて、トレイシーの顔はまっ赤にほてっていた。

『頼みますよ、デニス、手錠をかけることないじゃないですか。逃げられやしないし……』

『おまえはいつまでボーイスカウトのつもりでいるんだい？　おれと同じくらい局に長くいれば……』

捜査局？　連中も法に追われている人間たちに違いない。それなら、あの宝石を取り返すのだ。あんな騙され方をして泣き寝入りするわけにはいかない。百万ドルの宝石なのだ。早く行こう。どうしても空港で追いつかなくては。

トレイシーは座席から身を乗り出して、運転手をせきたてた。

「もっと早く行けない？　お願い、急いでいるの！」


二人は空港の搭乗口の列に並んでいた。初めトレイシーは、二人の存在に気づかなかった。トーマス・バワースと名乗っていた若いほうの男は、メガネを外し、目の色も青から灰色に変わっており、口髭も取り去っていた。デニス・トレバーなる年長男は、ふさふさの頭のはずが今はつるつるのハゲ頭になっている。だがそれでも二人を見過すことはなかった。彼らは服を着替える時間がな

かったのだ。二人が搭乗口にさしかかった時、トレイシーは追いついた。

「あなたたち、忘れものよ」

トレイシーは後ろから声をかけた。

二人は振り返り、トレイシーを見るとぎょっとなった。若いほうの男が顔をしかめた。

「あんた、何でここにいるんだい？　あんたを連行するため、捜査局の車が駅にいたはずだぜ」

先刻の南部なまりは消えている。

「では、これから引き返して車を捜したらどうかしら？」

トレイシーが皮肉った。

「そいつは無理だね。別の事件が発生したんだよ」

年長のトレバーが説明した。

「そっちに向かうんで、この飛行機に乗るってわけなのさ」

「話は後にして、わたしに宝石を返しなさい」

トレイシーは要求した。

「そいつは無理な相談だね」

若い方のトーマス・バワースが答えた。

「こいつは証拠物件さ。後で領収書は送るよ」

「いらないわよ、領収書なんて。宝石を返して」

「悪いけど」

トレバーが言った。

「もう手放すわけにはいかないね」

二人は搭乗口に達した。トレバーが案内係に航空券を手渡した。せっぱ詰まったトレイシーがあたりを見回すと、空港警察官の姿が目に入った。トレイシーは大声で呼んだ。

「お巡りさん！　お巡りさん！」

二人の男はびっくりしてお互い顔を見合わせた。

「あんた、何をやらかそうとしているんだね？」

トレバーがわめいた。

「三人まとめて逮捕されたいのかね？」

警察官が彼らのほうへやって来た。

「ご用ですか？　どうかしましたか？」

「あのう、別に厄介なことではないんですけど」

トレイシーは愉快そうに言った。

「こちらのご親切なお二人が、わたしがなくしてしまったとっても大事な宝石を見つけてくださったんです。それを渡してくださるところなんですわ。わたし、この件でＦＢＩにまで捜査を依頼しなければならないかしらと、案じていたんですのに」

二人の男はうろたえきった目でお互いを見た。

「このお二人は、わたしが警察の方にタクシーまでエスコートしてもらった方がいい、とおっしゃ

っているのですけれど、していただけます？」

「お安いご用ですよ。喜んで」

トレイシーは二人の男を振り向いた。

「もうその宝石をわたしに渡して下さって結構ですわ。こちらのステキなお巡りさんが、わたしを守ってくださいますもの」

「いや、それはよくない」

若い方の男、トム・バワースが抗弁した。

「われわれが護衛したほうが――」

「まあ、それはいけませんわ」

トレイシーは言い張った。

「あなた方がどんなにこの飛行機に乗りたがっていらっしゃるか、わかっていますのよ」

二人の男は警察官をちらりと見ると、諦めきった様子でお互いの顔を見合わせた。この場合、二人のとる道は一つしかない。しぶしぶと、トム・バワースがポケットからセーム皮の袋を取り出した。

「それですわ！」

トレイシーははしゃいだ声を上げた。バワースから袋を受け取ると、開いて中を見た。

「ああ、ありがたいわ。全部ありますわ」

トム・バワースが最後の抵抗を試みた。

「われわれが目的地まで保管して――」

「そこまでご心配なさらなくても結構ですのよ」

トレイシーは陽気にさえぎった。ハンドバッグを開けて宝石をしまい込み、その手で二枚の五ドル札を抜き出した。トレイシーは二人に一枚ずつ手渡した。

「これはわたしからのささやかなお礼ですわ。ご親切ありがとうございました」

他の乗客たちはすべて搭乗を済ませていた。搭乗口の係員が男たちに催促した。

「もう最終コールが終わってますよ。早くご搭乗ください、皆さん」

「それじゃ、タクシーのところまでお願いします」

トレイシーは笑顔で警察官を促すと、その場を離れた。歩きながら警察官に楽しそうに話した。

「近頃めずらしい正直な方たちですわ」

第十八章

好男子トーマス・バワース——本名ジェフ・スチーブンス——は窓際の席に座り、離陸する機から外を眺めていたが、そのうちハンカチを取り出し、目に当てると肩を上下にゆらし始めた。年長のデニス・トレバー——またの名をブランドン・ヒギンス——が彼の隣に座り、その様子を驚いて見つめた。

「おいおい」

ブランドン・ヒギンスは言った。

「たかが金じゃないか。泣くことはないぜ」

ジェフ・スチーブンスは、頬を伝って流れ落ちる涙顔をヒギンスに向けた。驚いたことに、ジェフは大笑いしていたのだ。

「いったい、どうしたんだい？」

ヒギンスは尋ねた。

「笑ってる場合でもないだろう」

だが、ジェフにとってはそうだろう。トレイシー・ホイットニーが彼らを空港で出し抜いたやり方は、ジェフの詐欺人生で目撃した最もあざやかな手口であった。騙し中の騙し、最高の詐欺だった。宝石屋のモーガンはおれたちに、女はアマチュアだと話したっけ。

〈こりゃまいった！〉

ジェフは思った。

〈あれでアマチュアなら、プロになったらどういうことになるんだろう〉

それにトレイシー・ホイットニーは、ジェフ・スチーブンスがいままで会った中で、まぎれもなく最高の美人だった。しかも頭が切れる。イカサマ業界では最高の芸術家と自負していた自分が、あの女にはまんまとしてやられてしまった。

〈ウイリー叔父さんも、彼女なら目の中に入れても痛くなかったろう〉

ジェフは思った。


ジェフを教育してくれたのは、叔父のウイリーだった。ジェフの母親は、農器具で築いた財産の相続人だったが、結婚した男がいけなかった。一獲千金ばかり夢見てやたら軽薄な事業に手を出す、

おだてに弱い男であった。成功した事業は一つもなかった。が、見てくれだけは立派だった。膚色は浅黒でハンサム。弁舌もさわやかなのだ。で、結婚して五年ほどのうちに、妻が相続した財産のあらかたを使ってしまった。従ってジェフが物心ついた頃の記憶といえば、金のことか父親の浮気のことで言い争いをしている両親の姿だった。両親の悲惨な結婚生活を見て、少年の心は傷ついた。彼はひそかに心に誓った。

〈ぼくは決して結婚なんかしない。絶対にしないぞ〉

父の弟にあたるのが叔父のウイリーで、小さな巡業カーニバルの一座を持っており、ジェフの住むオハイオ州のマリオンの近くに来た時は、いつもジェフの家を訪ねてくれた。叔父は底抜けに陽気な人で、バラ色の未来を信じる楽天家だった。そしてスチーブンス家に来る時は、いつもジェフにわくわくする贈り物をくれたし、不思議な手品の秘密も教えてくれた。叔父のウイリーは、最初はマジシャンとしてそのカーニバルに加わっていたのだが、一座が破産した時、自分で一座を引きとったのだった。

ジェフが十四歳の時に、母は交通事故で死んだ。その二ヵ月後に、父は十九歳のバーのウエイトレスと結婚した。

「大人の男が独身でいるのは不自然なことなんだよ」

父はそう説明してくれた。しかし、少年ジェフは納得できずに憤慨した。父の冷淡さに裏切られたとまで思った。

ジェフの父はセールスマンとして雇われていて、週に三日は家を空けた。ある夜、継母と二人だ

けの時、寝室のドアの開く音でジェフは目を覚ました。すると、すぐにジェフは柔らかい裸の肉体をそばに感じた。ジェフはびっくりして上半身をもたげた。

「抱いてちょうだい、ジェフィー」

継母がささやいた。

「わたし、雷が怖いのよ」

「か――雷なんて鳴ってないよ」

ジェフはどもった。

「雷になるかも知れなくってよ。新聞には雨が降るって書いてあったから」

継母はさらににじり寄って身体を押しつけてきた。

「ねえ、いいこと教えてあげるよ、坊や」

ジェフはあわてふためいた。

「わかったよ。お父さんのベッドでしようよ?」

「いいわよ」

継母は笑った。

「その方が面白い?」

「すぐ行くからさ」

ジェフは約束した。

継母はジェフのベッドからすべり下りると、別の寝室に入っていった。ジェフは猛然と服を着た。

窓から飛び出すとカンサス州のシマロンへ向かった。ウイリー叔父さんのカーニバルがそこで興行していたからである。ジェフは一度も振り返らなかった。

ウイリー叔父に家出をしてきた理由を尋ねられたジェフは、ただ、こう言うだけだった。

「ぼく、継母とうまくやっていけないんです」

叔父はジェフの父に電話し、ずいぶんと長く話し合っていたが、結局、ジェフはカーニバルに残ることになった。

「どんな学校に行くよりも、ここにおいたほうがジェフの教育になるよ」

ウイリー叔父は保証した。

カーニバルは、それ自体が一つの世界だった。

「わしらはね、品行方正な見世物はやらないんだよ」

ウイリー叔父はジェフに説明した。

「わしらはイカサマ芸人なんだよ。だけどな、ようく覚えておけよ、坊主。お客連中が欲を出すまでは、インチキをやっちゃいけないぞ。わしらの大先輩のW・C・フィールズの当たり映画にもそんな題名があったな。『欲のないものは騙せない』ってね」

ジェフはカーニバルの座員たちと仲良しになった。一座には、いろんな売り物を持った〝表方〟の者たちと、デブ女やイレズミ女を見世物にする〝裏芸〟の者たち、それに客にゲームなどをやら

せるインチキゲーム屋たちがいた。カーニバルには年頃の女の子たちもけっこういて、みんなジェフに色目を使うようになっていた。ジェフは母親に似て優しく、父親に似て好男子だった。だから周囲の女たちはジェフの童貞をめぐって、暗闘していた。結局、ジェフを最初に男にしたのは、かわいいアクロバットの曲芸師だった。そのおかげで彼女は何年もの間、他の女性に対して優越感を誇示できた。

ウイリー叔父は、ジェフがカーニバルのあらゆる仕事を体験するように仕向けた。

「いつか、これが全部おまえのものになるのだぞ」

叔父は少年に話した。

「だからおまえは他の誰よりも、この仕事のことを知ってなきゃなんないんだ」

ジェフはまず、六匹の猫のインチキ的当てゲームを教わった。それは、木の台に乗せたキャンバス製の六匹の猫に、金を払った客がボールをぶつけて網の上に落とすというゲームで、もちろんのこと細工がしてある。ゲーム屋は、いかに簡単に猫を落とせるかを実演してみせる。しかし、客が実践するとなると、作り物の猫の後ろに隠れている〝射撃係〟が、つっかい棒でしっかりと支える。サンディ・コーファックスほどの名投手がやったとしても、猫を落とすことはできない仕掛けなのだ。

「惜しいなあ。当たった位置が低すぎたよ」

ゲーム屋は言う。

「お客さん、力まずに芯を狙うんですよ」

『力まずに芯を』というのが合言葉となっており、ゲーム屋がそのセリフを吐いた途端に、隠れている〝射撃係〟がつっかい棒を下ろす。そこでゲーム屋が自分でやってみせる。

「ほら、ちゃんと落ちるだろ？」

その言葉がまた〝射撃係〟への合言葉で、再びつっかい棒をしろ、という意味になる。

自分の腕前をキャッキャと騒ぐガールフレンドに自慢したがる田舎者が、毎度のようにカモとなってくれた。

ジェフは〝数え屋〟もやった。このトリックはこうだ。洗濯バサミが一列に、番号をつけて並べてある。客は金を払って、番号の書かれた洗濯バサミの上にゴム輪を投げる。合計の数が二十九以上になると、客の勝ちで高価なおもちゃが貰える。大甘ちゃんたちが知らないのは、その洗濯バサミの反対側には別の番号が書いてあって、そこの〝数え屋〟の店番は合計が二十九にならないほうの番号を数え、客が勝たないように集計するのだ。

ある日のこと、ウイリー叔父はジェフに言った。

「おまえは本当に何でもよく覚えるなあ。頼もしいぞ。もうそろそろスキロを覚えてもいいだろう」

〝スキロ〟の仕掛人は、ワザ師中のワザ師と呼ばれており、一座の連中からも一目置かれていた。芸人たちの中では一番の稼ぎ頭なので、高級ホテルに泊まり、金ピカの車に乗っていた。

スキロゲームと言うのは、仕掛けは簡単で、大きな時計を台の上に置いたものだと思えばよい。文字盤は、幾つものブロックに分けられ、各ブロックには番号がふられている。客は金を出して、時計の針を廻す。針の止まったブロックの番号が消される。客はまた金を払って廻す。針の止まっ

たブロックの番号がまた消される。こうして全部のブロックの番号が消せると、客には莫大な賞金が支払われることになっている。客がもう少しで全ブロックを消せるところまでくると、スキロ屋はまわりを見まわして、こっそり客にささやく。

「おれはこのゲームの持ち主じゃないんだ。おれも勝ちたいよ。あんたツイてるから、おれにも一口のせてくれないか」

そう言ってスキロ屋は客に五ドルか十ドル渡す。

「これをおれの分として一緒に賭けてくれないか。負けるわけないよ」

そう言われれば、客は共謀者を得た気分になって、気が強くなるものだ。

ジェフは客をカッカさせる名人だった。残りのブロックが少なくなり、勝ちが近づいてくると、客の興奮は高まる。

「お客さん、あんたはもう負けないぞ！」

ジェフがすかさず大声で叫ぶ。そこで客はカッカして更に金を賭ける。そして遂に残ったブロックが一ヵ所だけになると、興奮は最高潮に達する。

この時、客はたいがい持ち金全部を賭けるか、家に帰ってあり金をかき集めて来る。が、客が勝ったためしはない。理由は簡単。仕掛人かさくらが文字盤にちょっと触れると、針は必ず「はずれ」のブロックで停止するのだ。

ジェフはカーニバル特有の隠語をたちどころに覚えた。〝爪〟とは、カモが勝てないようにするということだ。見世物の前に立って客に呼びかける男たちを一般の人は〝客引き〟と呼んでいるが、

仲間うちでは〝喋り屋〟と言う。この〝喋り屋〟は集めた客からの売上げの十パーセントを貰う。〝スラム〟は持って行かれた賞金のことだ。〝郵便配達〟は小銭で言うことを聞いてくれる警察官の意味だった。

ジェフは〝ほら吹き〟でも名人になった。客たちが見世物を見ようと木戸銭を払う時に、ジェフはペラペラとまくしたてる。

「やあやあ、レディーズ・アンド・ジェントルメン。よくぞいらっしゃいました。表にあります写真や絵や文句どおりのものが全部そっくり、一般の入場料で、このテントの中でご覧になれます。しかしながら、電気椅子にくくりつけられたうら若き女性が五万ワットの電力を加えられ、苦痛にあがいて果てたすぐ後に、そのショーとはまったく関係ない、看板にもうたっていない特別な呼び物を加えてご覧にいれます。この囲いの中に入れば、髪の毛逆立つ世にも恐ろしいものが見られるのです。それらはあえて外では宣伝しておりません。無邪気な子供さんや感じやすいご婦人方の目に触れさせたくないからです」

そしてその口上に乗せられた人々が特別料金を払うと、ジェフは腰のない少女や、頭が二つある赤ん坊を見せに中へと案内する。もちろん、それは鏡を使ってのトリックである。

最も儲かるカーニバルのイカサマの一つは、〝走るネズミ〟だ。生きたネズミを一匹テーブルの中央に置き、その上にボウルをかぶせる。テーブルの縁には十個の穴が開けてあり、ボウルを持ち上げると、ネズミがその穴のどれかに入るって寸法だ。客はそれぞれの穴の番号に賭ける。ネズミが走り込んだ穴を選んだ者が、賞金を獲得するわけである。

「あれはどんな仕掛けになっているの？」

ジェフはウイリー叔父に尋ねた。

「ネズミを訓練しているの？」

ウイリー叔父は腹を抱えて大笑いした。

「ネズミを訓練する時間なんか、誰にあるかよ？　簡単さ。仕掛人は誰も賭けてない穴をよく見ておいて、それに酢をつけた指でちょっと触わるだけでいいんだよ。ネズミはいつでも酢のついた穴に走り込むってわけさ」

かわいい裸ダンサーのカレンが、〝鍵騙し〟の話をジェフに持ちかけた。

「土曜日の夜の客寄せ口上の時にさ」

カレンはジェフに話しかけた。

「あなただけ特別ですよとか言って、スケベそうな客にあたしの部屋の鍵を売ってよ。一人ずつやるのよ」

その鍵は一人に五ドルずつで売られた。夜中までには、十数人のスケベたちが、カレンの部屋のあるトレイラーの周りをうろついていることになる。その時刻、カレンは町のホテルで、ジェフと水いらずのひとときを過ごしていた。翌朝、騙されたカモたちがカーニバルに復讐に行くと、そこはもうもぬけの空になっているという寸法だった。

それやこれやの四年間で、ジェフは人間の本性なるものをたっぷりと勉強させられた。人間の貪欲さを刺激することがどんなにたやすいことか、そして人間がいかに騙されやすい生き物であるかがわかった。眉唾ものの話でも、人間の強欲さが、信じたいことを信じさせるのである。

十八歳になると、ジェフはきわ立っていい男になった。まったく偶然に彼を見かけただけの女性でも、即座に注目し、灰色の美しい目、長身の体軀、それに黒い巻毛に見とれた。男たちは、ジェフの機知に富んだ会話、くだけた雰囲気に心を許した。子供たちでさえ、彼の中に心のかよう友達を見出したかのように、ジェフをすぐさま好きになるのだ。

またジェフにのぼせる女の客たちも、後を絶たなかった。そんな時、ウイリー叔父はよく説教した。

「堅気の女に手を出しちゃいかんぞ。堅気の女の親父は、みんな保安官だと思え」

ナイフ投げの妻が原因で、ジェフはカーニバルを去らなければならないことになった。ウイリー叔父の一座は、ジョージア州のミレッジビルに到着し、テントを組み立てていた。今度の興行から、グレート・ゾルビーニと言う名前のシシリー人のナイフ投げが、魅力的な金髪の妻とともに、新しくショーを披露することになった。そのグレート・ゾルビーニが、テント小屋で自分の装備を組み立てているすきに、彼の妻がジェフを、自分たち夫婦の泊っている町のホテルに誘った。

「ゾルビーニは一日中忙しいのよ」

金髪の妻はジェフに教えた。

「ちょっといらっしゃいよ。いいことしましょうよ」

よさそうだった。

「一時間ほど待ってね。それから部屋に来てちょうだい」

彼女は言った。

「どうして一時間も待つんだい？」

ジェフが尋ねると、彼女は微笑みながら言った。

「色々と用意をするのに、それくらいかかるのよ」

ジェフは好奇心を募らせながら待った。そして彼がついにホテルの部屋に着くと、彼女はほとんど裸でドアを開けてくれた。ジェフが抱きしめようとすると、彼女は彼の手を取って言った。

「こっちへいらっしゃいな」

浴室へと案内されたジェフは、信じられない光景を見た。浴槽に張られたお湯の中に、いろんな味と香りのゼリーがぶち込まれているのだ。

「何だい、こりゃ？」

ジェフは聞いた。

「デザートじゃないの。服を脱いでよ、坊や、早く」

ジェフはそのとおりにした。

「さあ、中に入るのよ」

ジェフは浴槽に踏み入って身を沈めた。すると、どうだろう。えも言われぬ感触がジェフの身体中をくすぐりはじめた。すべすべとした柔らかいゼリーがジェフの裸をなでまわす。金髪女も浴槽に入ってきた。

「さあ」

彼女は言った。

「お昼ごはんよ」

そう言うと、彼女はゼリーをなめながら、ジェフの胸から男性自身に向けて、少しずつ舌を移動していった。

「ウーン、あんたはおいしいわね。いちごの味がいちばん好き……」

彼女のはじくような舌の動きと、温かく刺激的なゼリーの感触が、ジェフに筆舌に尽くせぬエロチックな体験をさせた。その愛撫の真っ最中に、浴室のドアがパッと開けられ、グレート・ゾルビーニが大股で入ってきた。シシリー人は、妻のあられもない姿とうろたえるジェフを一目見ると、わめき立てた。

「チュ・セイ・ウナ・プッターナ！　ヴィ・アマーゾ・トゥティ・エ・ドゥエ！　ドベ・ソノ・イ・ミエイ・コルテーリ？」

ジェフは何を言われているかさっぱりわからなかった。が、その口調はよくわかった。グレート・ゾルビーニがナイフを取りに部屋に走って行ったすきに、ジェフは浴槽から飛び出し、自分の服を

わしづかみにした。彼の身体はへばりついた七色のゼリーで虹のように輝いていた。窓から飛び出すと、すっ裸のまま廊下を一目散に駆けた。背後から怒鳴り声が聞こえ、ナイフがうなりを立てて頭をかすめて飛んで行った。ヒューン。さらにもう一本。やっと射程から逃れ出た。

人目につかぬよう、橋の下でべとつくゼリーと格闘しながらシャツとズボンを身に着けると、ジェフは人ごみを押しわけ、もよりのバス停まで急いだ。どこ行きでもいいから最初に来たバスに乗ると、そのまま町を出た。

六ヵ月後、ジェフはベトナムの戦場にいた。

この戦争に従軍した兵士の思いは様々であった。ジェフのベトナム戦争は、結局、官僚主義への限りない軽蔑と、戦争遂行責任者たちへの恨みで幕を閉じた。勝つ見込みのない戦争に二年を費やしたが、その間ジェフは、膨大な金と物資と人命が無駄に浪費されることに肝をつぶし、変わり身の早い将軍たちや政治家たちの裏切りやごまかしに、うんざりさせられた。

〈おれたちは誰も欲しくない戦争に、騙されて駆り出されたのだ〉

ジェフは思った。

〈あれは詐欺だ。それも世界最大の詐欺行為なのだ〉

ジェフは除隊する一週間前に、ウイリー叔父の死亡の報せを受け取った。カーニバル一座は廃業ということになった。過去は終わった。ジェフにとって、未来を楽しく生きる時が到来したのだ。

それからの数年間は、手に汗握る冒険の連続だった。ジェフにとって今や世界がカーニバルであり、そこに住む全ての人が彼のカモである。ジェフは自分独自の詐欺術を考案した。ある時は、大統領のカラー写真を一ドルで売ります、という広告を新聞に載せ、一ドルを送ってきたお人好したちに、大統領の顔の載った十セント切手を、葉書きに貼って送ってやった。

またある時、ジェフは雑誌に広告を出し、五ドル送るのにもうあと六十日しか残っていないこと、それ以後では遅すぎる旨を警告した。その広告には、五ドル送って何が得られるかということは明示していなかったが、金は全国からどっと送られてきた。

そしてまたある時、ジェフは三ヵ月間、誰もいないボイラー室で働きながら、そこの電話でインチキ石油株を売り続けた。

船が好きだったジェフは、タヒチに向かう帆走スクーナーの仕事があることを友人が持ちかけてくれた時、二つ返事で乗組員の契約書にサインした。

船は一六五フィートの白のスクーナーで、全部の帆をいっぱいに張ると、太陽にきらきらと輝いてとても美しかった。甲板にはチーク材が張られ、船体は光沢のある長いモミ材で覆ってあった。メインサロンには十二人が座れて、厨房には電気オーブンもあった。乗組員の寝起きには船首部屋が使われた。船長に加えて、接客係とコックが一名ずつ、甲板員が五名いた。ジェフの仕事は、帆を上げる手伝い、真鍮の艤装品磨き、マストに登って帆を張る仕事だ。乗客は八人だった。

「持主はホランダーという方だ」

ジェフの友人が教えてくれた。

ホランダーは、フル・ネームをルイーズ・ホランダーといい、二十五歳の金髪の美人で、父親は、中央アメリカの半分を所有しているほどの大富豪だということがわかった。他の乗客はみんな、ルイーズ・ホランダー嬢の友人で、乗組員たちは彼らをひとまとめにして「成金ども」とせせら笑っていた。

航海に出た初日に、ジェフが暑い陽差しの下で甲板の真鍮を磨いていると、ルイーズ・ホランダーが彼の横に立ち止まった。

「あなたは新入りよね」

ジェフは見上げた。

「はい」

「名前はあるの?」

「ジェフ・スチーブンス」

「いい名前ね」

ジェフは何とも答えなかった。

「わたしが誰だか知ってる?」

「いいえ」

「ルイーズ・ホランダー。この船の持主よ」

「なるほど。じゃあおれがこうして働いているのは、あんたのためってわけだ」

彼女はジェフをしっかりと見つめ、やがて顔をほころばせた。

「そのとおりね」

「じゃあ、おれの仕事の邪魔をすると、あんたが払う給料が無駄になりますよ」

ジェフは次の真鍮へ移動した。


夜、乗組員たちは自分たちの部屋で、乗客の行動を揶揄したり、悪い冗談を言ったりして喜んでいた。だが実のところ、ジェフは客たちがうらやましかった。彼らの家柄、学歴、ゆとりある態度、どれもうらやましかった。彼らは資産家に生まれ、一流の教育を受けている。なのにおれの学校はウイリー叔父さんとカーニバルだった。

カーニバルで働いている人間に、考古学の元教授というのがいた。勤めていた大学で、高価発掘品を盗んで売り払ったためクビになった男だ。この元教授と、ジェフはよく長話をした。教授の口調に耳を傾けるうちに、ジェフは考古学とやらにすっかり魅了されてしまった。

「過去を見れば、人類の未来が読み取れるのじゃよ」

教授は言ったものだ。

「考えてもごらんよ、坊主。何千年も昔に、おまえとわたしとそっくりに夢を見て、長話にふけり、人生を生き抜き、我々の先祖たちを生んだ人たちがいたんじゃよ」

教授の目ははるか遠くを見つめた。

「カルタゴ——わしはかの地へ発掘に行きたい。キリスト生誕のずっと前に、そこは偉大なる都会じゃった。古代アフリカのパリじゃった。市民たちはゲームに興じ、入浴を楽しみ、二輪戦車レースに熱狂したものじゃ。大円形競技場は、フットボール場の五倍も広かったんじゃぞ」

教授は少年の目に興味が宿ったのに気づいた。

「おまえ、古代ローマの政治家・大カトーが、元老院で演説する時、いつも同じ文句で締めくくっていたことを知っているかい。やつはこう言ってたんだ。〝カルタゴは滅ぼさなければならない〟。その願いはついに現実のものとなった。ローマ人はかの地を廃墟にしてしまい、それから二十五年の後にまたそこを訪れ、瓦礫の上に偉大な都市を建設したんじゃ。いつかおまえをそこへ連れて行って、発掘ができればなあ、坊主」

そんな話をしてから一年後に、教授はアルコール中毒で死んだ。その時、ジェフは心に誓った。いつの日かおれは発掘に行く。カルタゴへ。教授、あんたの代わりにね。


スクーナーがタヒチ島に着く前の晩に、ジェフはルイーズ・ホランダーの特別室に呼び出された。ルイーズは透けすけのシルクのローブをまとっていた。

「ご用ですか、マダム?」

「あなた、ホモなの、ジェフ?」

「あなたに関係のないことだと思います、ホランダーさん。ですが、答えはノーです。ただし女の

選り好みはしますがね」

ルイーズ・ホランダーの口が固く結ばれた。

「どんな種類の女性が好きなの？　売春婦？」

「その時々ですよ」

ジェフは素直に認めた。

「他に何かご用でしょうか、ホランダーさん？」

「ええ、そうよ。明日の晩に夕食パーティを催すのよ。よかったら来てちょうだいな？」

ジェフはしばらく彼女を見つめていたが、やがて口を開いた。

「ま、断る理由はないけど」

そしてそれが始まりとなった。


ルイーズ・ホランダーは二十一歳になる前に、すでに二度の結婚歴があり、彼女の弁護士が三番目の夫との離婚をちょうど調停しおえた時に、こうしてジェフと出会った。

パペーテの港に錨を下ろして二日目の晩、乗客や乗組員が陸へ上がってしまうと、ジェフはルイーズ・ホランダーの船室にまたも呼び出された。ジェフが行くと、彼女は色鮮やかなシルクのパレウを着けていた。そのタヒチ独特の腰布には、足のつけねまで裂け目が入っている。

「これを脱ぎたいんだけど」

ルイーズは言った。

「ファスナーがおかしいの」

ジェフは歩き寄って衣装を点検した。

「ファスナーなんか付いてないじゃないですか」

ルイーズはジェフの顔へ向き直り、意味ありげに微笑んだ。

「わかってるわよ。それが問題なのよ」

二人は甲板でまじわった。熱帯のそよ風が、二人の身体を祝福するように優しくなでていった。ひとときの快楽の嵐が終わると、二人は並ぶようにして横たわり、お互いの顔を見つめ合った。ジェフは肘で上体を起こし、ルイーズを見下ろした。

「きみのパパは保安官じゃないよね？」

ジェフは冗談めかして尋ねた。

ルイーズはびっくりして起き上がった。

「何ですって？」

「きみはおれが初めて抱いた堅気の女なんだ。おれの叔父のウイリーは、口をすっぱくして意見したものさ。堅気の娘の親父はみんな保安官だと思えってね」

それからというもの、二人は毎晩、ベッドをともにした。最初のうち、ルイーズの友人たちは面白がった。

〈彼もルイーズのおもちゃさ〉

皆はそう思っていた。が、ルイーズがジェフと結婚するつもりだと言い出すと、周囲は大騒ぎを始めた。

「お願いだ、ルイーズ、彼はどこの馬の骨ともわからないよ。カーニバルで働いていた男だそうじゃないか。どうせなら、もっとましな船乗りと結婚したっていいじゃないか。彼はハンサムだ――それは文句なしに認める。さらに逞しい体つきだよ。それにしても、セックスのお相手として以外のことには、まったく共通点がないよ」

「ルイーズ、ジェフは朝食にはいいわよ。けど、夕食向きじゃないわ」

「きみには社会的な地位というものがあるよ」

「この際、はっきり言うわ、彼とじゃ格が違いすぎるんじゃない？」

だが、友人たちのどの諫言も、ルイーズの意志をくつがえすまでには至らなかった。ジェフはルイーズがいままで会った中でいちばん魅力ある男だった。すこぶるつきのいい男は、彼女の体験ではあきれ返るほどのマヌケか、耐え難いほどのボンクラと相場が決まっている。だが、ジェフは知性とユーモアを兼ね備えていたので、その取り合わせが何とも魅力だった。

ルイーズが結婚のことをジェフに持ち出すと、友人たちと同様、ジェフも驚いた。

「どうして結婚するんだい？　おれの体ならもうあげたじゃないか。これ以上あげるものは何もないよ」

「とっても簡単な理由なのよ、ジェフ。わたし、あなたを愛しちゃったの。これからの人生をあなたと暮らしたいのよ」

結婚なんて自分とはまったく無縁なはずだったのに、突如としてそうでなくなってしまった。ルイーズ・ホランダーの外見は洗練された社交家だが、その陰に傷つきやすく頼りない少女の素顔が時折見える。

〈彼女にはおれが必要なんだ〉

ジェフは思った。すると、安定した家庭生活と子供に囲まれた光景が突然好ましく思われてきた。自分は物心ついてからというもの、ずっと走り続けてきたような気がする。そろそろ立ち止まってもいい頃ではないか。

その三日後に、二人はタヒチの市庁舎で結婚した。

二人がニューヨークへ戻ると、ジェフはルイーズ・ホランダーの顧問弁護士スコット・ファガテイの事務所に呼び出された。弁護士は小男で堅物。その小さな口を見るとジェフは、たぶんケツの穴も小さいやつなんだろうな、と思った。

「サインしていただきたい書類があるんですけど」

弁護士は告げた。

「何の書類ですか？」

「権利放棄の証書です。あなたがルイーズ・ホランダーとの結婚を解消した場合のことが、簡単に記してあるのです――」

「ルイーズ・スチーブンスでしょ」

「ルイーズ・スチーブンスと別れた場合、彼女の財産分与の権利を放棄することを――」

ジェフはアゴの筋肉が硬くこわばるのがわかった。

「どこにサインするんですか？」

「わたしが読むのを最後まで聞かなくていいのですか？」

「いいよ。おまえさん、見当はずれしているぜ。おれは財産目当てに結婚したんじゃないんだ」

「そのとおり、スチーブンスさん！　わたしはただ――」

「サインをしてもらいたいのかね。さあ、どうなんだい？」

弁護士はジェフの前に書類を置いた。ジェフは所定の位置になぐり書きで署名すると、椅子をけって事務所から出た。ルイーズのリムジンと運転手が、階段を下りてくる彼を待っていた。ジェフは車に乗り込みながら、自嘲した。

〈こんなに頭に血がのぼって、いったいどうしたと言うんだ？　おれは物心ついてからこのかた、ずっと詐欺芸人でやってきた。そして今、初めてすごくデカいまともな稼ぎができるというときに、おれは日曜学校の先生みたいにクソ真面目になっちまった〉

ルイーズはマンハッタンでも最高級の仕立屋にジェフを連れていった。

「ディナー・ジャケットを着たら、映えるわよ」

ルイーズは勧めた。できあがったディナー・ジャケットを着たジェフは、本当に映えた。

二人が結婚して二ヵ月の間に、ルイーズの親友の五人もの女性が、この新参好男子を誘惑しようとした。だが、ジェフはことごとく無視した。結婚を台無しにすまいと決心していたからである。

ルイーズの兄のバッヂ・ホランダーが、ジェフを超一流のニューヨーク・ピルグリム・クラブの会員に推挙してくれたので、彼は入会を許可された。

義兄のファーストネームの〝バッヂ〟は実はあだ名で、彼がハーバード大学のフットボールチームでライトタックルを守っていた時、敵がいくら押してもびくともしない、〝バッヂ〟できないところから名付けられたものだ。彼はがっしりした体格の中年男で、海運業、バナナ農園、牛の放牧場、精肉会社など、ジェフが数えられないほど多くの事業を手がけていた。バッヂ・ホランダーは無神経な男で、あからさまにジェフを見下した。

「おまえは本当におれたちとは生まれが違うなあ。だがな、ルイーズをベッドで悦ばしてやればそれでいいんだよ。おれはこう見えても、とても妹思いなのだよ」

こんな言葉を吐かれるたびに、ジェフの自制心は今にも爆発しそうになった。

〈おれはこのクソったれと結婚したんじゃない。ルイーズと結婚したんだ〉

ピルグリム・クラブの他の会員たちも、おしなべていやな連中だった。彼らはみんなでジェフをからかった。昼食は決まってクラブでとるのだが、その折、ジェフのいやがるのを承知で、みんなでカーニバル時代の話をせがんだ。ジェフは意固地になって、わざと大げさな話を作って彼らに聞かせた。

ジェフとルイーズは、マンハッタンのイーストサイド地区に二十もの部屋がある屋敷で、大勢の召使いたちにかしずかれて暮らした。ルイーズはロングアイランドとバハマ諸島にも屋敷を持ち、イタリアのサルジニアには別荘が、パリのフォシュ・アベニューには大きなアパートがあった。ヨットの他にも、高級車を何台も持っていた。マセラッティ、ロールスロイスコーニッシュ、ランボルギーニ、それにダイムラー。

〈すごい！〉

ジェフは思った。

〈偉い！〉

そうも思った。

〈だけど、バカみたいだ。下劣じゃないか〉

ジェフの結論である。

ある朝のこと、十八世紀ものの四柱式ベッドで目を覚ましたジェフは、ローブをはおると、ルイーズを捜した。新妻は朝食室にいた。

「そろそろ仕事を見つけなくっちゃね」

ジェフは妻に言った。

「あら、いったいどうして？　お金なんて必要ないのよ」

「お金とは関係ないんだよ。ぼくは一日中ぶらぶらして、食べ物を口まで運んでもらって喜んでいる男じゃない。ただ、働きたいんだ」

ルイーズはしばらく考えて返事をした。

「わかったわ、あなた。バッヂに話すわ。兄は株式仲買業もやっているのよ。あなた、株式仲買人をやる気ある？」

「ぼくは仕事がやれれば何でもいいよ」

ジェフはつぶやいた。


ジェフはバッヂの会社で働いた。今までは決まった時間内に働いたことはなかった。

〈決まった時間の仕事も、慣れれば楽しくなるだろう〉

ジェフは思った。

が、やはり好きになれなかった。それでも仕事は続けた。収入を得て、それを妻に与えるという形式を維持したかったのだ。

「ぼくたちの赤ん坊はまだできないのかい？」

ある日曜日、のんびりしたブランチの後で、ジェフはルイーズに尋ねた。

「もうすぐだと思うわ、ダーリン。わたしも努力しているつもりよ」

「じゃあ、努力が足りないわけだ。もう少し頑張ってみるか。さあベッドに行こう」

ジェフはピルグリム・クラブの昼食会のテーブルに着いていた。義兄のバッヂやその仲間五、六名の実業家たちが予約していた席だった。

バッヂが自慢げに言った。

「精肉会社の年次報告書を仕上げたばかりなんだ、諸君。わが社は前年比四十パーセントアップの利益を上げてたんだ」

「当然のことだよ」

同席していた一人が笑いながら言った。

「検査官たちを買収してるんだから、あたりまえだよ」

男は同席している他のメンバーを見回した。

「わが、老獪なバッヂくんは、怪しい肉に極上肉のスタンプを押して、がっぽり儲けてんだよな」

ジェフはショックを受けた。

「人間が食べる肉にそんなことをするなんて。子供たちだってその肉を食べているんでしょう。冗談ですよね、お兄さん?」

バッヂはにやりと笑い、毒づいた。

「今どき、道徳は、流行んないんだよ!」

三ヵ月もたつと、ジェフは自分の会食仲間たちの素行がよくわかってきた。エド・ジラーは、リビアに工場を建設するために百万ドルの賄賂を支払っていた。多国籍企業の社長マイク・クインシーは、会社買収ばっかりやっている乗っ取り屋で、友人たちに違法な情報流しをやって、株を売買させていた。会食仲間で最も金持ちのアラン・トンプソンは、自分の会社の運営方針を自慢げに吹聴した。

「あのクソ法律が改正される前は、わが社は年金支給開始の一年前に、年寄り連中をクビにしたものさ。それで無駄な金がずいぶん浮いたよ」

全員が税金を誤魔化し、保険金詐欺をやり、必要経費を偽り、囲っている若い女たちのお手当を秘書や助手の給料として支払っていた。

〈何てこった！〉

ジェフは思った。

〈こいつらはめかし込んでいるだけで、カーニバルの連中と変わらないじゃないか。やっていることは、インチキゲーム屋と同じだ〉

彼らの女房たちも同様に始末が悪かった。手に入れられる物は何でも貪欲に欲しがり、夫の目を盗んでは浮気に精出していた。

〈何でえ！　女房どもがやってるのは〝鍵騙し〟じゃないか〉

ジェフはむしろ感心した。

そこで、自分が感じたことをルイーズに話そうとすると、彼女は笑った。

「子供みたいなこと言わないで、ジェフ。自分の生活を楽しめばいいのよ、でしょ?」

実際には、ジェフは少しも楽しくなかった。ルイーズと結婚したのも、彼女がジェフを必要としていると信じたからだ。そのうち子供ができれば生活も楽しくなるだろうと、ジェフは思っていた。

「男の子と女の子が一人ずつ欲しいね。もうそろそろできてもいいんじゃないか。結婚して一年になるし」

「あなた、授かるまで待ちましょうよ。お医者さんに診てもらったのよ。わたしのほうは正常ですって。あなたも調べてもらうといいわ。大丈夫なのかどうか」

ジェフは病院に行った。

「間違いなく健康な赤ちゃんが得られます」

医者は太鼓判を押してくれた。

それでもルイーズには、何の兆候も見られなかった。


暗黒の月曜日がやって来て、ジェフの世界が砕け散った。その日の朝、アスピリンを飲もうと思い、ルイーズの薬がしまってあるたんすをまさぐったのが始まりだった。避妊薬のピルがぎっしり入っている棚を、ジェフは見つけたのである。ほぼ空に近いピルのケースもあった。ピル・ケースの隣には、白い粉が入った薬ビンと金のスプーンが置いてある。それが何を意味するかは明白だ。

だがこれも、その月曜日のほんの始まりにすぎなかった。

正午に、ジェフがピルグリム・クラブの肘掛け椅子に深々と座り、バッヂが来るのを待っていると、背後から二人の男の話し声が聞こえてきた。

「彼女は言い張っていたぜ。今、遊び相手をしているイタリア人歌手のイチモツは、二十五センチ以上あるって」

くすくす笑いがあった。

「だろうな、ルイーズはいつもデカいのが好きだからなあ」

〈彼らが話題にしているのは、同名の別の女性のことだろう〉

ジェフは自分に言い聞かせた。

「たぶんそれで、ルイーズはカーニバル野郎と結婚したんじゃないかね。ま、それが第一の理由だよ。ルイーズはあの野郎との痴態を、面白おかしく話してくれたよ。聞いても信じられんだろうが、この間なんか、あの男がナニを……」

ジェフは立ち上がると、後ろも見ないでクラブから出ていった。

こんなに激怒したのは初めてだった。殺してやりたい。見たこともないイタリア野郎を殺してやりたい。ルイーズも殺してやりたい。ルイーズはこれまで、何人の男と寝たのだろうか？　みんなはそれを知りながら、おれのことを嘲笑していたに違いない。義兄のバッヂにリビア賄賂のエド・ジラー、それにマイク・クインシー、アラン・トンプソンとその女房どもは、おれの人生に亀裂が入るのを大笑いして喜んでいたのだ。かけがえのない女房と思っていたルイーズまでが、だ。

ジェフは一旦、すぐに荷物をまとめて出ていこうと思った。だが、それでは腹の虫がおさまらない。あの連中に最後の笑いのネタを提供するなんてまっぴらだ。

夕方、ジェフが帰宅すると、ルイーズはいなかった。

「奥さまは朝からお出かけになってらっしゃいます」

執事のピケンズが言った。

「色々とお約束がおありだと承っております」

〈わかってるよ〉

ジェフは思った。

〈あのイタリアの二十五センチ野郎とやりに行ったに決まってる。何てこった！〉

ルイーズが帰宅するまで、ジェフは何とか怒りをこらえていた。

「今日は楽しかったかい？」

ジェフは尋ねた。

「いえ、いつもと同じで退屈なことばっかりよ、ダーリン。美容院へ行って、買物をして……あなたのほうはどうだったの？」

「実りの多い日だったね」

ジェフの言葉は本当だった。

「いろんなことがわかったんだよ」

「兄のバッヂがね、あなたはよく仕事をするって褒めてましたよ」

「当然だろう」

ジェフは明言した。

「これからはもっともっとうまくやるつもりだよ」

ルイーズはジェフの手を取った。

「わたしの素晴らしい旦那さま。今夜は早めにベッドにまいりましょうか?」

「今夜はよそう」

ジェフは拒絶した。

「頭痛がするんだよ」

ジェフは次の一週間、計画を練ることに専念した。

あらかた固まったところで、クラブでの昼食の最中に質問を発した。

「どなたか、コンピュータ詐欺について詳しい方いますか?」

ジェフは尋ねた。

「どうしてだい?」

賄賂屋のエド・ジラーが理由を知りたがった。

「今度はコンピュータを使って一発やるつもりかい?」

そう言うと、一同は唾を飛ばすほど笑いころげた。

「いいえ、そんなことじゃなくて真面目な話です」

ジェフは力を込めて言った。

「実はこれが大問題なのです。近頃は悪賢い連中が他人のコンピュータに侵入して、銀行や保険会社や、一般の会社などから何億ドルもの金をひそかに盗んでいるのです。これが、ますますひどくなっています」

「おまえ詳しいみたいだな」

バッチがつぶやいた。

「わたしの紹介された人物は、絶対に侵入されないコンピュータの装置を作り出したんです」

「で、きみは、そのコンピュータに侵入してみせたいってわけかね?」

乗っ取り屋社長のマイク・クインシーが茶化した。

「いや、実はこの新製品、とても見込みがありそうなんです。だからその人物を応援するために、資金集めを手伝いたいと思っているんです。それで、この中でコンピュータに強い人がいらっしゃるかな、と思ったんです」

「いないよ、ここにはそんな奴は」

バッチがにやりと笑った。

「だけど、コンピュータ犯罪の援助ならやってもいいよ。なあ、みんな?」

一同は爆笑した。

二日後にクラブで、ジェフはいつものテーブルをやり過ごし、バッチに言いわけをした。

「すみません、今日は皆さんと合流できないのです。客と昼食をとらなければならないものですから」

ジェフが別のテーブルへ移ると、大金持ちのアラン・トンプソンがにやりと笑った。

「やつはサーカスから面会にきたヒゲ女と、飯でも食うんだろうよ」

やや背が曲がり、白髪まじりの男が食堂に入ってきて、ジェフのテーブルへ案内された。

「驚いたぜ！」

多国籍企業社長のマイク・クインシーが言った。

「あれはアッカーマン教授じゃないか？」

「アッカーマン教授って何者だい？」

「なんだ、きみは会計報告以外のものは何も読んでいないんだな、バッチ？　バーノン・アッカーマンと言えば、先月の『タイム』誌の表紙を飾った人物だよ。彼は大統領諮問国家科学評議会の議長だよ。アメリカ一の頭脳さ」

「そんな大物が、おれの義弟に何の用事があるんだろう？」

ジェフと教授は、昼食中ずっと熱心に話し込んでいた。バッチとその会食仲間たちの好奇心は増すいっぽうだった。教授が帰ると、バッチはジェフに手招きして、自分たちのテーブルに呼んだ。

「おい、ジェフ。さっきの客は誰なんだね？」

ジェフはすまなそうな顔になった。

「誰って……バーノンのことですか？」

「そうだよ。おまえたちは二人で何を話していたんだい？」

「わたしたちは……あの……別に……」

ジェフが質問の答えをはぐらかそうとしているのを、同席者全員が読み取っていた。

「わたしは……あの……彼の本を書こうとしただけです。とっても興味深い人物ですからね」

「おまえが作家だとは知らなかったよ」

「いや、これがわたしの最初の著作になるんですよ」


三日後に、ジェフはまた別の客と昼食をとった。今回はバッチも知っている人物だった。

「すごいぞ！　あれはシーモア・ジャレットだよ。ジャレット・インターナショナル・コンピュータ会社の会長だぜ。ジェフの野郎に何の話があるんだろう？」

今回も、ジェフとその客の会話ははずんでいるようだった。昼食が終わると、バッチはジェフに吐かせた。

「なあ、ジェフリー。きみとシーモア・ジャレットは何の話をしていたんだい？」

「何でもありませんよ」

ジェフは言いたくなさそうだった。

「ちょっとお喋りしただけですよ」

そう言い残してその場を立とうとしたので、バッチが引き止めた。

「そんなに急がなくてもいいじゃないか、仲間だろう。シーモア・ジャレットは超多忙な人物なんだよ。何でもないお喋りをあんなにするわけがないぜ」

ジェフは熱を込めて答えた。

「わかりました。本当のことを言いますよ、バッヂ。シーモアは切手を蒐集しているんです。それで、わたしが入手できる切手のことをあれこれと話していたんですよ」

〈まだ嘘ついてやがる、この野郎!〉

バッヂは思った。

翌週も、ジェフは実業界の大物と昼食を一緒に食べた。チャールズ・バートレットがその人で、世界最大の民間投資グループ、バートレット・アンド・バートレットの代表取締役だ。

いつものテーブル四人組、バッヂ、エド・ジラー、アラン・トンプソン、それにマイク・クインシーは、ジェフとバートレットが額をくっつけるようにして話し込んでいるのを、魅せられたように見つめていた。

「おまえさんの義弟は、どうやら最近、うまい話にありついたみたいだな」

ジラーが思わず言った。

「やつはどんな取引をこねくり回しているんだい、バッヂ?」

バッヂはつっけんどんに返事した。

「知るもんか。だけど何をやろうとしているかは、突き止めてみせるよ。ジャレットやバートレットが興味を引くようなことならば、大金がからんだ話に決まってるぜ」

四人組は、バートレットが立ち上がり、ジェフと固く長い握手をかわしてから出てゆくのを見守った。ジェフが四人のテーブルの脇を通り過ぎようとしたので、バッヂが彼の腕をつかんで引き止めた。

「ま、座れよ、ジェフ。ちょっと話をしようじゃないか」

「オフィスに戻らなくっちゃ」

ジェフはつかまれた手を振り払おうとした。

「わたしは——」

「おまえが働いているのは、おれの会社なんだぜ、そうだろう？ ま、座れや」

ジェフは言われたとおりにそこに腰を下ろした。

「おまえ、誰と昼を食べてたんだい？」

ジェフはためらった。

「特別な人間じゃないですよ。昔からの友人なんです」

「チャーリー・バートレットが昔からの友人だって？」

「ま、そういうことです」

「おまえの古い友人とやらのチャーリーとは、どんな話をしてたんだい、ジェフ？」

「あの……車……車のことですよ。チャーリーは骨董価値のある車に目がないんです。それで、四

ドア、幌付きの一九三七年型パッカードの情報を――」

「でたらめ言うな！」

バッヂがぴしゃりと制した。

「おまえは切手蒐集もしていなければ、車のセールスマンでもない。ましてや本など書くものか。本当は何を企んでいるんだい？」

「何も企んでなんかいません。わたしはただ――」

「きみは何か資金集めをやっているだろう、ジェフ？」

エド・ジラーが尋ねた。

「いや、やっていません！」

ジェフの答えは、何か隠している、と言っているようだった。

バッヂは丸太のような腕をジェフに回した。

「おい、弟よ、おれはお前の義理の兄だぞ。家族じゃないか、そうだろう？」

バッヂはジェフにベア・ハッグをかませた。

「そういえばおまえ、先週、絶対侵入されないコンピュータとやらのことを話していたな、そのことじゃないのか？」

ジェフの表情がサッと変わったので、ズバリ核心を衝いたことが一同にわかった。

「ええ、まあそうなんです」

四人はいやがる男を責めたてた。

「あの時に、アッカーマン教授が関与していることを、どうして教えてくれなかったんだい?」

「あなた方が興味なさそうでしたから」

「おまえ、カン違いしているよ。資金が要る時は友達に頼めだよ。おれたちは友達じゃないか」

「教授もわたしも資金なんて必要ありません」

ジェフが言った。

「ジャレットとバートレットで十分に——」

「ジャレットもバートレットもあくどい高利貸だぞ! おまえ、骨までしゃぶられるぞ」

大金持ちのアラン・トンプソンがわめいた。

リビア賄賂のエド・ジラーが話を継いだ。

「ジェフ、友達と取引しとけば、傷つくこともないぞ」

「すべての準備ができていますから」

ジェフは四人に言った。

「チャーリー・バートレットが——」

「だけど、まだサインはしてないんだろ?」

「いや、まだですけど、口頭で約束を——」

「じゃあ、準備なんかまだできてないじゃないか。しっかりしろよ、ジェフ。ビジネスの世界では、簡単に気が変わるのは常識なんだよ」

「わたしは、この件については、誰とも話してはいけない立場にいるんです」

ジェフは逆らって言った。

「とくに、アッカーマン教授の名前は口外できないんです。教授は政府のある局と契約を結んで、それに拘束されていますから」

「そんなことぐらいわかってるさ」

トンプソンが軽くいなした。

「教授自身はこの装置がうまく動くと思っているのかね?」

「思うどころか、間違いなくそうだと知っているんですよ」

「アッカーマン教授が太鼓判を押してくれるのなら、おれたちも太鼓判を押せるよな。そうだろう、みんな?」

全員が口を揃えて同意した。

「困りますよ。わたしは科学者じゃないんですよ」

ジェフは言った。

「何の保証もできません。わたしに言えることは、この新製品はもしかしたら何も価値がないかもしれないということですよ」

「なるほどね。それはわかった。だが、もし価値があったらどうなるんだい、ジェフ。大儲けができるんだろ。どのくらい、デカいかね?」

「バッヂ、この商品の市場は全世界です。それでどのくらいの価値があるのか、見当つかないんです。ただ、誰だって使いこなせる製品なことは確かです」

「とりあえず、事業開始資金にどれくらい入用なんだね？」

「二百万ドルってところでしょうか。ですけど、我々に必要なのは現金で二十五万ドルです。バートレットが約束して――」

「バートレットのことは忘れろ。あいつははした金しか出さないだろうよ。おれたちが金を出そうじゃないか。仲間うちでやった方がいいぞ。なあ、みんな？」

「そうだとも！」

バッヂは顔を上げてパチンと指を鳴らした。すると給仕頭が急いでテーブルにやって来た。

「ドミニク、スチーブンスさんに紙とペンを用意してあげてくれ」

契約は即座にまとめられた。

「この取引はこの場で済ませてしまおう」

バッヂがジェフに言った。

「この書類におまえが書き込み、われわれの権利を明示してくれ。そしておれたち全員がそれにサインを済ませれば、明朝、二十五万ドルの小切手をおまえに渡す。それで文句はないだろ？」

ジェフは困ったというように下唇をかんでいた。

「バッヂ、わたしはバートレットさんと約束したんです――」

「バートレットなんてクソくらえだ」

バッヂは怒鳴った。

「おまえはやつの妹と結婚したのか？　違うだろ、おれの妹と結婚したんだろ？　ほら、書けよ」

「わたしたちは特許権をまだ取っていないし、それに――」

「いいから書け。ぐずぐずするなって！」

バッチはむりやりジェフの手にペンを握らせた。

気乗りしない様子で、ジェフは書き始めた。

『SUCABAの名で呼ばれる演算用コンピュータに関するわたしの権利、商標権、及び利益を、買手のドナルド・バッチ・ホランダー、エド・ジラー、アラン・トンプソン、及びマイク・クインシーに譲るものとする。以上の権利に対する支払い総額は二百万ドルとし、契約と同時に右記四人の権利購入者がジェフ・スチーブンスに二十五万ドル支払うものとする。SUCABAは広範囲に渡ってテストされた結果、安価で、故障がなく、しかも現在市場に出回っているどのコンピュータよりも電力を使わないことが証明されている。SUCABAは最低でも十年間は整備も部品交換も必要ない』　四人はジェフの肩越しに、彼が書くのを見下ろしていた。

「何だって！」

エド・ジラーが驚嘆の声を上げた。

「十年間だって！　そんな頑丈なコンピュータなんて市場には出回ってないぜ！」

ジェフは書き続けた。

『権利購入者たちは、アッカーマン教授もわたしも、そのSUCABAの特許を保有していないのを承知し――』

「特許のことはおれたちにまかせな」

アラン・トンプソンがいらいらしてせかした。

「特許の神さまみたいな弁護士を知ってるからな」

ジェフはさらに書き続けた。

『SUCABAは何の価値もないものかもしれず、またバーノン・アッカーマン教授もわたしも、以上に記載した以外にSUCABAに関する責任も保証も負わないことを、購入者に説明した』

ジェフはサインを済ませ、書類を掲げた。

「これでよろしいですか?」

「十年間、大丈夫って本当か?」

バッヂが尋ねた。

「保証済みですよ。これの写しを取りましょう」

ジェフが言った。四人は、ジェフが自分の書いた文面を丁寧に複写するのを見守った。

バッヂはジェフの手から書類をひったくるように取り、それにサインした。ジラー、クインシー、トンプソンの順にサインしていった。

バッヂがにこにこ顔で言った。

「一枚はおれたちが保管する。もう一枚はおまえが持っていろよ。あのシーモア・ジャレットとチャーリー・バートレットは、タマゴを顔にぶつけられた気分になるだろうよ、なあ諸君。この取引からはじき出された連中の泣きっつらが早く見たいよ」

翌日の午前中、バッヂはジェフに二十五万ドルの小切手を渡した。

「コンピュータはどこにあるんだい？」

バッヂは尋ねた。

「正午にクラブまで届けるよう手配してあります。われわれみんなが一緒の時に受け取られ、検分されたほうがいいと思いまして」

バッヂはジェフの肩をぽんぽんと叩いた。

「なるほどな。ジェフ、おまえはなかなか切れるよ。昼食時に会おうぜ」


正午きっかりに、箱を抱えた使者がピルグリム・クラブの食堂に現れた。配達人はバッヂが待機しているテーブルへ案内された。ジラー、トンプソン、クインシーも同席している。

「こいつが例のやつだぜ！」

バッヂが快哉を叫んだ。

「やったぜ！　何と携帯用じゃないか！」

「ジェフが来るまで待つのかい？」

トンプソンが尋ねた。

「やつなんかもうどうでもいいよ！　こいつは今じゃ、おれたちのものだぜ」

バッヂが箱をくるんでいた包装紙を剝ぎ取った。箱の中には麦藁が詰めてあった。用心しながらそろそろと、バッヂは中に入っていた物体を持ち上げた。四人の男たちは、座ったままそれをじー

っと注視した。それには足の裏ほどの大きさの長方形の木枠があり、上下に張ってある細棒に決まった数のビーズが数珠つなぎになっている。誰一人としてしばらく言葉を発しなかった。

「何だ、これは？」

クインシーが沈黙を破って問いかけた。

アラン・トンプソンが言った。

「ソロバンだよ。東洋人たちが計算に使っている道具――」

突然、アランの顔色が変わった。

「やられたぜ！　SUCABAは、(英語の)ABACUS、つまりソロバンの逆つづりじゃないか」

アラン・トンプソンはバッヂを振り向いた。

「こいつは何かの冗談かね？」

ジラーが唾を飛ばしながら言った。

「省力、故障なし、市場に出回っているどのコンピュータよりも電力を必要とせず……チクショウ！小切手の支払いをストップさせるんだ！」

四人は一斉に電話へと突進した。

「お振り出しになられた小切手ですか？」

銀行の出納係は言った。

「その件ならご心配いりません。今朝、スチーブンスさまが現金にされましたから」

執事のピケンズは、当然申しわけないといった顔を作ったが、時すでに遅く、ミスター・スチーブンスは荷づくりを終えて旅立った後だった。

「長期旅行なさるようなことをおっしゃってました」


夕方になって、半狂乱になったバッチは、バーノン・アッカーマン教授とやっと連絡が取れた。

「ああ、ジェフ・スチーブンスくんのことですか？　なかなか面白い方ですな。なるほど、あなたの義弟さんなんですか？」

「教授、あなたはジェフとどんな話をなさったんですか？」

「別に秘密にするようなことではありません。ジェフはわたしのことを本に書きたがっておりましてな。科学者の人間的な側面を、世間は知りたがっている、と熱心に言ってました……」


シーモア・ジャレットは口が重かった。

「スチーブンスくんとわたしが話した内容を知りたいって？　きみも切手蒐集家なのかね？」

「いいえ、違います。わたしは――」

「まあ、あれこれ嗅ぎ回っても無駄だと思うがね。たった一枚しか現存してない切手があってね。

それを入手したらわたしに売ってくれるって、スチーブンスくんは約束してくれたんだよ」

そう言うと、シーモア・ジャレットは電話をプツンと切った。


チャーリー・バートレットの説明も、ほぼ予想どおりのものだった。

「ジェフ・スチーブンスと話したことだって? ああ、あの件ね。わたしは骨董的価値のある車を集めておるんじゃよ。ジェフは、四ドア幌付きの一九三七年型パッカードの出物を知って——」

今度はバッヂの方から、話の途中でガチャンと電話を切った。

「心配するなって」

バッヂは仲間たちをなだめた。

「あの悪党から金を取り戻し、死ぬまでやつに監獄のメシを食わせようじゃないか。こいつは立派に詐欺罪が成立するからな」


一行は次に、ファガティ弁護士の事務所に立ち寄った。

「やつは二十五万ドルをかっぱらいやがったんだよ」

バッヂは弁護士に話した。

「やつをこの後ずっと監獄へぶち込んどきたいんだ。逮捕状が出せるように——」

「契約書を見せてくれますか、バッチ？」

「これだよ」

バッチはファガティに、ジェフが書いた書類を手渡した。

弁護士はそれにさっと目を通し、繰り返しゆっくりと読んでいった。

「この書類にあるあなた方のサインは、彼の偽造ですか？」

「いや、そうではないんだけど？」

マイク・クインシーが言った。

「おれたちの自筆サインだよ」

「あなた方はこの書類に、あらかじめ目を通されましたか？」

エド・ジラーがぷりぷりして言った。

「もちろん読んだよ。おれたちはそれほどバカじゃないからな」

「しっかりしてくださいよ、みなさん。いいですか、みなさんは契約書にサインし、それによれば特許も取得していない、また無価値かもしれない物体を、二十五万ドルの頭金で購入することになる旨説明を受けたことになっています。わたしの古い恩師の言葉を借りれば、みなさんは〝合法的にハメられた〟のです」

ジェフはネバダ州のリノで離婚手続きをした。その地に落ち着いて住もうとしている時に、たま

たま宝石商のコンラッド・モーガンに出会った。モーガンはウイリー叔父のカーニバルに、身を寄せてたことがあったのだ。

「ちょっとやってもらいたいことがあるんだけどね、ジェフ?」

コンラッド・モーガンは持ちかけた。

「ニューヨークからセントルイスへ汽車の旅をしている若い女性がいるんだ。彼女は宝石をたっぷり持っていてね……」

ジェフは今、飛行機の窓から外を眺め、トレイシーに思いを馳せていた。彼の顔には笑みがあった。


ニューヨークに舞い戻ったトレイシーは、まっ先にコンラッド・モーガン宝石商店へ行った。コンラッド・モーガンは、トレイシーを自分の事務室へ招き入れ、ドアを閉じた。そして両手をしきりにこすり合わせながら言った。

「いやいや、とても心配していたんだよ。セントルイス駅であんたを待っていたんだけど——」

「あなたはセントルイスへは行かなかったでしょ」

「何だって? どういうことかね?」

モーガンの青い目は、うろたえてきょろきょろと動いた。

「あなたはセントルイスへなど行かなかったはずだってことよ。わたしと待ち合わせする気など、

さらさらなかったでしょう」

「とんでもないよ、行ったさ！　きみが宝石を持ってくるので、あたしとしては——」

「あなたは二人の男を使わして、わたしから宝石を奪わせようとしたわ」

モーガンの顔に動揺の波が広がっていった。

「何がなんだかわからんよ」

「最初はね、ここの誰かが情報を漏らしたのかと思ったの。けれども、そんなことあるわけないですよね？　あなただったんですもの。あなたは汽車の切符を自分で手配するって、わたしに話したわよね。そうなると、わたしの個室の番号を知っているのはあなたしかいないわけ。わたしは偽名を使っていたし、変装もしてたわ。なのに、あなたがつかわした男たちは、すぐにわたしを見つけ出したのよ」

モーガンの無邪気そうな顔に驚きの表情が現れた。

「きみは、誰かに宝石を奪われてしまったと言うつもりなのかね？」

トレイシーはにっこり笑った。

「ところがね、あなたのお使いさんは、宝石を奪うのに失敗したってわけなのよ」

モーガンの顔の今度の驚きの表情は本物だった。

「きみは宝石を持っているのかい？」

「そうよ。あなたのお仲間はね、飛行機に乗る時、大あわてで置き去りにしていったのよ」

モーガンはしばらく探るようにトレイシーを見つめていた。

「ちょっと失礼」

彼は専用のドアから出ていった。トレイシーは長椅子にどっかりと座り、存分にくつろいだ。

コンラッド・モーガンはほとんど十五分間いなくなっていたが、戻ってきた時にはすっかり落胆の表情を浮かべていた。

「どっかで手違いがあったらしい。とんだ手違いがね。あんたはとても聡明な方ですな、ホイットニーさん。二万五千ドルの報酬が受けられますぞ」

モーガンは微笑みながら褒め讃えた。

「宝石をお渡しください。それと引き換えに――」

「五万ドルいただきます」

「えっ、何て言った？」

「わたしはこの宝石を二度も盗まなければなりませんでした。だから二回分で五万ドルですわよ、モーガンさん？」

「駄目だね」

モーガンは即座に言った。宝石商の目はすっかり輝きを失った。

「そんな大金をあんたに払うわけにはいかんのだよ」

トレイシーは立ち上がった。

「なるほど、それならば結構ですわ。ラスベガスに行けば、あの宝石の価値がわかる人が見つかるでしょうから」

トレイシーはドアへ向かった。

「五万ドルでいいんだな？」

コンラッド・モーガンは尋ねた。

トレイシーはうなずいた。

「宝石はどこにあるんだね？」

「ペンシルバニア駅のロッカーの中よ。あなたがお金を渡してくれれば——現金でね——そしてわたしをタクシーに乗せてくれたところで、あなたにそのロッカーの鍵を渡しますわ」

コンラッド・モーガンは敗北のため息をついた。

「それでいいだろう」

「ありがとう」

トレイシーは陽気に言った。

「あなたとのお仕事は、とっても楽しかったわ」

第十九章

ダニエル・クーパーは、J・J・レイノルズの部屋で行われるその朝の会議の内容については、すでに見当がついていた。一週間前に発生したロイス・ベラミー邸での夜盗事件に関するメモが送られて来ていて、一昨日、全調査員に渡されていたからである。

ダニエル・クーパーはおよそ会議なるものを嫌悪していた。席に着いて、くだらないお喋りを聞いていると、耐えられないほどいらいらしてくるのだった。

クーパーは四十五分遅刻して、J・J・レイノルズの部屋へ行った。上司は演説の真っ最中だった。

「これはこれは、お越しいただいて」

J・J・レイノルズは皮肉っぽく言った。

何の返事もなかった。

〈こいつとコミュニケートしようと思っても時間の無駄だな〉

レイノルズはそう思うことにした。

クーパーには皮肉というものが通用しなかった。レイノルズが知っているかぎり、他のどんな場合でも、この男は自分が非難されていることがわからないのである。ただし、犯人を捕まえるということを除いては。罪人の追求に関しては、このクーパーなる男は称賛されるべき天才であった。

部長室には三人の優秀な調査員がいた。デビッド・スイフトとロバート・シィファー、それにジェリー・デイビスである。

「ベラミー邸での夜盗の報告書には、すべて目を通したことと思う」

レイノルズ部長は言った。

「それに新しく加えねばならんことがある。ロイス・ベラミーは警察庁長官のいとこであることがわかった。彼はひどく立腹しておる」

「警官が何かやったんですか？」

デイビスが尋ねた。

「報道陣を避けているんだよ。やむを得ないことだがね。警察の捜査員がドタバタ喜劇みたいなことをやらかしたんだよ。捜査員らは夜盗と実際に話をしておるんだ。あの屋敷で賊と会っていながら、みすみす取り逃がしてしまったんだよ」

「それじゃ警察は犯人の特徴をよく覚えているでしょう」

スイフトが示唆した。

「捜査員らは女賊のナイトガウン姿だけは実に詳しく覚えておるんだな」

レイノルズは吐き捨てるように答えた。

「捜査員らは賊の女体に魅了されちまって、脳ミソが溶けちまったみたいなんだよ。やつらは女の髪の色さえ覚えておらんのだ。頭にはカーラーキャップを巻いてて、顔はマッドキャップでおおわれていたんだとよ。ドジ踏んだ捜査員らの供述によると、女は二十代の半ばで、ふるいつきたくなるようなケツとオッパイをしてたんだとさ。これっぽっちの手がかりもありゃしない。つまり、情報なしで調査を進めなければならんのだよ。まったくゼロでな」

ダニエル・クーパーが初めて発言した。

「いいえ、ありますよ」

全員が一斉にクーパーを振り向き、敵意のこもった眼差しで見つめた。

「どういうことなのかね？」

レイノルズが詰問した。

「わたしは賊が誰だか知っています」

一昨日の朝、メモを読んだクーパーは、彼の論理の第一段階として、まずはベラミー邸を見ておくことだと決心した。ダニエル・クーパーにとって、推論の方法は、神の教示に従うことである。

どんな事件でもそれが基本的な解決方法であった。物事の始まりから順序立てて考えていくのである。クーパーはベラミー邸があるロング・アイランドへと自分で車を運転して行き、屋敷付近を一目見ると、車から降りようともしないで、そのままマンハッタンまで引き返した。必要なことは全部わかったからである。屋敷は人里離れた場所に建っており、近くに公的な交通手段がないため、泥棒は、車がないと接近できなかったはずだ。

クーパーはレイノルズの部屋に集まった男たちに、自分の推理を説明していた。

「女はおそらく、証拠が残るようなことがあってはまずいと思って、自分の車は使わずに、レンタカーか盗難車を利用したに違いありません。わたしはまず、レンタカー会社を調べることにしました。女はマンハッタンでレンタカーを借りたはずです。痕跡を誤魔化すのに都合のいい場所ですからね」

ジェリー・デイビスは承服できない様子で反論した。

「ふざけてるのかい、クーパー。マンハッタンじゃ、一日に何千台もの車が貸し出されているんだぞ」

クーパーはその横槍をまったく無視して続けた。

「レンタカーは全部がコンピュータ管理されています。しかも女性が借りるのは割合い少ないのです。問題の女性は、ウエスト二三通り埠頭六一番地にあるバジェット・レンタカー会社で、シャビーカプリを借りていました。犯行の夜の八時に借りて、深夜の二時に返しています」

「それが犯行に使われた車だと、どうしてわかるんだね？」

レイノルズが懐疑的に尋ねた。

クーパーは愚かな質問にうんざりした。

「走行距離を調べたんですよ。ロイス・ベラミー邸までは行きが五十キロメートルで、帰りもまた同じく五十キロメートルです。その距離はカプリのタコメーターとぴったり一致するのです。車はエレン・ブランチの名義で借りられていました」

「偽名だろうな」

デビッド・スイフトが知ったかぶりをした。

「そうなのです。本名はトレイシー・ホイットニーのはずです」

そこにいた四人の視線がクーパーに注がれた。

「いったいどうしてその名前がわかるんだい?」

シィファーが口をとがらせて言った。

「彼女は偽名を用い、偽の住所を書いていますが、借用書にサインしなければなりませんでした。わたしはその借用書をワン・ポリス・プラザに持ち帰り、指紋の検出をしてもらいました。トレイシー・ホイットニーの指紋がついていました。彼女は南ルイジアナ婦人刑務所に服役していたのです。覚えていることと思いますが、わたしは盗まれたルノアールの絵の件で、一年前に彼女と話したことがあります」

「覚えているとも」

レイノルズはうなずいた。

「あの件については、おまえは彼女は無実だと言ってたじゃないか」

「あの件では――そうでした。ですが、今はもはや無実なんかではありません。彼女はベラミー夜盗事件を引き起こしたのです」

このチビのろくでなしめが、またしても手柄を立てておったぞ！　しかもこやつめは、こともなげに解決しちまいやがった。レイノルズは嫉妬していることがバレないように振る舞おうとした。

「そうかそうか――お手柄だったぞ、クーパー。いや、実に称賛ものだぞ。彼女を捕らえよう。警察に通報して彼女を収監させよう――」

「何の罪でですか？」

クーパーは静かに尋ねた。

「車を借りた罪でですか？　警察は彼女を犯人だと断定できません。証拠のかけらさえないのですから」

「じゃ、われわれとしてはどうすればいいのかね？」

シィファーが尋ねた。

「自由に泳がせとくのかね？」

「今回はそうです、仕方ないでしょう」

クーパーは言った。

「ですが、彼女が何をしようとしているかはわかります。再び何かをやらかすでしょう。その時に彼女を捕まえるのです」

打ち合わせはついに終わった。クーパーはシャワーが浴びたくてしょうがなかった。彼は黒表紙の手帳を取り出すと、それに非常に丁寧に書き込んだ。『トレイシー・ホイットニー』と。

第二十章

〈もう、今までのわたしじゃない。これからは、新しい道を歩む以外にないわ〉

トレイシーは決心した。

〈だけど、どんな人生を歩めるの？ 無実の罪に泣いたかよわい犠牲者から出発して……最後はどんな道を歩めばいいの……結局泥棒――それしかないのかしら〉

ジョー・ロマーノ、アンソニー・オルサッティ、ペリー・ポープ、ローレンス判事たちのことを思い出してみた。

〈いいえ、泥棒なんかじゃない。わたしは復讐者になったはずだわ。それから強いて言えば、女性冒険家ってところかな〉

警官と二人の天才詐欺師、それに裏切り者の宝石商を出し抜いたではないか。トレイシーは、黒

人女のアーネスチンとかわいかったエミーを思い出した。心が痛んだ。ほとんど衝動的に、トレイシーは《シュワーツ玩具店》に出かけて行き、半ダースの配役を揃えた人形劇セットを買うと、それをエミーに郵送した。包みにそえたカードにはこう書いた。

『あなたの新しいお友達にしてくださいね。会えなくて寂しいです。愛をこめて、トレイシーより』

次にマジソン街の毛皮店を訪ねると、ブルーフォックスの襟巻を買い、二百ドルの為替を添えてアーネスチンに郵送した。カードにはただこう書いた。

『感謝をこめて、アーネスチンへ。トレイシー』

〈これで心の借りが返せたわ〉

トレイシーは思った。とてもいい気分だ。今は、どこでも好きなところに出かけられる。やりたいことは何でもできるのだ。

トレイシーは、自分の新しい人生の門出を祝って、ヘルムスレイ・パレス・ホテルのタワースイートに部屋をとった。四十七階の部屋からは聖パトリック寺院が見下ろせ、遙か遠くにはジョージ・ワシントン・ブリッジが見渡せる。振り向くと、わずか数マイルしか離れていない場所に、自分が最近まで住んでいた陰気なドヤ街がある。

〈もう二度とあんなところには住まないわ〉

トレイシーは固く心に誓った。

ホテルのマネージャーが差し入れてくれたシャンパンの栓を抜き、ゆったりとくつろいでそれをすすりながら、マンハッタンの摩天楼に沈む夕日を眺めた。月が昇る頃には、トレイシーの心は固

まっていた。ロンドンに行こう。これからは人生の醍醐味を味わう番だ。

〈支払いはすべて済ましているもの〉

トレイシーは思った。

〈わたしにも幸せになる権利はあるわ〉


トレイシーがベッドに寝そべって深夜までテレビ・ニュースを見ていると、二人の男がインタビューを受けていた。ずんぐりむっくりの男がボリス・メルニコフというロシア人で、まったく似合わない茶色のスーツを着ている。もう一人の男はその反対に長身痩軀の優雅な身なりで、ピエトル・ネグレスコといった。この二人が何で結びついているのかと、トレイシーは興味を持った。

「チェスの試合はどこで行われるのですか?」

ニュース・キャスターが尋ねた。

「美しい黒海に臨んだソチだよ」

メルニコフが答えた。

「国際的に超一流のチェスプレーヤーであるあなた方お二人の試合は、世界中のチェスファンの注目の的となっています。これまでお二人とも交互にタイトルをお取りになっており、前回の勝負は引き分けでした。ネグレスコさんにお聞きします。現在はメルニコフさんがタイトルをお持ちですが、彼から再びタイトルを取り戻せるとお思いですか?」

「あたりまえさ」

ルーマニア人のネグレスコは答えた。

「彼は勝つ見込みはないね」

ロシア人のメルニコフも勝利宣言をした。

トレイシーはチェスのことなどまったくわからなかったが、二人の男は傲慢そのものだ。そんな態度がとてもいやになったトレイシーは、リモコンのスイッチを押してテレビを消すと、眠りについた。

翌朝早く、トレイシーは旅行代理店に立ち寄って、クイーン・エリザベス二世号に豪華な客室を予約した。まるで初めて船旅をする子供のように興奮し、それからの三日間、いそいそと服や旅行カバンを買い漁った。

出航の朝、トレイシーはリムジンを雇って埠頭に行った。クイーン・エリザベス二世号の停泊している十二番街のウエスト五十五丁目通り、第九十桟橋の三番に着くと、埠頭はカメラマンやテレビレポーターたちでごった返していたので、トレイシーはしばらくパニックに陥った。

やがてそのわけがわかった。マスコミ連中は、タラップのたもとでポーズをとっている二人の男——世界を代表するチェスの名人、メルニコフとネグレスコ——にインタビューしようと押しかけてきているのだった。トレイシーは二人の脇をすり抜けると、タラップにいる出国係にパスポート

を示し、乗船した。甲板に上ると乗客係にチケットを見せ、船室まで案内してもらった。トレイシーの部屋はステキなスイートで、専用のテラスもある。バカ高い船賃ではあったが、それだけの価値はあるだろうと、トレイシーは期待することにした。

旅装をとき終えると船室を出て、廊下をぶらぶら歩いた。どの船室からもシャンパンを抜く音、お喋り、笑い声が聞こえ、お別れパーティが行われているのがわかる。こんな光景を見ていると、彼女はたまらないほどの寂寥感におそわれた。わたしを見送る人もいなければ、愛し、愛される人もいないのだ。

〈が、そうとばかりは言えないわ〉

トレイシーは自分に言い聞かせた。

〈スウェーデン女のビッグ・バーサが、あれほどわたしを追いかけ回したじゃないの〉

トレイシーは声を立てて笑った。

トレイシーはボートデッキへと上っていった。男どもの誘惑の流し目も、女どものそねみの視線も、まったく眼中になかった。

船の低い汽笛の音が鳴り渡り、続いて呼び声が聞こえた。

「お見送りの方は下船してください」

その声に、トレイシーの興奮は高まった。まったく未知の未来に向かって航海に出ようとしているのだ。タグボートが、クイーン・エリザベス二世号を港から出そうと動かしにかかると、巨船は大きく身震いした。トレイシーは他の乗客たちに混じってデッキに立ち、自由の女神が視界から去

るのを見つめた。それが済むと、船内を見回りに出かけた。

クイーン・エリザベス二世号は、長さがおよそ二百七十メートル、十三階の高さを持ち、それ自体が小都市だ。レストランが四つに、バーが六軒、ダンスホールが二室、ナイトクラブが二軒、それに海の温泉《ゴールデンドア》がある。加えて多数の売店、スイミングプールが四つ、体育館が一つ、ゴルフ練習場が一つ、ジョギング用のトラックも一ヵ所設けられている。

〈この船から離れられなくなりそうだわ〉

トレイシーは驚嘆してそう思った。


小さいが、主食堂よりも優雅なレストラン《プリンセス・グリル》の上の階をトレイシーは予約した。席に着こうとすると、聞き覚えのある声に呼びかけられた。

「やあ、こんなところでお会いするなんて！」

顔を上げると、FBIをかたった男、トム・バワースがそこに立っていた。

〈いやだわ！　こんな人と会うために、高いお金を出してこの船に乗ったのではないわ〉

トレイシーは思った。

「何とまた奇遇な。ご一緒したらご迷惑ですかな？」

「大変迷惑です」

ニセFBIの男は図々しくも、トレイシーの真向かいに座り、愛想笑いを浮かべた。

「ぼくたちは仲良くなれそうですね。結局、同じ目的でここにいるのじゃないですか?」

トレイシーは彼が何を言っているのか、皆目、見当がつかなかった。

「いいえ、バワースさん――」

「スチーブンスです。ジェフ・スチーブンスが本名です」

男は気軽な調子で言った。

「わたしには関係ありませんわ」

トレイシーは席を立とうとした。

「待ってください。先日お会いした時のことを説明させてください」

「説明なさることなんか、何もないでしょうに」

トレイシーは皮肉を込めて言った。

「バカな子供でも読める筋書きですよ――まあ実際、バカなわたしでもわかりましたけどね」

「ぼくはコンラッド・モーガンに借りがあったんですよ」

ジェフは悲しそうに笑顔をつくった。

「だけど、彼を失望させることになってしまった」

彼の振る舞いには、以前すっかり騙された。いたずらっぽい少年の魅力がある。

〈頼みますよ、デニス、手錠をかけることないじゃないですか。彼女はどこにも逃げられやしないし……〉

トレイシーは冷淡に言った。

「わたしもあなたと一緒だと、少しも楽しくないの。どういうつもりでこの船に乗ってらっしゃるの？　渡し舟のほうがお似合いじゃなくって」

ジェフは笑った。

「マキシミリアン・ピアポントが乗ってるんだから、これはまさしく渡りに舟だよ」

「誰、その人？」

ジェフは驚いてトレイシーを見つめた。

「おやまあ。きみは本当に知らないの？」

「何を知ってるというの？」

「マックス・ピアポントは、世界最大の金持ちさ。競争相手の会社をビジネス界から蹴落とすのを趣味としている男だよ。奴はのろ馬ばかりに賭けるくせに、手っとり早い女が好きでね。まあその両方ともたくさん所有しているけど。今の世の中では最後の浪費家といえるだろうね」

「そしてあなたは、彼のありあまるお金を削り落として、いくらか身軽にしてあげようという魂胆なのね」

「実のところは、たっぷり、のつもりだけどね」

ジェフはトレイシーの反応を探ろうと、じーっと見つめた。

「ぼくたち二人で、すべきことがあるんじゃない？」

「ありますわよ、スチーブンスさん。さようならをすべきね」

そう言って立ち上がり、レストランから出ていくトレイシーを、ジェフは唖然として見送るばか

りだった。

トレイシーは船室で夕食をとった。食べながら、自分の人生航路にジェフ・スチーブンスなんていう男がまた現れるなんて、何という不運だろうと嘆いた。トレイシーは汽車の中で、あんたを逮捕する、と言われた時のおぞましさを忘れてしまいたかった。

〈とんでもないわ、あの男にせっかくの旅を邪魔させるもんですか。今後は一切、無視することにしよう〉

夕食を終えると、甲板に出た。ビロードの空に星を吹きつけたような魔法の天幕を頂き、まさに魅惑の夜だった。トレイシーは月の光を浴びながら手すりにもたれかかり、波にきらめく夜光虫をうっとりと見つめ、夜の風の甘いささやきに耳を傾けていた。と、またしてもジェフがすぐ隣に現れた。

「そうやって立っていると、ご自分がどんなに美しいか、気づかないでしょう。船旅でのロマンスを信じますか？」

「ええ、とても。しかし、絶対信じないものがあります。それは、あなたよ」

トレイシーは立ち去りかけた。

「おっと、待った。きみにちょっとしたニュースがあるんだ。マックス・ピアポントがこの船に乗ってないことが、たった今わかったよ。出航間際になってキャンセルしたらしい」

「あら、それはお気の毒さま。船賃を無駄にしましたね」

「必ずしも、そうとは言えないけどね」

ジェフはトレイシーの反応を見ていた。

「きみはこの航海で、ちょっとした小遣いを稼ぎたくはないかい？」

〈何という男なんでしょう〉

「潜水艦かヘリコプターをポケットに隠していない限り、盗みを働いても船からの逃げ道はないわ」

「誰が盗みを働くと言ったかね？　ボリス・メルニコフとか、ピエトル・ネグレスコの名前を聞いたことがあるかい？」

「あったらどうだと言うの？」

「メルニコフとネグレスコは、チェスの王座決定戦のためにロシアへ向かうところさ。きみが僕の手配で、やつら二人を相手にチェスの勝負を挑めばね」

ジェフは熱心に言った。

「ぼくたちはたっぷり金が稼げるよ。細工は万全だぜ」

トレイシーはあきれ返ってジェフを見つめた。

「わたしがあの二人にチェスの勝負を挑むですって？　しかも細工は万全ですって？」

「ああ。どうします？」

「面白そうね。ただ、ちょっと問題があるわね」

「どういう？」

「わたし、チェスはできないの」

ジェフは安心させるように笑った。

「かまわないさ。やり方は教えるよ」

「あなた、頭がおかしいんじゃないの」

トレイシーは突き放した。

「あなたに忠告してあげましょう。いい精神科医にかかることよ。おやすみなさい」


翌朝、トレイシーはボリス・メルニコフと、ばったり出くわした。ボートデッキをジョギング中のメルニコフが、散歩中のトレイシーを曲がり角で突き飛ばしたのだ。

「前向いて歩きな」

メルニコフは怒鳴りつけ、そのまま走り去った。

トレイシーは甲板に倒れたままの姿勢で、男が去るのを見つめていた。

「まったく、野蛮人ね——！」

立ち上がってほこりを払った。

乗客係が駆け寄った。

「お怪我はありませんか、お嬢さん？　たまたま見ていましたけれど——」

「あ、いえ、平気よ。ありがとう」

この船旅は、誰にも邪魔されたくなかった。

トレイシーが船室に戻ると、ジェフ・スチーブンスに連絡をくれるよう六通のメッセージが入っ

ていた。全部を無視した。午後には水泳と読書を楽しみ、マッサージを受け、夕刻になるとバーへ行き、食前のカクテルを飲んだ。気分はいやがおうにも盛り上がった。が、せっかくの幸福感も長続きしなかった。ルーマニア人のピエトル・ネグレスコがバーにいて、トレイシーを見ると話しかけてきたのだ。

「一杯おごらせてください。美しいお嬢さん」

トレイシーはまごつき、曖昧に笑った。

「あの、まあ、ありがとう」

「何をお飲みになります?」

「ウオッカ・アンド・トニックをいただきます」

ネグレスコはバーマンに注文し、トレイシーに向き直った。

「ぼくはピエトル・ネグレスコです」

「存じてます」

「まあそうでしょう。みんなに知られていますから。ぼくはチェスで世界の第一人者なんですよ。国に帰れば国家の英雄です」

ネグレスコはトレイシーに身体を密着させ、膝に手を這わせてきた。

「ぼくはセックスの達人でもあるんだよ」

トレイシーはあまりの言葉に、聞き違えたのかと思い、問い返した。

「何の達人ですって?」

「セックスの達人です」

トレイシーは、この男の顔に飲物をぶっかけようかしらと思ったが、どうにか自制した。もっといいことを思いついた。

「友達が待っていますので、失礼します」

トレイシーはジェフ・スチーブンスの姿を探した。彼は《プリンセス・グリル》にいたので、近寄ろうとしたら、あいにく婦人と会食中だった。見事な体にイブニングガウンをまとい、まるで絵から抜け出したような容姿のブロンド美女と同席していた。

〈事情をもっと知っておくべきだったわ〉

トレイシーはそう思って廊下へ後戻りした。三十秒もたたないうちにジェフが追いついてきた。

「トレイシー……ぼくを探してたんじゃないのかい？」

「せっかくのお楽しみを、邪魔するつもりじゃなかったのよ」

「あれは、つまみ食いさ」

ジェフはさらりと言った。

「ところで、ご用は何かな？」

「メルニコフとネグレスコのことは本気なの？」

「あたりまえじゃないか。また、どうして？」

「あの二人には行儀作法を教える必要があるわ」

「同感だね。やつらに教えてやりながら、お金も稼ごうじゃないか」

「いいわ。計画はどうなってるの？」

「きみがチェスでやつら二人を負かすのさ」

「わたし、真面目に聞いてるのよ」

「ぼくも真面目さ」

「わたし、言ったでしょ。チェスはできないって。キングもクイーンもわからないのよ。わたし——」

「心配するなって」

ジェフは勇気づけた。

「二回練習するだけで、やつらを二人ともやっつけられるさ」

「二人とも？」

「ああ、そう言っただろう？　きみは、やつら二人を同時に相手するのさ」

ジェフは《ダブル・ダウン・ピアノ・バー》で、ボリス・メルニコフの隣に座っていた。

「その女性はなかなかの指し手なんですよ」

ジェフはメルニコフに打ち明けた。

「彼女はお忍びで旅行中なんです」

ロシア人は不愛想に言った。

「女どもにチェスがわかってたまるかね。考える頭を持っておらんからな」

「その女性の頭は違うんです。あなたを簡単にやっつけられるって言ってましたもの」

ボリス・メルニコフは大声で笑った。

「わたしをやっつけられる者などおらん——簡単であろうとなかろうとな」

「彼女は、あなたとピエトル・ネグレスコの二人を同時に相手して、少なくともどちらかとは引き分けにもっていける、と言っていますよ。それに一万ドル賭けてもいいそうです」

ボリス・メルニコフは飲物を喉にひっかけた。

「何だって？　そんな馬鹿な！　おれたち二人を同時に相手するって？　その——その女はアマチュアなんだろう？」

「そうですよ。お二人に一万ドルずつ賭けると言っているんです」

「そのマヌケを思い知らせてやりたいな」

「あなたが勝てば、賭金はどこの国でもご指定の口座に振り込まれます」

ロシア人の顔に欲深そうな表情がよぎった。

「そんな強い女の指し手なんて聞いたことないぞ。しかも、おれたち二人を同時に相手するなんて！クソっ、そいつは頭がおかしいんじゃないか」

「彼女は現金で二万ドル持っていますよ」

「どこの国の女なんだい？」

「アメリカ人です」

「ああ、それで納得したぜ。アメリカの金持ちどもはみんな気違いさ。女はとくにそうだぜ」

ジェフは席を立とうとした。

「さてと。彼女には、ピエトル・ネグレスコ一人と勝負することになったと伝えなくっちゃ」

「ネグレスコは女と勝負するっていうのか？」

「ええ。あなたに言いませんでしたっけ？　彼女はあなたがたお二人と対戦したかったのですが、あなたが怯むのなら……」

「おれが怯むだと！　ボリス・メルニコフさまが怯むだと？」

ロシア人は声を荒立てた。

「徹底的にやっつけてやろうじゃないか。そのバカな勝負は、いつどこでやるんだい？」

「彼女は金曜日の夜を予定しています。船が外洋にいる最後の夜です」

ボリス・メルニコフはしきりに考えて言った。

「三回勝負ってとこかな？」

「いいえ。勝負は一回きりです」

「一万ドルも賭けて？」

「間違いありません」

ロシア人はため息をついた。

「おれはそんな大金持ってないよ」

「ご心配には及びません」

ジェフは安心させた。

「ホイットニー嬢が望んでおられるのは、偉大なるボリス・メルニコフ名人と対戦できる栄誉だけなのです。仮にあなたが負けたとしても、あなたのサイン入りの写真を彼女にあげればいいのです。あなたが勝てば一万ドルが入ります」

「賭金は誰が預かるんだね？」

ロシア人は疑い深そうに尋ねた。

「この船のパーサーですよ」

「いいだろう」

メルニコフは決意した。

「金曜の夜、十時きっかりに始めよう」

「彼女が喜びましょう」

ジェフはロシア人に請け合った。

翌朝、ジェフはピエトル・ネグレスコに体育館で話しかけた。

「その女はアメリカ人かね？」

ピエトル・ネグレスコは言った。

「アメリカ人ってのは本当にマヌケなんだな」

「だけど彼女はすごい指し手なんですよ」

ピエトル・ネグレスコは軽蔑したように言った。

「すごい程度では駄目なんだよ。いちばん強くなくっちゃな。もちろん、おれがその世界一さ」

「だからこそ彼女は、あなたと対戦したがっているんですよ。仮にあなたが負けても、サイン入りのあなたの写真をあげるだけでいい。勝てば、現金で一万ドルが手に入るんですよ……」

「このネグレスコは、アマチュアなんか相手にしない主義なんだ」

「……どこでもお望みの国の口座に振り込むのですが」

「論外だ。話にならん」

「さてと。それでは彼女には、ボリス・メルニコフ一人とだけ対戦することになった、と伝えよう」

「何だって？　じゃ何かい、メルニコフはその女との対局を承知したっていうのかね？」

「もちろんですとも。だけど彼女は、あなた方お二人と同時に対局したがっていたのです」

「そ、そんな――バ、バカなことって――き、聞いたことないぞ」

ネグレスコは絶句して唾液を飛ばした。

「思いあがった女め！　世界の名人のおれたち二人を相手にして、勝てるなんてほざく女は、いったい何者なんだ？　その女はどこかの精神病院から逃げ出してきたんだろう」

「ちょっと変わったところはありますね」

ジェフは白状した。

「だけど、金のほうはまともですよ。現金です」

「その女をやっつければ、一万ドルと言ったな？」

「そのとおりです」

「ボリス・メルニコフも同額を手にするのかね？」

「彼が彼女に勝てばの話ですが」

ピエトル・ネグレスコはすごみある笑顔を見せた。

「やつは勝つよ。むろん、おれも勝つ」

「もちろん、そうでしょうとも。あたりまえですよね」

「賭金は誰が預かるのかね？」

「この船のパーサーです」

〈その女の金を、メルニコフだけに独り占めさせてたまるものか〉

ピエトル・ネグレスコはそう思っていた。

「手筈はできているのだろうな。場所はどこで、時間は何時からだね？」

「金曜の夜です。十時に始めます。クイーンズ・ルームに来てください」

ピエトル・ネグレスコは舌なめずりして笑った。

「必ず、行くぜ」


「二人とも承諾した、ですって？」

トレイシーは思わず声を張り上げた。

「そのとおりさ」

「わたし、熱があるみたいだわ」

「冷たいタオル、持ってきてあげるよ」

ジェフは急いで船室のバスルームに入ってタオルを水で冷やし、それを持って戻ると、寝椅子に横たわっているトレイシーの額に乗せてやった。

「これでどう、気分は？」

「最悪よ。頭痛がしてきたわ」

「今まで、よく頭痛がしてたのかい？」

「いいえ」

「それじゃ病気なんかじゃないよ。よく聞けよ、トレイシー、この手のことをやる前は、神経質になるのがあたりまえだよ」

トレイシーはぱっと起き上がって、タオルを投げ捨てた。

「この手のことですって？　こんなことが他にあったとでも言うの！　わたしは世界で最強のチェスの名人二人を相手に勝負するのよ。あなたに一度教えてもらっただけでね——」

「二度だよ」

ジェフが正した。

「きみには、生まれつきチェスの才能があるよ」

「どうだっていいわよ。いったい何だってこんなことに巻き込まれたのかしら？」

「簡単さ。お互いに大金が欲しいからさ」

「わたしは大金なんて望まないわ」

トレイシーは泣き出した。

「船なんか沈んじゃえばいいのよ。タイタニック号の二の舞になればいいんだわ」

「まあまあ、気分を落ち着かせるんだ」

ジェフはなぐさめるように言った。

「これから——」

「これから災難になるのよ！　船客のみんなが見にくるわ」

「そこだよ、肝心なのは」

ジェフは晴れやかに微笑んだ。


ジェフは船のパーサーとすべての手筈を整えた。賭金の二万ドルを、トラベラーズチェックでパーサーに渡し、金曜日の夕刻には、二つのチェス台を据えるように念を押した。噂はあっという間に船中に広まり、乗客たちはジェフに、本当にやるのかどうかを聞きにきた。

「そりゃあもう絶対です」

ジェフは詮索する客たちに答え、さらにつけ加えた。

「信じられないことですよ。かわいそうにホイットニー嬢は、自分が勝つと信じているのです。事実、彼女は自分の勝ちにお金を賭けているんです」

「ちょっと質問したいんだけど」

客の一人が尋ねた。

「わたしも少しくらいなら賭けに加わってもいいですかな？」

「かまいませんとも。あなたのお好きな額だけどうぞ。ホイットニー嬢は、十対一の賭率になれば満足だわ、と言っています」

百万対一の賭率のほうが、まだその場にふさわしいではないか。

最初の賭金が受理された瞬間に、堰が切られた。船客ばかりでなく、高級船員、機関員に至るまで、船上の全員がゲームに巻き込まれる様相を示した。賭金は五ドルから五千ドルまでと様々で、そのすべてがロシア人とルーマニア人のほうに張られた。

心配になったパーサーが船長に報告した。

「こんなことってわたしも初体験です。殺到していますよ。乗客のほぼ全員が賭けに走っています。わたしが預かっている賭金は、二十万ドルにのぼるでしょう」

船長はパーサーを思慮深げに見つめた。

「ホイットニー嬢は、メルニコフとネグレスコを同時に相手すると言ったな？」

「はい、船長」

「二人の男は正真正銘のピエトル・ネグレスコとボリス・メルニコフだと確認したのか？」

「ええ、はい。もちろんです」

「名人二人がわざとチェスで負けるなんて、八百長はないだろうな？」

「二人の性分、立場からしてあり得ないことです。むしろ死んだほうがいいと思うでしょう。彼ら

があの女性に負けるようなことでもあれば、国に帰ったらどうなるか、ことは明白です」

船長は困惑したように顔をしかめて、指で髪の毛をかきむしった。

「ホイットニー嬢とスチーブンス氏について何か知っているかね?」

「いいえ、何にもわかりません。ただ、わたしの見たところ、二人は別々に旅行しているようですけど」

船長は決意した。

「なんか詐欺くさいな。普通ならばとりやめを命じるところだ。しかしながら、わたしもチェスにはちょっと詳しくてね。チェスでは絶対に八百長はできないのだ。わたしの命を賭けて断言できるよ。この試合はやらせなさい」

船長は自分の机に歩き寄り、黒革の札入れを取り出した。

「わたしは五十ポンド賭けよう。名人たちのほうへ」


金曜日の夜の九時までに、クイーンズルームは一等船客でいっぱいになった。それに二等、三等の船客、さらには非番の船員、機関員たちが押しかけていた。ジェフ・スチーブンスの要望で、この試合のために二つの部屋が用意されていた。チェス台の一つをクイーンズルームの中央に、もう一つを隣接する談話室に設置させた。二つのチェス部屋はカーテンで区切られた。

「指し手たちがお互いに気が散らないようにしたいのです」

ジェフは説明した。

「見物客はどちらか好きな試合を選び、移動しないようにしてください」

チェス台の周りはどちらも、群衆を近づけないようにビロードのロープが張ってあった。見物客たちは、決して二度と見ることがないであろう対局を、今まさに目撃しようとしていた。誰にもわかっていることはただ一つ。この若く美しいアメリカ女性には——いや他の何者であろうとも——チェスの名人、ネグレスコとメルニコフを二人同時に相手して、両者とも引き分けに持ち込めるなんて、不可能だということである。

ジェフはゲームが始まる少し前に、トレイシーを二人の名人に紹介した。淡い緑のシフォンのガウンを、片方の肩もあらわにまとったトレイシーは、ギリシャ時代の絵画のようだった。顔は青ざめ、目にも異様な表情が浮かんでいる。

ピエトル・ネグレスコは、上から下まで彼女を見つめ回した。

「きみは出場したすべての国内大会で、勝ちをおさめてきたんでしょうな?」

「はい」

トレイシーの返事に嘘臭さはなかった。

ネグレスコは肩をすくめた。

「きみの名前なんか聞いたことがないなあ」

ボリス・メルニコフも同じように無礼だった。

「きみたちアメリカ人は、お金の使い途を知らないね。ま、前もってお礼を言っておくよ。勝てば

おれの家族も喜ぶからな」

トレイシーの目は濃いヒスイ色になった。

「あなたはまだ勝ってはいませんわ、メルニコフさん」

メルニコフは部屋中に響き渡るような声で笑った。

「おっしゃいますな、ご婦人。わたしはあなたの腕前のほどは存ぜぬが、自分の腕前は知っている。わたしは名人のボリス・メルニコフなんだ、とね」

十時になると、ジェフはぐるりと見回し、両方のサロンとも見物客でいっぱいなのを確認した。

「勝負開始の時間です」

トレイシーはテーブルをはさんでメルニコフの向かい側に座り、どうしてこんなことになったのか、そればっかり考えていた。

「全然難しくないんだよ。ぼくを信じなさい」

ジェフはそう言っていたっけ。

そして愚かにもジェフを信じてしまったのだ。

〈わたしは頭がおかしくなったのだわ〉

トレイシーは思った。なにしろ、世界で名だたるチェスの名人二人を相手に戦おうとしているのに、自分はチェスなんかまったくわからず、ジェフに四時間コーチを受けただけなのだ。

幕は切って落とされた。トレイシーの膝はがくがく震えた。メルニコフは成り行きを期待している群衆を見回して、余裕の笑みを見せた。そしてスチュワードに大声で命じた。

「ブランデーを持ってきてくれ。ナポレオンだ」

ジェフがメルニコフに言った。

「フェア・プレイで行きたいと思います。あなたが白で先手、そしてネグレスコ氏とのゲームでは、ホイットニー嬢が白で先手としたいのですが」

名人たちは提案を了承した。

観客が息をのんで見つめる中、ボリス・メルニコフは盤上に手を伸ばし、最初の駒を動かした。

〈この女を負かすだけでは物足りない。徹底的にやっつけてやる〉

メルニコフはちらりとトレイシーを見た。盤上を見ていた彼女はこくりとうなずき、自分の駒は動かさずに席を立った。スチュワードが群衆をかきわけた中を、トレイシーはもう一方の対戦者ピエトル・ネグレスコが待っているもう一つのサロンへ行った。そこにも百人を下らない群衆が押しかけていた。トレイシーはネグレスコの正面の椅子に座った。

「やあ、頭のいいお嬢さん。ボリスをまだやっつけていないのかね？」

ピエトル・ネグレスコは自分の冗談にけたけたと笑った。

「試合中ですよ、ネグレスコさん」

トレイシーは静かに言った。

彼女は盤上に手を伸ばし、ボリス・メルニコフと全く同じに駒を動かした。ネグレスコはトレイシーを見上げ、にやりと笑った。一時間後にマッサージの予約をしていたが、どうやら試合はもっと早くけりがつきそうだ。ネグレスコは盤上に手を伸ばし、即座に対抗の手を打った。トレイシー

は数秒ほど盤を見つめ、そして立ち上がった。彼女がボリス・メルニコフとの対局場に戻るのを、スチュワードがエスコートした。

テーブルに着いたトレイシーは、ピエトル・ネグレスコの打った手を今度はそこで繰り返した。遠くにいるジェフがかすかにうなずくのがわかった。

ためらうことなく、ボリス・メルニコフは次の動きに移った。

二分後、ネグレスコとの盤上で、トレイシーはメルニコフの手を再現した。

ネグレスコの次の手をゆっくり確認してから、トレイシーはボリス・メルニコフが待っている部屋に戻った。

〈なるほど！　この女はまったくのアマチュアじゃないぞ〉

メルニコフは驚いた。

〈この女の腕前を見てやろうじゃないか〉

二人の名人にとって驚きの連続となった。自分たちは容易ならぬ敵と対局していることに気づき始めた。どんなに巧みな手を指しても、このシロウトは自在に応戦してくるのだ。

別の部屋で対戦していたために二人の名人は気づいていなかったが、事実はこの二人の果たし合いだったのだ。メルニコフがトレイシーに打つ手はすべてそっくりネグレスコに打たれ、ネグレスコの応戦はそっくりメルニコフに向けられた。

対戦が中盤にさしかかった頃までには、二人の名人とも、もはや気取りをかなぐり捨てていた。名誉をかけて戦っていた。次の一手を打つために床を歩き回り、猛烈にたばこをふかしたりした。

冷静に見えたのは、トレイシーだけだった。

ゲームは四時間も続いているのに、観客は身動きもせずにチェス盤に注目していた。チェスの名人たちは誰でも何百もの定石を頭に入れて、対戦する相手の流儀など熟知しているものだ。メルニコフもネグレスコも、試合の終わり頃になってようやくお互いの流儀と戦っていることに気づいた。

〈何て女だ。ネグレスコを研究してたんだな。やつが個人的に教えていたのに違いない〉

メルニコフはそう思った。ネグレスコも同じことを考えていた。

〈この女はメルニコフの弟子なんだ。あの野郎が打ち方を指導しているんだ〉

苦戦になるにつれ、名人は二人ともトレイシーをやっつける見込みがないことがわかってきた。引き分けが濃厚となったのだ。

対局が始まって六時間後の午前四時、双方とも勝ち目はなかった。メルニコフは盤を見て熟考の後、大きく息をついてしぼりだすように言った。

「引き分けを申し出る」

ざわめき声を圧倒するようにして、トレイシーは答えた。

「承知しました」

群衆は騒然となった。

トレイシーは立ち上がり、次の部屋に行った。席に着こうとすると、ネグレスコがガラガラ声で言った。

「引き分けを申し出る」

その瞬間、この部屋でも同じどよめきが繰り返された。群衆は、自分たちが目撃したことが信じられなかった。一人の女性がどこからともなく現れて、世界一を競っている二人のチェス名人を、同時に手詰まりにさせたのだ。

ジェフがトレイシーの横に現れ、にっこり笑った。

「さあ、行こう。二人で喉をしめらそうじゃないか」

トレイシーとジェフが去っても、ボリス・メルニコフとピエトル・ネグレスコは、椅子に身体を深々と沈めたまま放心したように盤を見つめていた。


トレイシーとジェフはアッパーデッキのバーで、二人用のテーブルに着いていた。

「見事だったよ」

ジェフが笑った。

「メルニコフの顔を見たかい？　心臓発作を起こすんじゃないかと心配したよ」

「わたしは自分が心臓発作を起こすんじゃないかと思ったわ」

トレイシーは打ち明けた。

「ところで、どのくらい儲かったの？」

「およそ二十万ドルだよ。あの賭金は、船がサザンプトンに停泊する日の朝、パーサーから受けと

ろう。さてと、朝食時に食堂で会おうよ」

「いいわ」

「部屋に戻りたいな。きみの船室まで送っていこう」

「わたし、まだ寝たくないの、ジェフ。気が静まらないの。先におやすみになって」

「きみはチャンピオンだったからね」

ジェフはそう言って立ち上がり、身体をかがめてトレイシーの頬に軽くキスをした。

「おやすみ、トレイシー」

「おやすみなさい、ジェフ」

トレイシーはジェフがバーから出ていくのを見ていた。眠れですって？　とっても無理よ！　わたしにとってもっとも刺激的な夜だったんですもの。ロシア人もルーマニア人も自信家で傲慢だったから、こんなことになったのよ。ジェフが『ぼくを信じなさい』と言ったので、わたしはそれに従っただけ。ジェフを好きだからこんなことをしたわけではないわ。ジェフは詐欺の天才よ。陽気で、面白くて、利口で、一緒にいると心がなごむ人。けれど、男としての彼に興味があるわけではないわ。


船室に戻る途中、ジェフは高級船員の一人とすれちがった。

「見応えのある試合でしたよ、スチーブンスさん。勝負の模様はすでに無線で方々に広まっていま

す。あなた方お二人を、サザンプトンで報道陣が待ってることでしょう。あなたはホイットニー嬢のマネージャーなんですか？」

「いいえ、違います。この船で知り合ったばかりなんです」

ジェフは軽く答えたものの、心は忙しく駆けめぐっていた。自分とトレイシーが連れ添っていたりすれば、チェスの対局が八百長ではなかったかと思われかねない。調査がおこなわれる可能性も大だ。少しでも疑いを持たれる前に、賭金を受け取ることにしよう。

ジェフはトレイシーに伝言を書いた。

『お金は預かっていきますので、お祝いの朝食をサボイ・ホテルでとりましょう。きみは実に素晴らしかったよ。ジェフより』

その書き付けを封筒に入れて、乗客係に依頼した。

「これを朝いちばんに、ホイットニー嬢が受け取れるようにしてくれ」

「かしこまりました」

ジェフは次に事務長のオフィスへ向かった。

「お邪魔してすみません」

ジェフは早朝の訪問を詫びた。

「でも、あと数時間で船が入港すれば、あなたはお忙しくなりますね。そこでよろしかったら今、あの賭金の精算をしていただけないでしょうか？」

「ああ、ちっともかまいませんよ」

事務長はにっこり笑った。

「それにしてもあの若いご婦人は、魔法でも使われるんじゃないですかな？」

「ええ、そうかもしれませんね」

「お差しつかえなければお尋ねしたいのですが、スチーブンスさん。彼女はいったいどこで、あんな見事なチェスの指し方を習ったんでしょう？」

ジェフは打ち明けるように相手に近寄った。

「全米選手権者のボビー・フィッシャーのもとで研鑽したと聞いていますよ」

事務長はマニラ封筒の大きな束を金庫から取り出した。

「こんなに多くの現金を持ち運ぶのは大変でしょう。同額の小切手を書いてあげましょうか？」

「いいえ、ご心配にはおよびません。現金のままで結構です」

ジェフはにっこり笑った。

「よろしかったらお願いしたいのですが？　船が桟橋に横付けになる前に、郵便船がやって来ますよね？」

「ええ。午前六時の予定となっています」

「その郵便船にわたしが乗れるように手配してくださると、まことにありがたいのですけれど。母が重病でして、一刻でも早く」

ジェフは声を落とした。

「手遅れになる前に駆けつけたいのです」

「ああ、それはお気の毒に、スチーブンスさん。わかりました、何とかしましょう。税関のほうも手配しておきましょう」

午前六時十五分、ジェフ・スチーブンスは現金が入った二つのマニラ封筒をスーツケースにしまい込み、船のはしごを下りて郵便船に乗り込んだ。彼は振り返って、目の前にそびえたつ巨大な船の外観に最後の一瞥をくれた。この定期船の乗客たちのほとんどは、ぐっすりと眠りについている。ジェフは、クイーン・エリザベス二世号が接岸するよりもずっと前に、上陸できるだろう。

「いやはや、実に素晴らしい船旅だったよ」

ジェフは郵便船の乗組員の一人に話しかけた。

「そう、とても素晴らしかったわね？」

同意する声がしたので、ジェフはそっちのほうを見た。トレイシーだった。ロープの渦巻の上に座り、髪を海風になびかせている。

「トレイシーじゃないか！　どうしてここにいるの？」

「さあ、どうしてでしょうね？」

ジェフはトレイシーの顔に浮かんでいるものを見た。

「待ってくれよ！　まさか、ぼくが独り占めして逃げるなんて思っているんじゃないだろうね？」

「あーら、そんなつもりだったの？」

トレイシーは辛辣な口調で言った。

「信じてくれよ、トレイシー。きみには伝言を残したんだぜ。サボイ・ホテルで――」

「ふーん、なるほど」

トレイシーは皮肉っぽく言った。

「あなたの性根は直んないのね」

ジェフは抗弁しようとしたが、トレイシーの顔を見て、何を言っても無駄だと悟った。


サボイ・ホテルのトレイシーのスイートで、彼女はジェフが金を数えているのをしっかりと見ていた。

「きみの取り分は十万と千ドルだ」

「ありがとう」

トレイシーは冷やかに言った。

ジェフが話し始めた。

「聞いてもらいたいんだけどね、トレイシー。きみはぼくを誤解しすぎているよ。説明するチャンスを与えてくれよ。今晩、食事を一緒にとりながら、どうだい？」

トレイシーはしばらく考えていたが、やがてうなずいた。

「いいわよ」

「よかった。八時に迎えにいくよ」

ジェフ・スチーブンスがその夕刻、ホテルへ行ってトレイシーを呼び出すと、客室係は言った。

「おそれいります。ホイットニーさまは本日の午後早くチェックアウトなさいました。行先は残してらっしゃいません」

第二十一章

手書きの招待状をもらった。後になってわかったことだが、それがトレイシーの人生を変えることになる。

ジェフ・スチーブンスから分け前を徴収すると、トレイシーはサボイをチェックアウトして、パーク通りにある別のホテルへ移った。そこは住居風の静かなホテルで、部屋は広くて快適、そしてなによりもサービスが最高だった。

ロンドン滞在の二日目に、ボーイがその招待状を、トレイシーの部屋まで届けてきた。書式のきちんとした、手書きの見事な招待状だ。

『共通の友人が、わたしたちは知り合ったほうが何かと得であろう、と勧めてくれました。本日の午後四時に、リッツでお茶でもいかがですか？　ありきたりで芸がないのですが、わたしは胸に赤

いカーネーションをつけていきます』

文末には、『グンター・ハートック』とサインしてあった。

聞いたことのない名前だ。初めはその文面を無視するつもりだったが、だんだんと好奇心が募ってきて、四時十五分にはリッツ・ホテルの優雅な大食堂の入口に行ってしまった。

相手はすぐわかった。齢はおよそ六十歳。細面の聡明な顔つきをした、面白そうな男だった。膚はなめらかで美しく、ほとんど半透明といえようか。いかにも特別仕立ての高価そうな灰色のスーツを着て、襟に赤いカーネーションを差している。

トレイシーが男のテーブルへ近づくと、彼はすかさず席を立って軽く会釈した。

「招待を受けていただきまして、まことに光栄です」

男は昔スタイルの作法にのっとり、椅子を引いて彼女を着席させたので、トレイシーはすっかりいい気分になった。まるで違う世界の人間にであったようだ。彼の狙いが何であるのか、トレイシーは見当がつかなかった。

「好奇心にかられてやってきました」

トレイシーは正直に言った。

「だけど、お間違えではないですか。他のトレイシー・ホイットニーと混同なさったのでは?」

グンター・ハートックはにっこりと笑った。

「わたしの聞いた限りでは、トレイシー・ホイットニーさんはあなた以外にいないはずです」

「正直におっしゃってください。わたしの何をお聞きになったのですか?」

「まず、お茶でも飲みながらお話ししません？」

お茶を注文すると、卵にサーモン、キュウリ、ミズタガラシ、チキンをはさんだ小型のサンドイッチが出てきた。それから、できたてのペストリーに固形クリームとジャムをつけたものが、トワイニング紅茶と一緒に出た。

二人は食べながら語った。

「共通の友人がどうの、とか書いてありましたわね？」

トレイシーが先に言った。

「コンラッド・モーガンのことですよ。彼とは時々仕事をしているんです」

〈わたしは一度だけ彼と仕事をしたことがあるわ〉

トレイシーは苦々しく思った。

〈そして彼は、わたしを騙そうとした〉

「モーガンはあなたの賛美者ですよ」

グンター・ハートックは話しだした。

トレイシーはさらに細かく男を観察した。身のこなしは貴族的で優雅。お金もたっぷり持っていそうだ。

〈わたしに何の用があるのかしら？〉

トレイシーは不思議でしょうがなかった。で、男が用件を切り出すのを待つことにした。ところが男は、なかなか核心に近づかない。コンラッド・モーガンについてもそれ以上は触れなかったし、

トレイシーと自分の共通の利益という件にも言及しなかった。

だがトレイシーには、この会見はむしろ楽しく、興味深いものだった。グンターは自分の生い立ちを語った。

「生まれはミュンヘンです。父は銀行家でした。かなり裕福だったので、わたしは美術品や骨董品に囲まれ、甘やかされて育ちました。母はユダヤ人でした。それでヒットラーが政権を握ると、父は母を捨てることを拒んだがために、全財産を没収されました。やがて両親は爆撃で死んでしまいました。わたしは同志の介添えでドイツを脱出して、スイスに密入国したんです。そして戦争が終わっても、ドイツに戻らないことに決めました。わたしはロンドンに移住し、マウント通りで小さな骨董屋を開いた次第です。そのうち、わたしの店に来てください」

〈何だ、そんなことだったの〉

トレイシーは戸惑いながら思った。

〈わたしに何かを売りつけるつもりなのね〉

予想は外れた。トレイシーはカン違いをしていたのだ。

グンター・ハートックは小切手で勘定を払いながら、いとも気さくに言った。

「ハンプシャーに小さな田舎屋敷を持っているんですよ。この週末に友人が数人来ますので、どうですか、合流しませんか？」

トレイシーは返事をためらった。この男はまったくの他人である。男の狙いが何であるかも見当がつかない。とはいうものの、トレイシーに失うものは何もない。誘いに乗ることにした。

魅惑にあふれる週末となった。

グンター・ハートックは『小さな田舎屋敷』と言ったが、どうしてどうして、三十エーカーもの領地に建てられた十七世紀朝の大邸宅だった。グンターは独身で、召使いを除くと、一人暮らしだった。彼はトレイシーに家の周りをあちこち案内した。厩舎には六頭の馬がいて、中庭では鶏や豚が飼育されていた。

「これだから、まずは飢えることはありません」

グンターはものものしく言った。

「さて、わたしの本当の道楽をご覧にいれましょう」

グンターは鳩をいっぱい飼っている鳥小屋にトレイシーを案内した。

「こいつらは伝書鳩です」

グンターは自慢げに言った。

「かわいく美しい鳩たちをご覧なさい。青みがかった灰色のがいるでしょう？　あいつがマーゴです」

グンターはその鳩をつかまえて抱いた。

「おまえは本当に暴れん坊だね、わかってるのかい？　こいつは他の鳩をいじめるのですが、いちばん利口なんですよ」

グンターはその羽を小さな頭からなでていき、そっと置いた。

鳩の色は実に見ごたえがあった。青に黒、格子模様の青と灰色、銀一色と様々だ。

「白いのは一羽もいませんね」

トレイシーは思ったままを言った。

「伝書鳩に白いのはいないんです」

グンターが説明した。

「というのも、白い毛は簡単に抜けてしまうんです。なにしろ時速六十五キロ平均で飛ぶんですからね」

トレイシーは、グンターがビタミン配合の特別な餌を鳩に食べさせるのを、黙って見ていた。

「こいつらはすごい血統種なんですよ」

グンターが言った。

「伝書鳩は八百キロも離れた自分の家を見つけられるってこと、ご存知ですか?」

「すごいですね」

他の招待客たちも同じようにすごい人たちだった。大臣夫婦、伯爵、将軍とその女友達、若くて美しく愛想のよいインドの王女。

「わたしをV・Jと呼んでね」

王女はほとんど抑揚のない口調で言った。彼女は金糸を織り込んだ真紅のサリーを着て、トレイシーが見たこともないような見事な宝石を身につけている。

「あたしの宝石のほとんどは、金庫にしまってあるの」

V・Jは自慢げに話した。

「近頃は泥棒がうようよしていますものね」


日曜日の午後、ロンドンへ戻ろうとしているトレイシーをグンターが引き止め、書斎に招いた。

二人はお茶のお盆をはさんで座った。トレイシーは陶製の器にお茶を注ぎながら言った。

「グンターさん、何が目的でわたしを招待してくださったのか見当がつきません。けれど理由はともかく、とっても楽しゅうございましたわ」

「それならわたしもうれしいね、トレイシー」

そう言うと、グンターは後を続けた。

「きみをずっと観察していたんだよ」

「わかっていましたわ」

「将来、どうするおつもりなのかな？」

トレイシーは返事に窮した。

「あ、いえ。どうするか、まだはっきりとは決めていないんです」

「われわれは二人組んで仕事ができると思うんだがね」

「骨董屋のことをおっしゃっているのですか？」

グンターは声を立てて笑った。

「いやいや、そんなことじゃない。そんなことしたら、きみのせっかくの才能を死なせることになるよ。きみがコンラッド・モーガンを鮮やかに手玉に取ったことを、わたしは聞いている。いやはや、実にあっぱれな振る舞いだったね」

「グンターさん……あれはみんな過ぎたことです」

「じゃ、これからはどうするのかね？　とくに計画はないと言ったね。今後のことを考えなければいけない。どんなにお金があっても、いつかは使い果たしてしまうものなんだよ。わたしと手を組もうじゃないか。わたしは金持ち連中どもの国際社交界に顔が効く。慈善舞踏会や狩猟会、ヨットの船上パーティなどによく出席しているからね。金持ち連中の動向にわたしは熟知しているんだ」

「それがわたしとどう関係があるのか――」

「きみをあの黄金の仲間どもに紹介するのさ。大変な黄金なんだよ、トレイシー。そしてわたしはきみに目がくらむような宝石や絵画の情報と、それらを安全に入手する方法を伝える。わたしは宝石や美術品を個人的に処分できるんだ。まあ他人から搾取して富を築いた連中の帳尻合わせをする仕事だと思えばいい。利益はすべて折半することにしよう。どうかね？」

「返事は、ノーですわ」

グンターはしばらく無言でトレイシーを見つめていた。

「わかった。ただし、気が変わったらいつでも電話してくれたまえ」

「気が変わるなんてあり得ませんわよ、グンターさん」

その日の夕方、トレイシーはロンドンへ戻った。

トレイシーはロンドンがすっかり気に入っていた。《ル・ガブローシュ》や《ビル・ベントレイズ》や《コワン・ドュ・フー》で食事を楽しみ、観劇後はドロンズへ行って本物のアメリカン・ハンバーグやホットチリをお腹に押し込んだ。国立劇場や王立オペラ劇場にはもちろん行ったし、クリスティやサザビーの競り市にも出かけた。ハロッズやフォートナム&メイソンズで買物をし、ハッチャーズやフォイルズやW・H・スミスなどの書店で本を漁った。ある時には運転手つきの車を雇い、ハンプシャーにあるチュートン・グレン・ホテルまで出かけ、心ゆくまで週末を楽しんだ。素晴らしいサービス、豪華な設備が心を楽しませてくれた。

だが、そういった豪遊には相応のお金がかかる。

『どんなにお金があっても、いつかは使い果たしてしまうものなんだよ』

グンター・ハートックの忠告どおりだ。自分のお金は永遠に続くものではなく、今後の生活のために計画を立てなければならない、とトレイシー自身も気づき始めていた。

トレイシーはその後も何度か、週末にグンターの田舎屋敷に招かれ、行くたびにこの男との親交を楽しんだ。

ある土曜日の夕食時に、下院議員がトレイシーを見て言った。

「わたしは正真正銘のテキサス人とやらにお目にかかったことがないんですよ、ホイットニーさん。

彼らはどんなふうなんですか？」

トレイシーがさっそくテキサスの成金未亡人の素振りを演じてみせると、会食者全員が大喜びして笑いころげた。

それからしばらくたって、トレイシーとグンターが二人きりになると、彼が言った。

「あの絶妙の演技をして、少しばかり財産を築いてみないかね？」

「わたし、女優じゃありませんよ、グンター」

「きみは自分を過小評価しすぎているよ。ロンドンにパーカー・アンド・パーカーという宝石商会があるんだけどね――そこはひどいところなんだ――アメリカ人流に言うなら、客から金を巻き上げるのに極上の喜びを感じている宝石屋でね。きみは例のテキサス未亡人の演技で、わたしに宝石商を懲らしめるアイデアを与えてくれたよ」

グンターはそのアイデアをトレイシーに話した。

「やりません」

トレイシーは断った。だがそのアイデアについて考えれば考えるほど、うまくいきそうな気がして引きつけられた。トレイシーは数ヵ月前の冒険を思い出した。ロングアイランドでは警官を、クイーン・エリザベス二世号ではチェスの名人二人を、そしてその仕掛人のジェフ・スチーブンスさえも出し抜いてきた。いずれもが筆舌に尽くしがたいスリルでわくわくしたものだ。その刺激を今では忘れようとしている。

「できないわ、グンター」

トレイシーは念を押して断った。だがその口調は、前ほど拒絶的ではなくなっていた。

ロンドンは十月にしては季節はずれの暖かさで、イギリス人たちも旅行者同様、輝く太陽の恩恵に浴そうと外に出てきていた。従って正午頃のトラファルガー広場、チャーリング・クロス、ピカデリー・サーカス付近は、非常な交通渋滞となった。その混雑の中を、白のダイムラーがオックスフォード通りからニューボンド通りに折れ、ローランド・カルティエ、ガイガーズ、そしてロイヤル・スコットランド銀行の前を抜けて行った。やがて一軒の宝石店の前に差しかかると、ダイムラーは停車した。正面ドアの横にもったいぶった感じの看板がかかっている。《パーカー&パーカー》だ。

リムジンから制服に身を固めた運転手が出てくると、さっと後部にまわって乗客のためにドアを開けた。サスーンで手入れさせたに違いないブロンドの若い女性が、車から飛び降りてきた。厚化粧をして、黒テンのコートの下に体にぴったりのイタリア製ニットドレスを着て、お天気とまったくそぐわない恰好だ。

「店はどっちなのさ、兄ちゃん？」

彼女は尋ねた。その声たるや、かん高く耳ざわりなテキサス訛だ。

運転手は入口を手で指し示した。

「こちらでございます」

「ありがとう、兄ちゃん。ちょっとぶらついててよ。そう時間はかかんないからね」

「この区画をぐるりと回らなくてはならないと思います。ここは駐車が許されていないのです」

テキサス女は運転手の背中をぽんぽんと叩いて言った。

「好きなようにやんなよ、あんちゃん」

〈あんちゃんだって！〉

運転手はたじろいだ。こんな屈辱も、落ちぶれてしがないレンタカーの運転手などをしているからだ。運転手はアメリカ人すべてが気にくわなかったし、ことにテキサス人となると大嫌いだった。やることが野蛮きわまりない。しかも金持ちの野蛮人ときているから始末が悪い。

だが運転手は、自分の乗客がテキサス州旗の『ローン・スター』も見たことがないと知ったら、腰を抜かすほど驚いただろう。

トレイシーは宝石店のショーウインドーに映る自分の姿を点検し、明るい笑顔をつくって大股でドアへと向かった。制服姿のドアマンがすかさず開けてくれた。

「いいお天気ですね、マダム」

「やあ、こんにちは、かっこいいお兄ちゃん。この店は宝石を売るだけじゃなくて、ホストクラブでもやってんの？」

トレイシー扮するテキサス女は、自分の冗談にけたけたと笑った。

顔を青ざめさせたドアマンを尻目に、彼女は香水の強い香りをふりまきながら、店の中へと入っていった。

モーニング服を着たセールスマンのアーサー・チルトンが応対に出た。

「いらっしゃいませ、マダム、何かお探しですか？」

「そうかもしんないし、そうでないかもしんないわ。パパのP・Jがね、お誕生日プレゼントを自分で買いなさいって言ったからここに来たのよ。どんなもん、ある？」

「特別にお好みのものがおありですか、マダム？」

「あーら、あんたらイギリス人ってのは、いつも気ぜわしいわねえ」

彼女はけたたましく笑い、セールスマンの肩をぴしゃぴしゃと叩いた。

モーニング服の男はかろうじて平静を保った。

「そうね、エメラルドあたりがいいねえ。パパのP・Jは、あたしがエメラルドを買うとうれしがるんだ」

「それでしたら、どうぞこちらのほうへ……」

チルトンはエメラルドがいっぱい入った陳列ケースのほうへ、トレイシーを案内した。

漂白ブロンドの女は小馬鹿にしたようにそれを見た。

「ちっこいねえ、赤ん坊じゃないの。もっとデカいママやパパはないの？」

チルトンはキッとなって言った。

「三万ドルからするのもございます」

「ヘア・ドレッサーにあげるチップみたいじゃない」

女はゲラゲラと笑い飛ばした。

「パパのＰ・Ｊはね、あたしがそんな小石を買って帰れば、自分が侮辱されたと言って怒るね」

チルトンは、パパのＰ・Ｊが腹の出た肥満体で、この女同様にはなもちならぬやつだろう、と勝手に想像した。割れ鍋にとじ蓋だ。

〈金ってのはどうして持つにふさわしくないやつらのところへ流れるんだろう？〉

「いかほどくらいのご予算でいらっしゃいますか、マダム？」

「面倒くさいからね、デカいの百ぐらいから始めようよ」

チルトンはぽかんとしていた。

「デカいの百って？」

「なーんだ、あんたらキングス・イングリッシュを喋ると思っていたのに。デカいのって言えば千じゃない。だから、千が百で、十万ってことだよ」

チルトンは生唾をごくりと飲み込んだ。

「ああ、なるほど。それでございましたならば、おそらく、あのう、わたくしどもの支配人にお話しされたほうが、よろしいと思いますです」

その支配人グレゴリー・ハルストンは、いつも高額の販売に関してはすべて自分が行うと主張していた。パーカー＆パーカーは売上げ報奨制度をとっていなかったので、従業員にとっても異論はなかった。ましてやこのような品のない客だから、チルトンは喜んで支配人に任せた。カウンターの裏側にある呼鈴をチルトンが押すと、青白くひょろひょろの男が、あたふたと店の奥から出てきた。支配人は奇抜な恰好をしたブロンド女を一目見て、この女が帰るまでは常連のお客が来ません

ように、と祈った。

チルトンは紹介を始めた。

「支配人、こちらのお客さまは、えーと……そのう……ミセス……？」

チルトンは客のほうを向いた。

「ベネックよ、あんた。マリー・ルー・ベネックよ。パパのＰ・Ｊ・ベネックの妻ってわけ。あんたたち、Ｐ・Ｊ・ベネックは知ってるわよね」

「もちろんですとも」

グレゴリー・ハルストンは、見るからに下品な客に無理に微笑みかけた。

「ベネックさまはエメラルドをお求めでいらっしゃいます、支配人」

支配人のグレゴリー・ハルストンは、エメラルドの陳列台を指し示した。

「こちらにございますのがエメラルドの――」

「お客さまがお求めのエメラルドは、十万ドル相当のお値段でございます」

それを聞いた途端、グレゴリー・ハルストンの顔に本物の笑顔が浮かんだ。何て幸先の良い日なんだろう。

「ねえ、聞いてよ。あたしの誕生日にね、パパのＰ・Ｊがね、自分で気に入ったものを買いなさいってことなのよ」

「さようでございますか」

ハルストンはがらりと口調を変えた。

「どうぞ手前と一緒に、奥へお越しくださいますか？」

「あーら、あやしいわね。あんた、大丈夫だろうね？」

ブロンド女はくすくす笑った。

ハルストンとチルトンは顔を見合わせて苦笑いした。

〈クソったれアメリカ人め！〉

ハルストンは鍵がかかっている部屋へと客を案内し、ドアを開けた。二人が煌々と明かりのついた小さな部屋へ入ると、支配人は用心深く中から鍵をかけた。

「とくに大事なお客さまのために、最も高価な宝石をここに保管しているのです」

支配人はもったいぶって言った。

部屋の中央にショーケースが置かれ、ダイヤモンドにルビー、エメラルドなどが気絶するほどたくさんあって、まばゆいばかりに輝いている。

「わーお、これならずっと宝石らしいじゃないの。パパのP・Jもここへ来たら喜ぶよ」

「どれかお気に召したのがおありでしょうか、マダム？」

「そーねえ、どれにしようか迷っちゃうわねえ」

トレイシーはエメラルドが入った宝石ケースのほうへ近づいた。

「ここいらのをよく見せてちょうだい」

ハルストンはもうひとつの小さい鍵をポケットから出してケースを開け、エメラルドのケースをテーブルの上に置いた。ビロードのケースに十個のエメラルドが入っていた。ハルストンは、客が

その中でいちばん大きく、プラチナで装飾したブローチを手に取るのを見ていた。

「パパのP・Jなら、これがわたしにぴったりだって言ってくれそうよ」

「マダムはなかなかお目がお高いですな。こちらはコロンビア産のもえぎ色の十カラットです。キズも入ってませんし――」

「キズの入っていないエメラルドなんてないわよ」

ハルストンはびっくりしてしばし度を失った。

「マ、マダムの、お、おっしゃるとおりでございます。わ、わたしが申した意味は――」

ハルストンは客の目の色に初めて気がついた。それは女が今手の中でころがし、吟味している石とまったく同じ緑色だった。

「もっと取り揃えてございまして――」

「ああ、結構よ、かまわないで。これに決めちゃうわ」

わずか三分もかからない商談だった。

「さすがでいらっしゃいますね」

ハルストンは言った。それからおもむろにつけ加えた。

「ドルですと十万ドルになります。いかように支払われますか、マダム?」

「心配しないでよ、ラルストンあんちゃん。こっちのロンドンにも預金している銀行があるんだよ。あたし個人用の小切手を書くわ。するとP・Jがあたしに払い戻してくれるってわけ」

「ごもっともでございます。その宝石はきちんとクリーニングしてから、あなたさまのホテルへお

届けいたしましょう」

エメラルドをクリーニングする必要はなかったのだが、客の小切手の正否を確認するまでは、宝石を手放したくなかったのだ。ずいぶん多くの宝石商がこずるいペテン師にひっかかるのをハルストンは知っていたし、彼自身は一度たりとも一ポンドたりとも騙されたことはないことを誇りにしていた。

「どちらまでエメラルドをお届けいたしましょう？」

「ドーチのオリバー・メッセル・スイートを使ってんの」

ハルストンは念を押した。

「ドーチェスター・ホテルのことですね？」

「あたしはオリバーめちゃくちゃスイートと呼んでるよ」

テキサス女は大声で笑った。

「アラブ人ばっかしだからホテルなんて嫌いって人が多いけど、パパのP・Jは彼らと商売してるのよ。P・Jはいつも言ってるわ、石油は国家なり、ってね。P・J・ベネックはね、やり手なの」

「さようでございましょうとも」

ハルストンはうやうやしく答えた。

テキサス女が小切手帳から一枚破り、サインを始めるのをハルストンは見ていた。それはバークレイ銀行の小切手だった。好都合だぞ。そこにはベネックの預金高を点検してくれる知り合いがいる。ハルストンは小切手を受け取った。

「明朝、わたしがエメラルドをお届けにあがります」

「パパのP・Jも気に入ってくれるわよ」

テキサス女はにこりとした。

「きっとさようでございましょう」

ハルストンは丁重に答えた。そうして出口へと客を先導した。

「ラルストンちゃん――」

支配人は自分の名前の呼び間違いを正そうとしたが、すぐに思い直した。気にすることないじゃないか？　ありがたいことに、この客と二度と会うことなんてないんだ。

「何でございましょう、マダム？」

「そのうち午後にでも、あたしのスイートに遊びに来てよ。あんたもパパのP・Jを好きになるわよ」

「さようでございましょう。まことに都合の悪いことに、午後は仕事なのでございます」

「それは残念だわね」

テキサス女は店を出ていった。ハルストンが外を見ていると、白のダイムラーがすべるようにやって来て、運転手が中から飛び出し、彼女のために後部ドアを開けた。ブロンド女はハルストンを振り返り、親指をあげて合図し、車に乗り込んで走り去った。

ハルストンは自分のオフィスへ戻り、受話器を取ってバークレイ銀行の友人にダイヤルした。

「やあ、ピーター、今ここに十万ドルの小切手があるんだ。ミセス・マリー・ルー・ベネックとい

う女性の名義なんだけど。大丈夫かな?」

「このまま待っててくれ」

ハルストンは待った。ここのところ不景気だったので、小切手が本物でありますようにと祈る気持ちだった。宝石店のオーナーのパーカー兄弟は無慈悲な連中で、売れ行きが悪いのは不況のせいではなくてハルストンの責任だと言わんばかりに、常に小言をならべていた。確かに売上げはひどく落ち込んでいたが、抜け目なく儲けてはいた。それというのも、パーカー&パーカーは宝石クリーニング部門をもっており、クリーニングに預けられた宝石が客に返される時は、元より劣るものになっているという芸当を行っていたのだ。苦情はたくさん持ち込まれたが、それを証明できる人はいなかった。

ピーターが電話口に戻ってきた。

「問題ないね、グレゴリー。小切手を支払っても十分あまる金が預金されてるよ」

ハルストンはほっと安堵した。

「ありがとう、ピーター」

「いやいや」

「来週、昼飯でもどうだね——ぼくがおごるよ」


翌朝、小切手は引き落とされ、コロンビア・エメラルドは身元保証つきの配達人によって、ドー

チェスター・ホテルのP・J・ベネック夫人のもとへ届けられた。

その日の夕方、閉店まぎわに、秘書がグレゴリー・ハルストンに告げた。

「ベネックさまとおっしゃる方がお見えになっていらっしゃいます、支配人」

ハルストンの心は沈んだ。テキサス女はブローチを返しにきたのだ。引き取りを拒絶することはできないだろう。

〈女なんてクソくらえ、アメリカ人なんて、テキサス人なんて!〉

ハルストンは作り笑いを浮かべて挨拶に出ていった。

「いらっしゃいませ、ベネックさま。ご主人さまはあのブローチがお気に召されなかったんですか?」

テキサス女はいたずらっぽく笑った。

「あんたのカンはハズレだね。パパのP・Jはもうぞっこん惚れ込んでるよ」

ハルストンの心は歌い出した。

「お気に召されたんですか?」

「気に入ったのなんのって。もう一つ手に入れて、一対のイアリングにしなさいって言うのよ。前のと同じものを売ってよ」

グレゴリー・ハルストンは少しばかり顔をくもらせた。

「おそれいりますが、それにはちょっとばかし問題がございます、ベネックさま」

「何が問題なのよ、あんた?」

「あなたさまにお売りしたのは特別な宝石だったのです。同じようなエメラルドはもうないのです。

今ちょっと違うスタイルですが、見事なセットがございます。それを……」

「違うスタイルなんていらないわ。あたしが買いたいのはうりふたつのやつなんだ」

「正直申しまして、ベネックさま。十カラットのコロンビア産で無傷のものは……」

ハルストンは客の顔色をうかがいながら言った。

「無傷に近いものはなかなかないんです」

「何とかしてよ、あんた。どこかに一つくらいはあるはずよ」

「正直に申しますが、あれくらいの宝石となりますと、手前どもも滅多にお目にかかれません。形、色あいなど、まったく同じものを見つけるのはほとんど不可能です」

「テキサスではね、こう言うよ。『不可能とはちょっと時間がかかるということ』だって。土曜日があたしの誕生日なの。P・Jはあたしにエメラルドのイアリングをつけさせたいのよ。P・Jは欲しいものならどんなことをしても手に入れるわ」

「真実を申しているのですが、同じ——」

「あのブローチはいくらだったかしら——十万ドルよね？　同じものをもう一つ見つけてくれたらパパのP・Jは二十万でも三十万ドルでも払うわよ」

グレゴリー・ハルストンは素早く計算した。あのエメラルドの複製がどこかにあるはずだ。それにP・Jが余分に二十万ドル払ってくれるというのなら、相当な儲けになるではないか。

〈実際のところその儲けを、わたし自身のフトコロに入れることも可能ではないか〉

そう思った支配人は、元気よく言った。

「何とか探してみましょう、ベネックさま。ロンドンの他の宝石屋に今現在ないことは確かなのですが、いつ同じようなエメラルドが売りに出るとも限りません。わたしが広告をうったりしてみますので、結果をお待ちください」

「週末までに何とかしてよ」

ブロンド女は言った。

「あんたがわたしのために頑張ってくれれば、パパのP・Jはきっと三十五万ドル払ってくれるよ」

そう言い残して、ベネック夫人は黒テンのコートをたなびかせながら、立ち去った。

グレゴリー・ハルストンは、まるで白日夢にひたっているような気分でオフィスに座っていた。運命の女神が、ブロンドのあばずれにのぼせて十万ドルのエメラルドを三十五万ドルで買おうという愚か者を、自分のもとに寄越してくださった。これは手取り二十五万ドルの儲けということだ。グレゴリー・ハルストンは、この取引については主人のパーカー兄弟の手を煩わせる必要はないと判断した。二つ目のエメラルドを十万ドルで売ったと記載し、残りは着服してしまえばよいのだ。二十五万ドルの余得は、今後の人生にうんと潤いをもたらしてくれるはずだ。

今やらなければならないことは、P・J・ベネック夫人に売ったのと対になるようなエメラルドを探し出すことだ。

しかしこの宝石探しは、ハルストンが予期していたよりもはるかに困難な作業となった。同業の

宝石商に電話してみたが、求めているのに該当する在庫は一つとしてなかった。ロンドン・タイムスやファイナンシャル・タイムスに広告を出し、クリスティーやサザビー、さらに十軒以上の仲買代理店にも問い合わせてみた。それからの数日間というもの、ハルストンは粗悪、上質、あらゆるエメラルドの情報洪水に見舞われたが、彼が求めているようなエメラルドはついぞ現れなかった。

水曜日にベネック夫人が電話してきた。

「パパのP・Jが苛立ってきたわよ」

テキサス女は不機嫌そうに言った。

「もう見つかった?」

「いいえ、まだなんですよ、ベネックさま」

ハルストンは必死に相手をなだめた。

「だけど、おまかせください。なんとか頑張っていますから」

二日後の金曜日にまた電話がかかってきた。

「明日があたしの誕生日なのよ」

夫人はハルストンに念を押した。

「存じております、ベネックさま。もう数日あれば何とかなるのですが——」

「まあ、気にしなくてもいいわよ。明朝までにエメラルドが見つからなければ、あんたから前に買ったやつを返すわ。パパのP・Jがね——うれしいわ——代わりに土地を買ってくれるって言うのよ。サセックスってところ知ってる?」

ハルストンは冷汗をかきながら大声で説得しだした。

「ベネックさま」

その口調はほとんど懇願であった。

「あなたさまはサセックスをお気に召されるはずがありません。田舎住まいがお嫌いだと思いますよ。ひどい状態なんです。セントラルヒーティング設備もありませんし——」

「あんたにだけ打ち明けるとね」

夫人が割って入った。

「あたしは土地よりもイアリングが欲しいのよ。パパのP・Jはね、エメラルドを対にするためには四十万ドル払ったってかまわないって言ってたわ。パパのP・Jがどんな頑固かあんたにはわかんないわよ」

〈四十万ドル！〉

ハルストンは指の間から、金がすべり落ちていくような気がした。

「信じてください。わたくしは精一杯やっているんでございます」

さらに懇願口調になった。

「もう少し時間をください」

「あたしが決めることじゃないのよ」

夫人は言った。

「パパ次第ね」

そして電話は切れた。

ハルストンは運命をのろいながらそこに座っていた。そっくり同じの十カラットのエメラルドをどこで探せというのだ？ あれこれと思いをめぐらせていたので、インターコムが三回鳴るまで気がつかなかった。ボタンを押して怒鳴るように言った。

「何の用だ？」

「マリッサ伯爵夫人とおっしゃる方からお電話が入っています、支配人。エメラルドの広告についての問い合わせです」

また冷やかしだ！ ハルストンは朝から十件にものぼる電話を受けていたが、いずれも無駄な情報だった。支配人は受話器を取るとぶっきらぼうに言った。

「はい？」

イタリア訛の優しい女性の声がした。

「ボンジョルノ・シニョール。エメラルドを買いたいとの記事を読んだのですけど、シー？」

「条件に合えば、ですよ、おわかりかな？」

ハルストンはいらいらを隠し通せなかった。

「何十年もわが家に伝わっているエメラルドがあるのです。大変残念なんですけども、事情がありまして、手放そうかと思っているんですよ」

そんな話はうんざりだった。どうせ、また駄目だろう。

〈クリスティの店にもう一度連絡をとってみよう。サザビーにもだ。最後に品物が入荷したかもし

れない。でなければ――〉

「シニョール？　あなたは十カラットのエメラルドをお探しだとか？」

「はい、そうです」

「わたしは十カラットの緑色のコロンビア産を持っています」

ハルストンは喋ろうとしたが、興奮で喉が詰まって声が出なかった。

「な、な、何とおっしゃいました。も、も、もう一度、お話しくださいませ？」

「シー。わたし、十カラットのもえぎ色の、コロンビア産エメラルドを持っています。関心がおありでしょうか？」

「そうですなあ」

ハルストンは抜目のない宝石屋に戻って、注意深く言った。

「こちらまでお立ち寄りになって、その石とやらを見せていただければ良いのですが」

「いいえ、ごめんなさい。今はとっても忙しくて手が離せないのです。夫のために大使館のパーティの準備中なんです。それじゃまた来週でも――」

とんでもない！　来週では間に合わなくなる。

「それならば、わたしのほうからお邪魔いたしましょうか？」

ハルストンは物欲しそうな声音にならないように努力した。

「これからでもお伺いできますよ」

「そうねえ、午後はわたし、お買物に行かなければなりませんの」

「どちらにお泊まりでございますか、伯爵夫人?」

「サボイ・ホテルです」

「十五分後に、いや十分以内にまいります」

ハルストンの声はうわずっていた。

「結構でしょう。それで、あなたのお名前は?」

「ハルストンです。グレゴリー・ハルストンと申します」

「スイートの二十六ですわ」


タクシーに乗っている時間がもどかしいほど長かった。ハルストンは天国の高さから地獄の底に落ちたと思ったが、また浮き上がってきた。これから見るエメラルドが例のやつに似ていたらば、自分はどんな欲ばった夢もはるかにしのぐ金持ちになれるはずだ。

〈四十万ドルも、やつは払うと言っている〉

三十万ドルまるまる儲かるのだ。リビエラに土地を買おう。クルーザーも持てるだろう。海沿いの別荘と自分の船があれば、お気に入りの美男子を何人も魅きつけ、彼の秘密の趣味を満喫できる……。

グレゴリー・ハルストンは無神論者だったが、サボイ・ホテルの二十六号室へ廊下を歩きながら、いつの間にか神に祈っていた。

〈せめてその石が、P・J・ベネックのジジイを満足させる程度は似てますように〉

ハルストンは伯爵夫人の部屋の前に立ち、ゆっくりと呼吸を整え、気持ちを落ち着かせた。それからドアをノックした。が、応答がない。

〈ああ、万事休すだ〉

ハルストンは思った。

〈夫人は出かけたんだ。待ってくれなかった。買物に出かけてしまって、わたしの夢もおしまい――〉

その時、ドアが開いた。ハルストンは五十歳代の上品な女性と顔を合わせていた。伯爵夫人は顔にいくらかしわがあって、目の色は黒く、黒髪にもいく筋かの白いものが混じっている。夫人は話し始めたが、その声は、歌うように美しくなめらかなイタリア・アクセントだった。

「どなた?」

「わたくし、グ、グレゴリー・ハルストンと、も、申します。で、電話でお話し、したものです」

ハルストンは緊張のあまりどもっていた。

「ああ、シー。わたしがマリッサ伯爵夫人です。お入りになって、シニョール」

「ありがとうございます」

ハルストンはスイートに入る時、膝が震えないように足をしっかり踏ん張って歩いた。彼はうっかり口走ろうとした。『エメラルドはどこにあるのですか?』と。

しかしハルストンは、自分を抑えなければならないことを知っていた。あせりは禁物なのだ。その石が満足のいくものであれば、まずは値引き交渉することにしよう。とにもかくにも自分は専門

家、相手はアマチュアなのだ。

「どうぞ、お掛けになってください」

伯爵夫人が椅子を勧めた。

ハルストンは座った。

「すみません。わたし、英語があまり得意ではありません」

「いいえ、なかなかお上手です、きれいな英語ですよ」

「グラーチェ。ところで何かお飲みになります、コーヒー？　お紅茶？」

「あ、いいえ、結構です。伯爵夫人」

ハルストンの胃のあたりがぶるぶると震えだした。目的物のエメラルドのことを持ち出すのは早すぎるだろうか？　もはや一秒とて待てなかった。

「エメラルドですけれど――」

伯爵夫人は言った。

「ああ、シー。そのエメラルドは祖母から授かったものなのです。娘が二十五歳になったら譲ろうと思っていたのですけれど、夫がミラノで新事業を始めることになりまして、わたしとしては――」

ハルストンはうわのそらで聞いていた。自分と向かい合って座っている見知らぬ他人の、退屈な身の上話などに興味はない。エメラルドが見たくてあせるばかりだった。これ以上じらされたら爆発しかねないほどだ。

「夫の事業の開始に役立てたらいいと思いまして」

伯爵夫人は憂いを含んだ笑顔を見せた。

「本当は売ってはいけないのだと思っているのですが――」

「いえいえ」

ハルストンはせっかちに言った。

「少しもお気になさることはありません、伯爵夫人。ご夫君を助けるなんて、妻たる方の崇高なつとめですよ。ところでそのエメラルドは、今どこにあるのですか？」

「ここに持っております」

伯爵夫人はそう言って、自分のポケットからティッシュにくるんだ宝石を取り出し、ハルストンに渡した。それを見た途端、ハルストンの心は高く舞い上がった。今まで見たこともない素晴らしいコロンビア産の十カラットのエメラルドなのだ。しかも色といい大きさといい、形までもベネック夫人に売ったものとあまりにも似ていたので、その違いを見分けるのはほとんど不可能だった。

〈もちろん、まったく同じ石ではない〉

ハルストンは自分に言い聞かせた。

〈しかし、見分けられるのは鑑定師だけだろうな〉

ハルストンは手が震えてきた。平静を保たなければならない。

ハルストンはエメラルドを引っくり返して美しいカットを眺め、何気なさを装って言った。

「はあ、なかなかの石ですな」

「素晴らしいでしょ。それを何十年もいとおしんできました。手放すのは本当につらいのですが」

「あなたは正しいことをなさろうとしてらっしゃる」

ハルストンはさも理解あるように言った。

「ご主人の事業が成功したあかつきには、またかような宝石が、欲しいだけ買えるではありませんか」

「わたしもそう思うことにしているんですよ。あなたはとても思いやりのある方ですわね」

「友人に頼まれて、あれこれ探していたんです、伯爵夫人。わたしどもの店にはこれよりも立派な宝石がたくさんあるのですが、その友人が彼の奥さんの所有しているものと同じ石を探してましてね。この石でしたら、彼は六万ドルは出してくれるでしょう」

伯爵夫人はため息を洩らした。

「もし六万ドルでわたしが売ったら、祖母はお墓から化けて出てきますよ」

ハルストンは口をすぼめた。もっと高く買ってもまだ余裕がある。そこで笑顔を作った。

「それではこうしましょう、友人を説得して、十万ドルまで出させましょう。すごい大金ですけれど、彼はこの石を欲しがると思いますのでね」

「まあ、そんなものでしょうかね」

伯爵夫人は言った。

グレゴリー・ハルストンの心は高鳴り、心臓が早鐘を打った。

「よろしいんですね！　小切手帳を持参してきましたので、すぐにでもお支払いしましょう——」

「ちょっと待ってください。その額ではわたしの問題は解決しません」

伯爵夫人の声は沈んでいた。

ハルストンはそんな夫人を見て尋ねた。

「問題とおっしゃるのは?」

「シー。ご説明しましたように、夫が新事業を始めるにあたっては、三十五万ドルが必要なのです。十万ドルは持っていますけれど、あと二十五万ドル足りません。で、このエメラルドでその残りを捻出したかったんですの」

ハルストンは首を横に振った。

「伯爵夫人、この世にそんな高価なエメラルドはございません。信じてください。十万ドルでも正当な価格よりうんと高いんですよ」

「きっとそうでしょうね、ハルストンさん」

伯爵夫人は言った。

「だけど、その価格では夫を助けることにはなりません」

夫人は立ち上がった。

「やっぱりこれは、娘にあげるために残しておくことにしましょう」

夫人は細くしなやかな手を差し出した。

「グラッチェ・シニョール。おいでくださってありがとう」

ハルストンはパニック状態でそこに突っ立ったまま、動かずにいた。

「お、お待ちください」

ハルストンは言った。彼は自分の中の強欲と常識を戦わせていたが、エメラルドを失ってはならないということだけはわかっていた。

「どうかお座りください、伯爵夫人。なんとか取り計らえると思いますよ。わたしのお客に十五万ドルまでは出させられるのでは——?」

「二十五万ドルでなければ駄目なんですの」

「それでは二十万ドルでどうでしょう?」

「二十五万ドルですわ」

夫人は一文たりとも譲らなかった。ハルストンは自分が折れることにした。まだ十五万ドルの儲けになるのだ。取引がこわれて、儲けがまるでなくなるよりはずっとましだ。別荘や船は夢想したよりも小さくなるだろうが、それでも一財産だ。パーカー兄弟には、自分を不当にこき使った仕返しにもなる。一日か二日したら、兄弟に辞表を叩きつけるのだ。それで来週はもうコート・ダ・ジュール行きだ。

「よろしゅうございましょう」

ハルストンは言った。

「まあ、うれしい。それならわたしもお譲りできますわ」

〈譲れるに決まっているじゃないか。欲張りババアめ!〉

ハルストンは思った。しかし彼が不平を洩らす必要などないのである。次の人生設計ができたのだ。ハルストンはエメラルドをちらりと見て、ポケットにすべり込ませた。

「わたしどもの店の小切手を書きます」

「よろしいですわ、シニョール」

ハルストンは小切手に金額を書き入れてサインし、伯爵夫人に渡した。彼はすぐ現金化できる四十万ドルの小切手を、P・J・ベネック夫人から受け取る予定になっている。バークレイ銀行のピーターがその小切手を現金化し、伯爵夫人が引き出したパーカー兄弟の口座の穴埋めをする。そこで十五万ドルが浮いてくる。二十五万ドルの小切手の件は、ピーターと語らってうまく操作しておけば、パーカー兄弟の毎月の明細書には表れないだろう。手取り十五万ドルの儲けだ。

ハルストンは、もう南フランスの暖かい陽光を顔に感じていた。


店までのタクシーの時間はあっという間だった。ハルストンは、このうれしいニュースを聞かされた時のベネック夫人の喜ぶ姿が、目に浮かぶようだった。それどころか、彼は夫人が望んでいる宝石を手に入れてやっただけでなく、荒涼としたサセックスのすきま風が吹きすさぶ田舎住まいを体験させずに済ませてやったのだ。

ハルストンがうきうきしながら店内に足を踏み入れると、下っ端セールスマンのチルトンが客を紹介しようとした。

「支配人、お客さまがおいでになってまして、何か欲しいものがおありとか――」

ハルストンは機嫌よく部下を払いのけながら言った。

「後だ後だ」

客など応対している時間はない。今はないのだ、いやいや、これからずっとないのだ。今後は自分が客になるのだ。エルメスやグッチやランバンで買物をするようになるのである。

ハルストンはそわそわしながら自分のオフィスに入るとドアをしっかり閉め、机の上の目の前にエメラルドを置いて、ダイヤルを回した。

交換手が出た。

「こちらドーチェスター・ホテルです」

「オリバー・メッセル・スイートにつないでくれ」

「どなたとお話しなさいますか？」

「P・J・ベネック夫人だよ」

「少々お待ちください」

ハルストンは相手を待つ間、口笛を吹いていた。

交換手が再び出た。

「申しわけありませんが、ミセス・ベネックはチェックアウトなさいました」

「お移りになった先の部屋へつないでくれ」

「ベネックさまは、当ホテルをチェックアウトなさったんです」

「そんなはずはない。夫人は——」

「フロントと代わりますので、そちらにお話しください」

男が出た。

「こちらフロントです。ご用件は?」

「えーと、P・J・ベネック夫人は、どのスイートにお泊まりかね?」

「ベネックさまは今朝、当ホテルをチェックアウトなさいました」

何がなにやらさっぱりわからなかった。おそらく緊急の用事でもできたのかもしれない、とハルストンは自分に言いきかせた。

「夫人の連絡先を教えてください。わたしは——」

「申しわけありません。連絡先の記録がございません」

「そんなはずない。伝言を残しているだろう」

「いいえ、わたくし自身がその件を確認しておりますので、間違いはございません。連絡先を残しては行かれませんでした」

それはみぞおちへのジャブだった。ハルストンはゆっくりと受話器を置いて、途方に暮れたまま座り続けた。何とかしてベネック夫人に連絡をつけ、エメラルドが手に入ったことを知らせなくてはいけない。また同時に、マリッサ伯爵夫人から二十五万ドルの小切手を取り返しておかなくてはならない。

ハルストンはあわててサボイ・ホテルへ電話した。

「スイート二十六号につないでくれ」

「どなたをお呼びですか?」

「マリッサ伯爵夫人だ」

「少々お待ちください」

だがグレゴリー・ハルストンは、交換手が回線に戻る前に、何かとんでもない大災難がふりかかってくるのではないかという恐ろしい予感に脅えていた。

「申しわけございません。マリッサ伯爵夫人はチェックアウトなさいました」

電話を切ると指がぶるぶる震えだした。やっとのことでダイヤルを回し終え、銀行を呼び出した。

「簿記係の主任を呼んでくれ……急いで頼む！　小切手の支払いを止めたいんだ」

だがやはり、時すでに遅かった。彼は十万ドルで売った同じエメラルドを、二十五万ドルで買い取ったのだ。グレゴリー・ハルストンはオフィスの椅子にくずれるように沈みこみ、パーカー兄弟にどう弁解しようかと頭を悩ませていた。

第二十二章

その体験はトレイシーの新しい人生の幕開けであった。

トレイシーはイートン広場四十五番地の古風で美しいジョージア朝の屋敷を手に入れた。古い建物とはいえ壮麗で、快適な暮らしが楽しめた。そこにはアン女王――イギリス人のスラングで表庭――と、メリー・アン――同様にして裏庭――があり、四季折々の花が咲き乱れる。家具や庭の置物をグンターが援助して揃えてくれ、完成する前からすでにロンドンの名所の一つになるほどだった。

グンターはトレイシーのことを、大富豪の未亡人と紹介した。死んだ亭主は貿易で財を成したという触れ込みだった。トレイシーはあっという間に社交界の花形になった。美人で、教養があり、人当たりがやわらかなせいもあって、時を移さずパーティなどの招待状が山と舞い込むようになっ

た。

そういうつき合いの合間をぬって、彼女は近隣の国々を旅行した。フランス、スイス、ベルギー、イタリアなどへ旅し、その都度、グンターとともにお金を稼いだ。

グンターの教育のもと、トレイシーはヨーロッパ中の王族や貴族の家系についての詳細情報を提供する専門書を熟読した。

また彼女は、カメレオンのように変装と扮装の達人になり、必要なアクセントも自由にあやつれるようになった。パスポートも六人分持っている。行く先々の国で、イギリスの公爵夫人に扮したり、フランス人のスチュワーデスになったり、南アメリカ人の相続人を演じたりした。そのような泥棒旅行によって、一年もすると一生使いきれないほどのお金をためてしまった。

トレイシーは、女性受刑者を救済する団体に多額のお金を匿名で寄付したり、母の会社の工場主任だったオットー・シュミットに毎月たっぷりの額が送金できるように手配したりもした。もはや彼女には、この稼業から足を洗うつもりは毛頭なかった。抜け目なく成功した連中を出し抜くのが、この上ない喜びとなっていた。毎回演じる大胆で人に言えないような行動のスリルが麻薬のように作用して、トレイシーは絶えずより大きな挑戦を求めた。

トレイシーには一つの信条があった。それは罪のない人を決して傷つけないということだった。トレイシーの仕掛けに飛びつく人間は、欲張りか不道徳か、あるいはその両方であった。

〈わたしに一杯食わされたからといって、自殺するような人は一人もいやしない〉

トレイシーはそう確信していたし、それが救いでもあった。

ヨーロッパのあちこちで発生している大胆で突飛な詐欺事件のことが、新聞記事をにぎわし始めた。トレイシーはあらゆる扮装で出没したので、警察は、詐欺や巧妙な盗みを働いている女窃盗団が存在していると断じていた。国際警察も関心を抱き始めた。

国際保険保護協会のマンハッタン本部で、防犯部長のJ・J・レイノルズがダニエル・クーパーを呼びつけていた。

「厄介事なんだ」

レイノルズは言った。

「ヨーロッパで大勢のお得意さんが被害に遭っている——女窃盗団の仕業らしいんだがな。みんなが血なまぐさい殺人だとわめいている。そして一味を早く捕まえてくれってよ。国際警察も我々に協力を申し出ている。ダン、おまえの任務だ。午前中のうちにパリへ発ってくれ」

マウント通りのレストラン《スコッツ》で、トレイシーはグンターと夕食をとっていた。

「マキシミリアン・ピアポントって男の名前を聞いたことあるかい、トレイシー?」

聞き覚えのある名前だった。どこで聞いたのだろう? そうだ、ジェフ・スチーブンスがクイーン・エリザベス二世号の船上でこう言っていた。

『ぼくたちは同じ目的でここにいるのじゃないですか。マキシミリアン・ピアポントという、ね？』

『その人、とってもお金持ちなんでしょ？』

『血も涙もない男さ。やつは会社を買収して、身ぐるみ剝がすのを商売にしているんだよ』

〈ジョー・ロマーノが会社を引き継ぐと、やつはみんなをクビにして、自分の手下を連れてきました。そして会社を身ぐるみ剝がしだし……すべてを奪い去りました。会社、この家、あなたの母上の車さえも……〉

グンターは不思議そうにトレイシーを見ていた。

「トレイシー、どうしたの。大丈夫かい？」

「あ、ええ。平気よ」

〈人生って、時として不公平に作られてるのよ〉

トレイシーは思った。

〈それを公平にするかしないかは、その人の努力次第だわ〉

「マキシミリアン・ピアポントのことをもっと教えて？」

「三番目の妻と別れたばっかりでね、今独身ってわけさ。きみがこの紳士と知り合いになれば、有益だと思うがね。彼はオリエント急行を予約している。今週の金曜日に出るロンドン発イスタンブール行きだ」

トレイシーはにっこりと笑った。

「わたし、オリエント急行には乗ったことがなかったの。楽しみだわ」

グンターも笑顔を返した。

「よろしい。マキシミリアン・ピアポントは、レニングラードのエルミタージュ美術館を別にすれば、宝物卵の最重要なコレクションを所有していてね。このコレクションは少なく見積もっても二千万ドルにはなるはずだ。ロシアの皇帝達が血道をあげた、名工ファバージュの手になる卵形の宝石だ」

「わたしはその卵のいくつかを頂戴してくればいいわけね？」

トレイシーは興味がわいて尋ねた。

「そしたらそれをどうするの、グンター？　あまりにも有名だから売りづらいんじゃない？」

「個人蒐集家を知っているんだよ、トレイシー。きみが小さな卵を失敬してきてくれれば、わたしがその巣を探すってわけだよ」

「何とかできそうね」

「マキシミリアン・ピアポントは、容易には近づきにくい男だ。しかし金曜日発のオリエント急行には、ベニスの映画祭に行こうとしている別の二人のカモが予約している。彼らを騙すのは赤子の手をひねるようなもんだろう。シルバーナ・ルアディって知ってる？」

「イタリアの映画女優でしょ？　もちろん知ってるわ」

「彼女の旦那がアルベルト・フォルナッティさ。例の愚劣な大作ばかりを手がける映画プロデューサーだよ。フォルナッティは興行収入の何パーセントかを払うからといって、俳優やディレクターを安くこき使い、実際には儲けを独り占めすることで有名な男さ。従って、自分の妻に高価な宝石

を買ってやる資力は十分すぎるほどある。また浮気がバレるたびに、その埋め合わせとして、やつは高価な宝石をワイフにプレゼントしているんだ。シルバーナは今までに、宝石屋が開けるくらい色々買ってもらっているはずだよ。いずれにしても面白そうな連中だろう」

「楽しみにしているわ」

トレイシーは目をきらきら輝かせて言った。


ベニス・シンプロン・オリエント急行は、毎週、金曜日の午前十一時四十四分にロンドンのビクトリア駅を出発する。途中で、ブローニュ、パリ、ローザンヌ、ミラノ、ベニスと停車して、イスタンブールまで走る国際長距離列車だ。出発の三十分前になると、ターミナルの乗車ホーム入口に受付カウンターが組み立てられ、制服を着た二人の職員がひしめきあっている客たちを押し分けて、赤いじゅうたんを敷いていく。

オリエント急行の新しい経営者は、十九世紀末の鉄道旅行黄金時代をそのまま再現しようと、英国プルマン車や食堂車、バー・サロン車や、寝台車などを、当時のままに複製して走らせていた。一九二〇年代そのままの金モール入りでマリンブルーの制服を着た係員が、トレイシーのスーツケース二個と化粧品入りケース一個を客室に運んでくれた。部屋は思ったより狭く、ちょっとがっかりした。一人用の椅子があって、花模様に織ったモヘアのカバーがしてある。じゅうたんも、寝台に登るための階段も同じ緑色のフェルトで覆われていて、まるで菓子箱の中にいるような感じだ

った。

トレイシーは、銀製のバケツに入っている小さなシャンパンに添えられたカードを読んだ。

『列車支配人のオリバー・オーバートより』

〈お祝い用にとっときましょう。マキシミリアン・ピアポントを騙した時までね〉

トレイシーはそう決めた。ジェフもこの乗っ取り王をたぶらかせなかった。あのうぬぼれ詐欺師ジェフ・スチーブンスに勝るのは、気分のいいことだ。トレイシーは思わず微笑んだ。

トレイシーは狭い客室で荷物を解き、必要な服だけをハンガーに掛けた。旅行をするだけなら汽車よりもパン・アメリカン航空のジェット機をトレイシーは好むのだが、今回の旅行は特別の刺激があるはずだ。

定刻通りに、オリエント急行は駅を出た。トレイシーは椅子にもたれて、過ぎゆくロンドン南部の風景に見とれていた。

午後の一時十五分、フォークストーン埠頭駅に着いた。乗客はここでフェリーに乗り換えて、海峡をブローニュへと渡る。そこからまた別のオリエント急行に乗って南へと向かうのだ。

トレイシーは車掌のそばへ行き、話しかけた。

「マキシミリアン・ピアポントさんも同乗してらっしゃるそうなんですね。どの方がそうなんですか？」

車掌は首を振った。

「お教えしたいのはやまやまですが、できないのです。あの方は客室を予約して代金も支払ってお

られましたが、乗車なさいませんでした。とても気まぐれな方だそうですよ」

すると残りのカモは二人だ。女優のシルバーナ・ルアディと、その夫の二流大作映画プロデューサーである。


フェリーでドーバー海峡を渡り、フランス北部のブローニュへ着くと、乗客は大陸のオリエント急行に乗る。不運なことに、今度の列車でもトレイシーの客室は狭苦しく、ガタンゴトンと振動する鉄路での長旅をますます不快なものにした。乗り換えてからずっと客室に引きこもって計画を練っていたトレイシーは、午後八時になるとドレスに着替え始めた。

オリエント急行では、正装としてイブニング・ドレスの着用を薦めている。トレイシーはつややかな鳩色のシフォンのガウンを選び、ストッキングもサテンの靴も同じ灰色系で統一した。身に付ける宝石は、服に合わせて一連の真珠だけにした。そうして自分の姿を鏡に映し、長きにわたって入念に点検した。緑色の瞳は純潔そうに、あどけない顔は無邪気で世間知らずというふうに見える。

〈鏡って嘘つきね〉

トレイシーは思った。

〈わたしはもはやそんな女じゃないわ。虚構と虚飾の世界に生きる女よ。それがまた刺激的でたまらないの〉

客室を出たトレイシーはハンドバッグを床に落とし、それを拾おうと膝をかがめて素早くドア鍵

を外側から確認した。二重の鍵になっていて、イエール鍵とユニバーサル鍵だ。

〈これなら問題ないわ〉

立ち上がると、トレイシーは食堂車へ向かった。

この列車には食堂車が三両あった。どの車両も、席にはフラシテンが掛けてあり、壁には化粧板が張りめぐらされ、ラリークの覆いを付けた真鍮の燭台からやわらかな明りがそそいでいる。

トレイシーが最初に入った食堂車は、空席がいくつかあった。給仕頭が挨拶した。

「お一人さまでいらっしゃいますか、マドモアゼル？」

車両を見回すと、トレイシーは言った。

「友達がいるはずなんだけれども、来ていないみたいね」

トレイシーは続けて次の車両に入った。さきほどよりは混んでいたが、それでもいくつか空席がある。

「いらっしゃいませ」

給仕頭が言った。

「お一人でお食事なさいます？」

「いいえ、待ち合わせしているの。ここにもいないわね」

トレイシーは三番目の食堂車へ入っていった。テーブルは全部ふさがっていた。

給仕頭が入口で止めた。

「申しわけございません。お待ちいただくことになりますけど、マダム。しかし他の食堂車には空

きがございますよ」

車両を見回すと、いちばん遠い角の席に目当ての人物がいた。

「いいのよ」

トレイシーは言った。

「お友達を見つけたわ」

トレイシーは給仕頭の脇を通り、奥の席へ歩いていった。

「あのう、すみませんけど」

トレイシーは申しわけなさそうに言った。

「全部のテーブルがいっぱいなのです。ご相席させていただけないでしょうか?」

トレイシーの見事な姿態を一目で感じた男は、さっと席を立った。

「どうぞ、ご遠慮なく。わたしはアルベルト・フォルナッティです。こちらが妻のシルバーナ・ルアディです」

「トレイシー・ホイットニーと申します」

今回は本物のパスポートを使っていた。

「おお、アメリカの方ですね。わたしはステキな英語が喋れますよ」

アルベルト・フォルナッティは、チビでハゲでデブだった。どうしてシルバーナ・ルアディがフォルナッティみたいな男と結婚したのか、二人が一緒になって十二年というもの、ずっとローマっ子たちは話題にしてきていた。シルバーナ・ルアディは古典的な美人で、均整のとれた体つきをし

ており、女優になるために生まれてきたような女性だった。オスカーやシルバー・パームを獲得しており、いつもいい仕事に恵まれていた。

トレイシーはこの女優が今、身につけているものの価格を見積もった。イブニング・ガウンはバレンチノで五千ドルはするわね。飾っている宝石は百万ドル近くするんじゃないかしら？　グンター・ハートックの言葉を思い出した。

『浮気がバレるたびに、やつはますます高価な宝石をワイフにプレゼントしているのさ。シルバーナは今までに、宝石屋が開けるくらいいろいろ買ってもらっているはずだよ』

「オリエント急行にお乗りになるのは初めてですか、シニョリーナ？」

トレイシーが席に着くと、フォルナッティが会話の口火をきった。

「はい、そうです」

「なるほどね。これは伝説がいろいろあって、とてもロマンチックな急行ですぞ」

フォルナッティの目はもの欲しそうに濡れていた。

「面白いエピソードがたくさんありましてね。例えば大武器商人のサー・バジル・ザハロフにまつわるエピソードは有名だ。彼は昔のオリエント急行をよく利用していて、いつも七号室がお気に入りでした。ある晩のこと、悲鳴とともに、彼の部屋のドアをガンガンと叩く音がしました。開けてみると、スペインの若い公爵夫人が彼のもとにもたれ込んできました」

フォルナッティはそこで一呼吸いれ、ロールパンにバターをぬってぱくついた。

「夫の公爵が、彼女を殺そうとしていたのです。親たちが勝手に決めた結婚でしたが、かわいそう

な娘は、自分の夫が狂人であったことをその時初めて知ったのです。ザハロフ氏は公爵の狼藉を制止し、泣きわめく夫人を優しくなだめました。これがきっかけとなって、二人にロマンスが芽生え、それが四十年も続いたんです」

「まあ、ステキだこと」

トレイシーは言った。そして話に魅了されたように、目をいっぱいに見開いた。

「そうでしょう？　それから彼らは毎年、オリエント急行で逢瀬を重ねました。ザハロフは七号室、公爵夫人は八号室を予約してね。公爵夫人の夫が死ぬと、二人は晴れて結婚しました。彼は愛の証として、夫人に結婚記念プレゼントをしました。何とそれは、モンテ・カルロのカジノだったのです」

「何て素晴らしいお話でしょう、フォルナッティさん」

シルバーナ・ルアディは石のようにみじろぎもせず、ただ沈黙していた。

「どうぞお食べください」

フォルナッティはトレイシーにうながした。

食事は六皿のコースだった。アルベルト・フォルナッティは一つ一つの皿を全部たいらげ、妻の残し物まで食べる始末だった。もちろん、食べながらも口はひっきりなしに動かしている。

「あなたは女優ですな、たぶん？」

フォルナッティは尋ねた。

「いいえ、とんでもないですわ。わたしはただの旅行者です」

トレイシーが笑いながら答えると、フォルナッティも笑顔を返した。

「お美しい。あなたは女優になれるくらいにお美しい」

「この方は女優じゃないって言ってるじゃない」

シルバーナがぴしゃりと会話を止めた。

アルベルト・フォルナッティはそんな妻のやっかみを無視して、トレイシーに話しかけた。

「わたしは映画の制作をやっているのです。ご存知でしょうけど、『勇猛な蛮人』『タイタン対スーパーウーマン』などを手がけたのですぞ」

「わたし、あんまり映画は見ないんですの」

トレイシーは申しわけなさそうに言った。と、テーブルの下で、フォルナッティが太った足をトレイシーに押しつけてきた。

「それならばわたしの作品を一度どこかでお見せしましょう」

シルバーナは怒りで顔面蒼白になった。

「あなたは今までローマに行ったことがありますかな?」

フォルナッティはトレイシーに押しつけていた足を上下に動かしながら問いかけた。

「本当のこと言いまして、ベニスの後でローマに行くつもりなんです」

「それは素晴らしい! それじゃみんな一緒に夕食でもしましょう。かまわないだろう、おまえ?」

フォルナッティは妻のシルバーナをちらりと見て話を続けた。

「アッピア街道沿いに小奇麗な別荘がありましてね、土地が広くて十エーカーも――」

フォルナッティがその広さを示そうと両手を動かすと、グレービーソースの入ったボウルに当たり、妻の膝へ落としてしまった。故意か偶然か、トレイシーにはわからなかった。

シルバーナ・ルアディはさっと立ち上がり、ドレスに付いたしみを見た。そしてイタリア語でかん高くわめきちらすと、食堂車からどたどたと出ていった。乗客たちの目はみな彼女を追った。

「何てお気の毒でしょう」

トレイシーは小さくつぶやいた。

「あんな素敵なドレスが台無しになって」

自分の妻に恥をかかせたこの男に、トレイシーもぴしゃりと張手を食わせたいところだった。

〈これじゃいくら宝石をもらっても、慰めにならないわね〉

トレイシーは思っていた。

〈もっともらわなきゃ合わないわよ〉

フォルナッティはため息をついた。

「もう一着買ってやればいいんですよ。妻の取り乱した振る舞いを気にしないでください。このフォルナッティを嫉妬しているんですよ」

「お怒りになられる正当な理由が彼女にはありますわね」

トレイシーは皮肉を笑顔でつつんだ。

フォルナッティは澄まして言った。

「いや、そのとおりですな。はっきり言って、フォルナッティはもてるんだからしょうがない」

トレイシーは目の前にいる小男のもったいぶった発言に、笑い出さないように必死でこらえた。

「わたしにもおっしゃる意味がわかりますわ」

フォルナッティは、今度はテーブルの上からトレイシーの手をつかんだ。

「フォルナッティはあなたが好きだ。とっても好きだ。あなたは何をしているのかな?」

「わたしは法律関係の秘書をしています。貯金を全部はたいて旅行中というわけです。ヨーロッパのどこかで面白い仕事が見つかるといいんですけれど」

フォルナッティは飛び出した目で、きょろきょろとトレイシーの体を見つめた。

「きみなら問題などない。フォルナッティが約束してあげよう。ぼくは優しい人に対しては面倒見がいいんで有名なんだよ」

「何てお優しいお方かしら」

トレイシーははにかみながら言った。

フォルナッティは声を落とした。

「食事を終わったら、君の客室へ行って話し合おうか?」

「それはまずいんじゃありませんこと?」

「どうしてかね?」

「あなたは有名人です。この列車に乗っている誰もがあなたを知っていますわ」

「当然なことだね」

「あなたがわたしの客室に入られるのを見られたら――そう、ご存知のように誤解する人も何人かいますしね。もっとも、あなたの客室がわたしの近くでしたら……何号室でいらっしゃいます？」

「E七〇号室だよ」

フォルナッティは期待に満ちた目でトレイシーを見た。

トレイシーはため息をついた。

「わたしの部屋は別の車両ですわ。ベニスでお会いいたしません？」

フォルナッティはにっこりと笑った。

「いいねえ。妻も一緒だが、あれは一日中部屋にひきこもっているんだ。あんまし太陽に顔をさらすわけにいかないんでね。ベネチアには行ったことがあるかね？」

「初めてです」

「なぁるほど。じゃあ二人でトルセロに行こう。なかなか美しい小さな島でね。≪ロカンダ・チプリアーニ≫って名前のおいしいレストランがあるんだ。それは小さなホテルにもなっているんだよ」

フォルナッティの目はきらめいた。

「二人だけになれるよ」

トレイシーは好色な映画プロデューサーを見つめていたが、やがてわかりましたというように微笑んだ。

「とっても面白そうですわね」

そこまで言うと、後は口に出せないというふうに目を伏せた。

フォルナッティは上体を傾けてトレイシーの手をしっかりと握り、さらに耳元に濡れた声でささやいた。

「本当の興奮を体験させてあげるよ」

三十分後、トレイシーは自分の客室に戻った。


オリエント急行は、乗客が眠っている間に、パリ、ディジョン、バラーベと夜の闇を突っ走った。乗客たちのパスポートは夕方に車掌があずかる。国境を越える手続きを一括して代行するのだ。早暁の三時三十分、トレイシーは音もなく客室から出てきた。タイミングがこの上なく重要である。列車は間もなくスイス国境に差しかかり、ローザンヌに着くのが五時二十一分、イタリアのミラノに到着するのが午前九時十五分の予定となっていた。

パジャマの上にローブをはおり、スポンジバッグを持って、トレイシーは注意深く廊下を歩いていった。毎度おなじみのわくわくする緊張感だ。この列車では、客室内にトイレがなく、各車両の後部に用意されている。誰かに問いかけられたら、女性用のトイレを探しているところだと答えるつもりだった。しかし、誰とも出くわさないですんだ。車掌やポーターは、早朝を睡眠時間にあてているのだ。

トレイシーは何の問題もなくE七〇号室に達した。音を立てないようにドアノブを回してみた。

鍵がかかっている。トレイシーはスポンジバッグを開けて金属の小道具と小さな注射器を取り出し、仕事にとりかかった。

それから十分後には、トレイシーは自分の客室に戻り、三十分後には、さっぱりと洗った顔に満足の笑みをうかべて眠りについていた。


午前七時。オリエント急行がミラノに到着する二時間前に、耳をつんざくような悲鳴が何度も車両中に響きわたった。悲鳴はE七〇号室からで、あまりの絶叫に車両の全員が起こされることとなった。何事が起こったのかと、乗客たちが各客室から首を突き出している中を、車掌があわただしくE七〇号室へ入っていった。

シルバーナ・ルアディは半狂乱になっていた。

「大変！　助けてちょうだい！」

絶叫しまくっている。

「宝石が全部なくなったわ！　このろくでもない列車は泥棒だらけだわ！」

「どうかお静かにお願いします、マダム」

車掌は言った。

「他のお客さまが――」

「静かにしろですって！」

シルバーナの声は一オクターブ高くなった。

「よくもわたしに向かって、静かになんて言えるわね、このクソったれ！　百万ドル以上もする宝石が盗まれたのよ！」

「こんなこと、起こるはずがないのに！」

アルベルト・フォルナッティが憤然として言った。

「ドアには鍵をかけたし――だいたい、わたしの眠りは浅いんだ。誰かが侵入したら、わたしはすぐ目が覚めたはずだ」

　車掌はため息をついた。以前にもそっくり同じことがあったので、どんな手口なのかあまりにもよくわかっていた。夜の間に誰かが廊下を忍び寄ってきて、鍵穴を通してエーテルを注射器で吹き込む。鍵なんて、プロにしてみれば子供騙しみたいなもので役には立たない。泥棒は後ろ手にドアを閉めると客室を物色し、目当ての物を盗ると、あわれな犠牲者たちが無意識の間に自分の客室へ戻るって寸法である。が、今回はこれまでと違うところが一つある。過去のケースでは、列車が目的地に達するまで盗難が発見されず、従って泥棒は逃げるチャンスがあった。今回はそうではない。盗難があってから下車した者はいなく、従って宝石はまだ列車内にあるはずなのである。

「心配しないでください」

　車掌はフォルナッティに約束した。

「宝石はきっと戻ってきますよ。盗っ人はまだこの列車に乗っているはずですから」

　車掌はミラノ警察に電話を入れるために、急いで前方へ移動していった。

オリエント急行がミラノ駅に到着すると、二十人以上の警官や私服の刑事たちがプラットホームに待ち構えていた。警官たちは、乗客も荷物も列車から降ろすなと命令されていた。

事件担当のルイジ・リッチ警部が、自らフォルナッティの客室へ乗り込んだ。

シルバーナ・ルアディのヒステリーぶりは度を増していた。

「わたしが持っていた宝石は、全部あのケースに入っていたのよ」

女優はわめいた。

「しかも、どれも保険に入っていないのよ」

警部は空っぽの宝石ケースを仔細に点検した。

「あなたは、ゆうべ確かに宝石をこれに入れたんですね、シニョーラ？」

「もちろんよ、確かよ。毎晩その中に仕舞うのよ」

数百万人のファンを熱狂させているつぶらな瞳に、大粒の涙を浮かべている姿を見たリッチ警部は、この美女のためなら竜にだって立ち向かおうと決心していた。

警部は客室のドアに近づくと体を折り曲げ、鍵穴をくんくんと嗅いだ。エーテルの臭いがかすかに残っている。盗難があったことは確実だ。不届きな無法者は必ず逮捕してやる。

リッチ警部は上体を起こして言った。

「ご心配にはおよびません、シニョーラ。この列車から宝石を持ち出せるわけがありません。わた

しどもが泥棒を捕えまして、あなたの宝物を取り戻してみせます」

リッチ警部はすべてにおいて自信があった。脱出口はしっかりと閉じられているので、犯人が逃げ出すのは不可能だ。

一人ずつ、刑事は乗客たちをロープで仕切った駅の待合室へ連れていき、入念に身体検査を行った。社会的地位の高い乗客が多く、彼らはこの侮辱的な扱いに激怒した。

「申しわけありません」

リッチ警部は乗客一人一人に釈明した。

「百万ドルもの盗難は重大事件なのです」

乗客たちがそれぞれの列車から離れると、刑事たちは客室を上から下まで調べた。一インチも見逃さぬ厳重な点検ぶりだった。この事件は、リッチ警部にとって手柄をたてる絶好のチャンスであり、大いに利用しようと張り切っていた。盗まれた宝石が見つかれば、昇進と昇給につながる。警部の想像力は火が燃え広がるように拡大していった。シルバーナ・ルアディはとても感謝して、きっとおれを招待して……リッチ警部はさらに勢いづいて部下を叱咤した。

トレイシーの客室がノックされ、刑事が入ってきた。

「失礼します、シニョリーナ。盗難事件が発生しました。乗客全員を調べなければならないのです。ご同行願いたいのですが……」

「盗難事件ですって！」

トレイシーはさも驚いたように言った。

「この列車でですか？」

「残念ながら、そうなんです」

トレイシーが客室を出ると、二人の刑事がすかさず入ってきてスーツケースを開け、中の荷物を念入りに調べだした。

四時間にわたる捜査の結果、総計数パックのマリファナと、コカインが五オンス、ナイフが一丁に、不法所持の銃が一丁見つかった。だが、失踪した宝石は影も形もなかった。

リッチ警部には受け入れ難いことであった。

「おまえらは列車を隅々まで調べたのか？」

彼は副官の警部補に念押しした。

「警部、われわれは一インチも見逃さずに調べました。機関室に食堂にバー、トイレに客室と、くまなく点検しました。乗客だけでなく乗務員の手荷物まで仔細に調べました。この列車には宝石はないとわたしは誓えるほどです。おそらくご婦人は、勝手に盗まれたと思い込んでいらっしゃるのではないでしょうか」

だがリッチ警部は、狂言盗難でないことを知っていた。食堂車のウエイトレスたちも、シルバーナ・ルアディが前夜の夕食時に目もくらむほどのまばゆい宝石を身に付けていたと、口を揃えて証言しているのだ。

オリエント急行の代表が、ミラノにすっ飛んできた。

「これ以上、この列車を引き止めないでくれ」

代表は主張した。

「定刻より大幅に遅れているんだ」

リッチ警部の敗北だった。これ以上の時間、列車を止めるわけにはいかない。警部にできることはもはや何もないのだ。唯一考えられることと言えば、泥棒が夜の間に、どこかで待ち受けている仲間に列車から宝石を放り投げたことである。だが、そんな芸当が果たしてできるものだろうか？タイミングからいえば不可能だろう。泥棒が前もって廊下から車掌や乗客がいなくなる時間を知っており、受け渡し地点を決めておくなんてことはできないはずだ。

これはまさに警部の解決能力を越えたミステリーであった。

「列車を出発させろ」

警部は命令を下した。

オリエント急行は、警部が無念そうに見守る中、ゆっくりと駅を出た。リッチ警部の昇進と昇給の夢はついえた。合わせてシルバーナ・ルアディとの目のくらむような情事への期待も。

朝食時の会話は、盗難に関する話題でもちきりだった。

「この数年でいちばんドキドキする事件でしたわ」

女学校の教師がとりすまして打ち明けた。ちっぽけなダイヤモンドの粒がついた小さな金のネックレスを、彼女は指で触って続けた。

「これを盗られなくてラッキーでしたわ」

「良かったですわね」

トレイシーは重々しくうなずいた。

アルベルト・フォルナッティが食堂車にやって来て、トレイシーを見つけると急いで近づいた。

「何があったか知っているよね、もちろん。だけど、盗難の憂き目に遭ったのはこのフォルナッティの女房だったってことを知ってた？」

「あーら、ちっとも！」

「ところがそうなんだ！　いや、とんでもない危険に遭遇したんだよ。ギャングの一団が客室に侵入してきて、ぼくにクロロホルムを嗅がせたんだ。このフォルナッティは眠っている間に殺されるところだったよ」

「怖いですわね」

「やれやれ、またシルバーナの宝石を全部買わなくちゃならない。いくらぼくでもこれは大変な散財だよ」

「警察は宝石を見つけ出せなかったのですか？」

「駄目だったね。だけどこのフォルナッティは、泥棒がどうやって宝石を隠したかわかるよ」

「本当ですか！　どうやったんですか？」

フォルナッティは周囲を見回して声を落とした。

「共犯者がいてね。夜の間に素通りする駅の一つで待っていたってわけさ。賊はそいつに向かって宝石を投げ渡し――一件成功ってわけさ」

トレイシーは感心したように言った。

「たちどころに解明できるなんて、あなたは何て聡明な方かしら」

「まあね」

フォルナッティは意味ありげに眉を上げた。

「ベネチアでの約束を忘れないでよね」

「忘れるはずありませんわ」

トレイシーはにっこりと笑った。

フォルナッティは約束だよとばかりにトレイシーの腕をぎゅっとつかんだ。

「フォルナッティはとても楽しみにしているよ。さあ、シルバーナを慰めに戻らなくっちゃ。すごいヒステリー状態なんでね」


オリエント急行がベニスのサンタ・ルチア駅に着くと、トレイシーは真っ先に降りた。旅行カバンを空港まで直接運ばせ、次の飛行機でロンドンへ飛び立った。シルバーナ・ルアディの宝石をともなって。

グンター・ハートックがさぞ喜ぶだろう。

第二十三章

インターポール、つまり国際刑事警察機構の本部はフランスにある。パリの西方およそ六マイル、サンクルーの丘の中腹、アルマンゴ通り二十六番地の七階建てのビルだ。高い緑色の柵と白い石の壁が目立たないように周りを囲んでいる。通りに面した入口の門は四六時中鍵がかけられて、来訪者は有線テレビで綿密にチェックされた後に入館を許可される。建物の中も各階段を上るごとに白い鉄の門があって、夜になれば閉じられる。さらに用心して、各階ごとに警報システムと有線テレビが備えつけてある。

異常なまでに警戒が厳しいのは、この建物内には、世界中の二百五十万人にわたる犯罪者の綿密なデータが保管されているからだ。インターポールは七十八ヵ国、百二十六の警察のための情報交換施設であり、詐欺師やニセ金作り、麻薬中毒者、密輸業者、強盗、殺人者などを扱う際に、世界

的規模に立って活動を調整する機関である。最新の情報を、ラジオや電送写真、通信衛星などを使って世界中の関係機関に伝達している。

パリのこの本部は、フランス国家警察やパリ市警の元刑事たちが配属されている。

五月初旬のある朝、インターポール本部担当アンドレ・トリニョン警部のオフィスで、会議が開かれていた。オフィスは家具の配置がすっきりしていて快適、眺望もまた抜群だ。はるか遠く東を望めば、エッフェル塔の鉄骨がぼんやりと霞み、少し北に目を転ずれば、モンマルトルの緑なす丘の上にサクレ・クール聖堂の白いドームがくっきりと見える。

警部は四十代半ば。権威者らしい貫禄を備えたなかなかの好男子である。髪は黒く、角製の黒縁眼鏡の奥に茶色の目が光り、知的な顔だちだ。オフィスに勢揃いしているのは、イギリス、ベルギー、フランス、イタリアからやってきた刑事たちだった。

「さてと、諸君」

トリニョン警部は切り出した。

「わたしは、あなた方の国から性急な依頼を受けています。最近、ヨーロッパ各地で頻発している犯罪の情報についてです。六ヵ国で巧妙な詐欺や盗難が発生していますが、それらの事件には共通点があります。被害者は評判の芳しくない人物たちで、暴力は一切行使されず、犯人はいずれの場合も女だということです。我々は国際的な女盗賊団に直面しているとの結論に達しました。我々は被害者達や多数の目撃者達の証言を基に、モンタージュ写真を作りました。見ればわかりますが、どの写真の場合も別の顔です。ブロンドもいればブルネットもいます。報告によれば、容疑者の国

籍もまちまちです。イギリス人、フランス人、スペイン人、イタリア人、アメリカ人……場合によってはテキサス女という具合です」

トリニョン警部がスイッチを押すと、壁のスクリーンに一連の写真が映しだされた。

「このモンタージュ写真は、ブルネットのショートヘアーです」

警部は次々とボタンを押していった。

「これはぼさぼさ髪のブロンド娘……これもブロンドだがパーマをかけている……給仕に化けたブルネット……これは年増のフランスあばずれ……ブロンドがかった若い女……無愛想な中年女」

警部は映写機のスイッチを切った。

「我々には、女盗賊団の親分が誰なのか、そのアジトがどこにあるのかわかっていません。賊は決して手がかりを残さず、煙のように消えてしまうのです。しかしながら遅かれ早かれ、賊の一人を捕まえれば、全員の逮捕に持っていけるでしょう。とにかく諸君、あなたたちの誰かが確かな情報をもたらしてくれないことには、われわれは手の施しようがないのです……」

ダニエル・クーパーの乗った飛行機がパリに着陸した。シャルル・ド・ゴール空港にはトリニョン警部の部下が迎えに出ていた。さっそく車で、有名なジョルジュ・サンク・ホテルの隣のプランス・ドゥ・ガル・ホテルへ案内された。

「トリニョン警部とは明日、お会いください」

迎えの刑事が言った。
「朝の八時十五分にお迎えにあがります」

ダニエル・クーパーは、このヨーロッパ旅行を好んではいなかった。任務が終わり次第すぐにアメリカへ戻るつもりだった。パリという街の持っている華やかな生活ぶりを知ってはいたものの、自分がそれに巻き込まれるつもりは毛頭なかった。

クーパーはホテルの部屋に入ると、浴室へ直行した。いささか驚いたことに、浴槽は満足すべき広さだった。実際のところ、クーパーのアパートの浴槽よりも、大きくゆったりしていた。クーパーは浴槽にお湯を満たしながら、ベッドルームへ行って荷物を解いた。スーツケースの底近く、替えスーツと下着の間に、鍵のかかった小さな金庫が隠してある。はそれを取り出して、両手でしっかりと握った。小箱をじっと見つめると、それ自身が生きていて脈動しているような気がした。クーパーそれから、キー・リングにぶらさげている鍵で箱を開けた。と、箱の中の黄色く変色した新聞の切り抜き記事が、クーパーに向かって絶叫してきた。

『殺人事件の少年の証言』
十二歳のダニエル・クーパー少年は、本日、少年の母親の暴行殺人容疑者、フレッド・ジン

マーの公判で証言した。それによると、少年が学校から帰ってきた時、隣人のジンマーが腕と顔に血を浴び、クーパー家から出ていくのを見たという。少年は家に入ると、母親を浴槽の中で発見した。体中をめった刺しにされ、死んでいた。ジンマーは、クーパー夫人と愛人関係にあったことは認めたが、殺人に関しては否定している。

少年は伯母に引き取られた。

ダニエル・クーパーは、震える手で新聞の切り抜きを箱に落とし、鍵をかけた。目を血走らせて周りを見渡すと、決して頭から拭い去れないあの恐怖のシーンと現実とが入り乱れる、倒錯の瞬間がそこにあった。ホテルの浴室の壁や天井には血が飛び散り、母の裸の死体が真っ赤に染まった浴槽に浮かんでいる。めまいがしてきて、洗面台をぐっとつかんだ。内面からの叫びが喉まで上がってきて、うめきとなった。それからクーパーは狂ったように服を引き脱ぎ、血で温まった浴槽の中に体を沈めた。

「あらかじめ申しておきましょう、クーパーさん」

トリニョン警部は言った。

「あなたのここでの立場は、非常に変わっています。あなたは警察の人間ではないし、非公式な存在であります。しかしながら我々は、ヨーロッパ各国の警察当局から、あなたに全面的に協力する

「わたしがうかがったところによりますと、あなたは保険会社の団体である国際保険保護協会の調査員だそうですね」

ダニエル・クーパーは無言だった。

「わたしどものヨーロッパの顧客が、手ひどい損失を被っているのです。手がかりはまったくないように要請されているのです」

トリニョン警部が言うと、クーパーは答えた。

「そうじゃないですか」

トリニョン警部はため息をついた。

「おっしゃるとおりの状況です。大変に巧妙な女盗賊どもということはわかっておるのですが、それ以上となりますと――」

「タレコミの情報はないのですか?」

「それが、ないわけでして」

「奇妙だとは思いませんか」

「どういう意味ですかな、ムッシュー?」

クーパーにとってはあまりにも明白なことなので、彼は遠慮することもなく喋りだした。

「盗賊団であったとするなら、いつだってお喋りなやつ、飲んべえなやつ、金遣いの荒いやつの一人や二人はいるものですよ。所帯がデカくなれば、秘密を保持するのは不可能なはずです。この盗賊に関する資料を見せてくれませんか?」

警部は拒否しようとした。目の前にいるダニエル・クーパーなる男の風貌は、実に醜く、同性としても好きになれなかった。しかも傲慢ときている。この男は当面、目の上のたんこぶであろう。が、警部は全面的に協力するように要請されている。

気乗りしないながらも言った。

「コピーをとりましょう」

警部はインターコムを押して用件を伝えた。そしてダニエル・クーパーとの会話に戻った。

「ちょうど興味ある報告が来たところです。相当な額に価するダイヤモンドが、オリエント急行で盗まれまして――」

「その件は読みました。泥棒はイタリア警察を手玉にとりましたな」

「盗難がどうやって成立したのか、誰も解明できずにいます」

「明々白々ですよ」

ダニエル・クーパーは不遠慮に言った。

「論理は簡単です」

トリニョン警部はその発言に驚いて、眼鏡ごしにクーパーを見た。

〈何たることだ。こいつは豚ほどの礼儀も知らんぞ〉

が、冷静を保って続けた。

「この場合、論理はどうでもよろしい。列車を隅々まで調べ、乗客、乗務員の身体検査はおろか、全員の荷物の中身を点検しているのです」

「違うね」

ダニエル・クーパーはぴしゃりと否定した。

〈こいつは頭がおかしいぞ〉

トリニョン警部は確信した。

「違うって——どうして?」

「——全部の荷物というのは間違いだな」

「いや、わたしの言ったとおりだ」

トリニョン警部は突っぱねた。

「ミラノ警察の報告書を見たんですぞ」

「宝石を盗まれた婦人は——シルバーナ・ルアディでしたな?」

「そうですが?」

「彼女は、盗まれた宝石を宝石箱に入れておいたわけですな?」

「そのとおりです」

「警察はルアディ夫人の荷物を調べましたか?」

「夫人は被害者なのですぞ。どうして夫人の荷物を調べなくっちゃいけないのですか?」

「それが論理ってわけですよ。泥棒が宝石を隠せるたった一つの場所は——夫人のスーツケースの底しかないはずです。泥棒は夫人とそっくり同じスーツケースを持っていて、すべての荷物がベニスに着いてプラットホームにうず高く積まれた時に取り替え、姿をくらましたんでしょうな」

ダニエル・クーパーは立ち上がった。

「資料のコピーができましたら、わたしはおいとまさせていただきます」


三十分後、トリニョン警部はベニスのアルベルト・フォルナッティと電話で話していた。

「ムッシュー。ちょっとお聞きしたいことがあって、電話をしたのですが。例の盗難があった日、ベニス駅で降りた時、奥さまの荷物に何か手違いはありませんでしたか？」

「シー、シー」

フォルナッティは思い出したように不平をこぼした。

「ドジなポーターめが、妻の荷物を誰かのと取り違えたんですよ。ホテルに着いてから妻が荷物を開けると、古い雑誌しか入っていなかった。早速オリエント急行の事務局に問い合わせといたんだけど、スーツケースが見つかったんですか？」

プロデューサーは期待をこめて尋ねた。

「ノン、ムッシュー。見つかったわけではありません」

警部はそう言い、さらに心の中でつけ加えた。

〈わたしだったら、見つかることを期待もしませんな〉

電話を終えると、警部は椅子にそっくり返って思った。

〈あのダニエル・クーパーという男は、なかなかのクセ者だぞ〉

実にキレ者だ、恐ろしいほどの。

第二十四章

イートン広場にあるトレイシーの屋敷は、まさに天国だった。このあたりはロンドンでも最も美しい地区で、緑がいっぱいの私有の公園があちこちにあり、その間に古いジョージア朝の家々が建っている。ぱりぱりに糊のきいた服を着た乳母たちが、お守りの乳児を乳母車に乗せて砂利敷きの散歩道を歩き、また子供たちもその周りで元気よく遊んでいた。その光景を見るたびにトレイシーは思った。

〈エミーに会いたいわ〉

トレイシーは歴史を刻んだ古い町並みを散策し、エリザベス通りの薬屋や八百屋でよく買物をした。小さな店の外で売られる、豊富な種類の色鮮やかな花々に見とれもした。

グンター・ハートックは、トレイシーの献金がいんちき団体の手に渡らぬよう、また彼女が悪い

人間と出会ったりすることのないよう、あれこれと面倒をみてくれた。トレイシーは金持ちの公爵や零落した伯爵らとデートし、大勢から結婚を申し込まれた。若く美しく富裕なトレイシーは、純真無垢な女性に見られていたのである。

「誰もがきみを、完璧な結婚相手だと見ているよ」

グンターは笑いながら言った。

「きみは本当に素晴らしい仕事をやってくれたよ、トレイシー。もう立派に一人前さ。一生遊んで暮らせるだけのものを手に入れているしね」

事実そのとおりだった。ヨーロッパ中の銀行の貸金庫に金を保管しており、ロンドンには家があり、スイスのサン・モリッツにも山荘を持っている。暮らしていくのに必要なものは何でも揃っていた。人生をわかちあう伴侶を除いては。

トレイシーは、かつて築けるはずであった夫と子供のいる生活のことを思い描いてみた。そんな生活がこれからできるだろうか？　本当の自分の姿を打ち明けられる男性がいるはずもない。また自分の過去を隠し通して、嘘に生きることもできそうにない。真に迫った役を演じすぎて、どれが本当の自分なのか、トレイシーにもわからなくなりかけていた。昔の自分に戻れる自信はさらにない。

〈まあいいわ。独りぼっちの人間はいくらでもいるもの。グンターの言うとおりよ。わたしは何でも持っているわ〉

トレイシーは開き直り、自分を納得させた。

ベニスから戻ったトレイシーは、次の晩にカクテル・パーティを催すことにした。

「楽しみだね」

グンターは言った。

「きみのパーティはロンドンで最も人気があるからね」

トレイシーはうれしそうに言った。

「あなたの後ろ楯があるからよ」

「誰が来るのかな？」

「全員よ」

トレイシーはグンターに言った。

パーティの主催者が予定していた『全員』よりも、一人だけ客が増えることになった。ハワース男爵夫人――魅力的な若い女相続人――を招待していたので、彼女が到着すると、トレイシーは出迎えに玄関まで行った。挨拶しようとして、トレイシーは息をのんだ。男爵夫人はジェフ・スチーブンスを同伴していたのである。

「トレイシー、あなた、スチーブンスさんはご存知ないでしょう。ジェフ、こちらがトレイシー・ホイットニー夫人よ。今夜の主催者なの」

トレイシーはぎこちなく挨拶した。

「はじめまして、スチーブンスさん？」

ジェフはトレイシーの手をとると、必要以上に長く握り続けた。

「トレイシー・ホイットニー夫人とおっしゃいましたね？」

ジェフは言った。

「存じてますよ！　ぼくはあなたのご主人の友達だったんですよ。インドで一緒だったんです」

「まあ！奇遇だこと」

ハワース男爵夫人が大声を上げた。

「変ですねえ、夫は一度もあなたのことを話さなかったですわ」

トレイシーは冷やかに言った。

「話さなかったですって、本当ですか？　そいつは驚きですね。面白い方でした。かわいそうに、あんな死に方をするなんて」

「まあ、何があったんですの？」

ハワース男爵夫人が尋ねた。

トレイシーはジェフをキッと睨みつけた。

「別にどうということないんです、本当に」

「どういうことはないんだって！」

ジェフは非難がましく言った。

「わたしの記憶が正しければ、彼はインドで吊し首になったんです」

「パキスタンでした」

トレイシーがやり返した。

「そうそう、それで思い出しました。確かに夫はあなたのことを話していましたわ。奥さまはお元気かしら？」

ハワース男爵夫人はジェフを睨んだ。

「あなた、結婚しているなんてわたしに言わなかったわね、ジェフ」

「セシリーとは離婚したんです」

トレイシーはにっこり笑って言った。

「わたし、ローズのことを申していますのよ」

「まあ、そんな奥さまも」

ハワース男爵夫人は驚愕したようだった。

「あなたは二度も結婚なさってたの？」

「一度です」

ジェフはすぐに答えた。

「ローズとぼくは婚約を解消したんです。お互いに若すぎたのです」

ジェフはその場から去ろうとした。

トレイシーが追い討ちをかけた。

「確か、双子のお子さんがいらっしゃいましたわよね？」

ハワース男爵夫人は大声を上げた。

「双子ですって？」

「子供たちは母と住んでいます」

ジェフは答え、トレイシーに向き直った。

「あなたとこうしてお話ししていますとどんなに楽しいか、とても口ではあらわせません、ホイットニー夫人。ですが、わたしたちだけであなたを独占するわけにはまいりません」

そう言いわけして、ジェフは男爵夫人の手を取ると、逃げるように去っていった。

翌朝、トレイシーは《ハロッズ・デパート》のエレベーターの中で、ばったりジェフと出会った。店内は朝から混雑していた。トレイシーは二階で降りた。エレベーターから出る時、トレイシーはジェフを振り向き、声を張り上げてはっきり聞こえるように言った。

「それはそうと、あの破廉恥罪の容疑はもう晴れたの？」

エレベーターが閉まり、ジェフは不審な目でじろじろ見つめる買物客の中に捕らわれてしまった。

トレイシーはその夜、ベッドに寝そべりながらジェフのことを思い、吹きだしてしまった。ジェフは確かにいかさま師だ。ワルである。が、どこか憎めないところのある男だ。トレイシーは、ジェフとハワース男爵夫人との関係をあれこれと考えてみた。ジェフのことだ、男爵夫人と一緒にいる理由はただ一つしかない。

〈ジェフとわたしは同じ穴のムジナなのだわ〉

トレイシーは思った。

二人はどちらも身を固めるなんてことはないだろう。二人とも似たような人生を送ってきた。スリリングで、面白くて、報いのある生活だ。

トレイシーの頭は、もう次の仕事のことに飛んでいた。南フランスへ出張だ。今度のはちょっとばかり厄介である。そういえば、グンターも話していたっけ。警察が女窃盗団を追いかけていると。

トレイシーは、唇に笑みを浮かべたまま、静かに眠りに落ちていった。

ダニエル・クーパーはパリのホテルの部屋で、トリニョン警部にもらった報告書を読んでいた。午前四時になるというのに、クーパーは何時間もかけて書類を熟読し、様々な盗難と詐欺の興味深い組み合せについて分析していた。クーパーにとってはおなじみの手口のものが大半だったが、新手のペテンもあった。トリニョン警部も触れていたが、被害者のほとんどは評判の芳しくない連中だった。

〈賊は、どうやらロビン・フッドを気どっているな〉

クーパーはそのように考えてみた。

ほとんどの報告書に目を通し、あと三通を残すのみとなった。いちばん上に乗っているのは『ブリュッセル警察』と記してある。クーパーは表紙をめくり、報告書を眺めた。二百万ドル相当の宝石が、壁の金庫から盗みだされていた。被害者のバン・ルイセンはベルギー人の株式仲買人で、疑惑の金融事件にからんでいる人物だった。

家主は休暇で出かけており、家には誰もいなかった。このくだりを読んだ時、なぜかクーパーの心臓は早鐘を打った。一ページ目に戻って、今度は一字一句たりとも見逃さないように精神を集中して読み返した。これは一つの重要な点で他の報告書とは違っていた。泥棒は警報器に触れてしまい、警察が現場に駆けつけると、玄関ですけすけのネグリジェをまとった女に挨拶されていた。女は髪をカーラー・キャップに巻きつけ、顔にはコールドクリームを厚く塗っていた。そして、バン・ルイセンに招かれた客であると自称した。警察がその話を信じこみ、家主が戻ってきてから確認しようとしたところ、女は宝石とともに消えていた……。

クーパーは報告書を置いた。論理。論理。論理を組み立てるのだ。

トリニョン警部の堪忍袋の緒は切れ始めていた。

「あなたは間違っていますよ。そんなこと不可能だ。一連の犯罪が一人の女の仕業だなんて」

「可能かどうか確かめる方法が一つありますな」

ダニエル・クーパーが言った。

「どうやって?」

「コンピュータに打ち込んで調べるのです。この種の盗難や詐欺に関する日時や場所などをね」

「そいつは簡単に手配できるが、しかし――」

「次に、事件が起こった時に、その都市にいたアメリカ人の女性旅行者の入国申請書を手に入れた

いのです。容疑者はニセのパスポートを使用している可能性もありますが、また自分の本名を使っているということもありますから」

トリニョン警部はしばらく考えていた。

「あなたの考えていることの察しはつきます、ムッシュー」

警部は目の前の小男を見つめながら、こいつの推理があたらないように、と願っていた。警部には警部の誇りがある。

「よろしい、わかりました。コンピュータにかけてみましょう」

一連の犯罪は、ストックホルムで最初に起こった。インターポールのスウェーデン支局から、事件のあった週にストックホルムを旅行中だったアメリカ人のリストが送られてきて、女性の名前だけをコンピュータに打ち込んだ。次に確認した都市はミラノである。盗難が起こった時にミラノにいたアメリカ人女性旅行者の名前を、ストックホルムで盗難があった時のリストに重ねて照合してみた。五十五人の名前が浮かび上がってきた。今度はそのリストを、アイルランドでの詐欺事件時にいたアメリカ人女性のものに重ねてみると、十五名に絞られてきた。トリニョン警部はプリントアウトされた名簿をダニエル・クーパーに渡した。

「これらの名前をベルリンでの詐欺事件と照合してみましょう」

トリニョン警部は言った。

「そうすれば——」

ダニエル・クーパーは名簿から顔を上げて、相手の言葉をさえぎった。

「もうその必要はないですよ」

リストのいちばん上に、『トレイシー・ホイットニー』の名前があった。


ついに具体的な目標を持って、インターポールは行動を開始した。レッド・サーキュレーション——最優先を意味する信号——がメンバー各国に送られ、トレイシー・ホイットニーを追え、と指令した。


「グリーン信号も同時に送っているところですよ」

トリニョン警部がクーパーに説明した。

「グリーン信号って?」

「我々はカラー・コード・システムを採用しています。レッド・サーキュレーションは最優先を意味し、ブルーは容疑者の情報問い合わせ、グリーンは各警察への特定人物の監視命令、ブラックは身元不明の死体の照会といった符牒です。またX—Dの暗号は大緊急伝言の意味で、Dだけだと単なる至急です。さてと、これでホイットニー嬢がどの国に行こうとも、税関を通った瞬間から、彼女は監視体制下に置かれます」

翌日、トレイシー・ホイットニーの写真が南ルイジアナ婦人刑務所から電送され、インターポールの手に渡った。

ダニエル・クーパーはJ・J・レイノルズの自宅に電話を入れた。七回目の呼出音でようやく相

手が出た。

「ハロー……」

「ちょっと情報が必要になりまして」

「その声は、クーパーか？　何だっていうんだよ、こっちは朝の四時だぞ。おれは今、気持ちよく寝ていた——」

「トレイシー・ホイットニーに関する情報であれば何でも結構ですから、送ってください。新聞記事の切り抜き、ビデオテープ——入手できるものすべてを」

「何か進展があったのかい？」

クーパーは答えずに電話を切った。

〈あの野郎、ふざけやがって！　今にぎゃふんと言わせてやるからな〉

レイノルズは切れた電話を呪いながら、報復を誓った。


これまで、ダニエル・クーパーはただ何気なく、トレイシー・ホイットニーに興味を抱いていた程度である。だが今は、彼女は任務の対象となった。クーパーはトレイシーの写真をパリのホテルの狭い部屋の壁に貼り、彼女に関する新聞記事のすべてに目を通した。そして借りてきたビデオ・カセット・プレーヤーで、判決直後に法廷から出てきた時と、刑務所から釈放された時のテレビ・ニュースのシーンを、何度も繰り返して見た。暗い部屋に何時間も座ってフィルムを見た結果、最

初はかすかだった疑念が、次第に確信へと変わっていった。

「女盗賊団なんていうのはお前さん一人のことなんだ、ミス・ホイットニー」

ダニエル・クーパーは声を張り上げて言った。そうして、ビデオの巻き戻しボタンをもう一度押した。

第二十五章

毎年、六月の第一土曜日が来ると、マティーニ伯爵は決まって慈善舞踏会を開くならわしだった。パリの小児病院に寄付するためである。この舞踏会への入場券は一枚が千ドルもするのに、世界各地から社交界のエリートたちが飛行機でやって来て、参加する。

カップ・ダンティーブにあるマティーニ城は、フランスの名所の一つだ。隅々まで手入れの行き届いた敷地は空想の世界のように素晴らしく、城そのものも十五世紀に建てられた由緒ある建造物である。

祝宴の夜、この邸宅の大舞踏室と小舞踏室は美しく着飾った参加客であふれ、かしこまった制服の召使いたちは、次から次へとシャンパンを注ぎ続けていた。巨大なテーブルがいくつも用意され、ジョージ王朝風の銀の大皿に山と盛られた高価そうなオードブルが、客たちの食欲をそそっていた。

中でもトレイシーは目立った。悩ましいほど美しく飾り立てていた。白いレースのガウンを着て、高く結い上げた髪にダイヤモンドの宝冠を付けるほどのめかしこみぶり。そしてこの舞踏会の主催者のマティーニ伯爵を相手に踊っていた。伯爵は六十代後半の小柄な男性で、引き締まった体をし、青白く繊細そうな顔つきのやもめである。

『伯爵が毎年開催している小児病院救済のための慈善舞踏会は、実はいんちきなんだよ』

グンター・ハートックはトレイシーに話した。

『子供たちのところに寄付されるのは、集まった金の十パーセントだけで、残りの九十パーセントは伯爵のフトコロに入るってわけさ』

「ダンスがとてもお上手であられますな、公爵夫人」

伯爵が言った。

トレイシーはにこやかに笑った。

「パートナーがお上手だからですわ」

「どうしてもっと早く知り合えなかったのですかな？」

「南アメリカで暮らしていましたのよ」

トレイシーは説明した。

「ジャングルの中での生活でしたの。とてもいやでしたわ」

「どうしてそんな場所に！」

「夫がブラジルに鉱山をいくつか持っていますの」

「なるほど。して、ご主人も今夜おいでなのですか？」

「いいえ。残念なことに主人は手が離せませんで、ブラジルにいるんですの」

「ご主人の不運が、わたしの幸運というわけですな」

伯爵は手をしっかりとトレイシーの腰に回した。

「仲良くおつき合いを願いたいですな」

「同感ですわ」

トレイシーは伯爵の耳元でささやいた。

伯爵の肩越しに、トレイシーは突然、ジェフ・スチーブンスの姿を目にした。彼は真っ黒に陽やけし、奇妙に恰好良かった。そして真紅のタフタを着たブルネットの美女と踊っている。女はジェフにすっかりしなだれかかっていた。トレイシーが彼を見つけると同時に、二人の視線が合い、ジェフはにんまりと笑った。

〈あの卑怯者は当然笑いたいでしょう〉

トレイシーは苦々しく思った。この二週間のうちにトレイシーは二度の押し込み計画を練った。一軒目に侵入して金庫を開けると、中はからっぽだった。直前にジェフがさらったのだ。二軒目の場合は、トレイシーが狙った屋敷の庭から侵入しようとしていると、突然アクセルを踏み込む車のエンジン音が聞こえ、そちらを見ると、ジェフがスピードを上げて走り去るのが一瞬目にとまった。またも先んじたのである。

〈今また彼がこの屋敷にいる。わたしが狙いをつけたのに〉

トレイシーは怒り心頭に発していた。

ジェフとそのパートナーは踊りながら近づき、にっこり笑って話しかけてきた。

「こんばんわ、伯爵」

マティーニ伯爵は微笑んだ。

「やあ、ジェフリィー。いらっしゃい。きみが来てくれてうれしいよ」

「わたしが欠席するはずがないじゃありませんか」

ジェフは腕の中のなまめかしい婦人を指差して紹介した。

「こちらはウォーレス嬢です。この方がマティーニ伯爵です」

「お美しい！」

伯爵はお世辞を言って、トレイシーに顔を向けた。

「公爵夫人、紹介させてください。このお二人はウォーレス嬢とジェフリー・スチーブンスさんです。こちらがラローサ公爵夫人です」

ジェフはいぶかしげに眉を上げた。

「えーと、ごめんなさい。お名前が聞きとれなかったものでして」

「ドゥ・ラローサと申します」

トレイシーは無表情に言った。

「ドゥ・ラローサ……えーと、ドゥ・ラローサ」

ジェフはトレイシーをじーっと見つめた。

「そのお名前には聞き覚えがあります。あ、そうだ！　ご主人を知っています。で、ご一緒にいらしたんですか？」

「主人はブラジルにいますわ」

トレイシーは自分が歯ぎしりしているのがわかった。

ジェフはにっこりと笑った。

「ああ、そいつは残念だ。一緒によく狩りをした仲ですよ。彼が事故に遭う前のことですけどね、もちろん」

「事故ですって？」

伯爵が尋ねた。

「そうなんです」

ジェフは痛ましそうな声で言った。

「銃が暴発しましてね。男として大事なところに当たったんです。まったくドジなことをしたものです」

ジェフはトレイシーのほうを向いた。

「彼の機能が回復する見込みはいくらかでもあるんですか？」

トレイシーはとり澄まして答えた。

「そのうち彼もあなたと同じくらいには正常になれると思いますわ、スチーブンスさん」

「ああ、それは良かったですね。くれぐれもよろしくご主人にお伝えください、公爵夫人」

音楽がやんだ。マティーニ伯爵はトレイシーに詫びをいれた。

「お許しいただけるのであれば、わたしは今宵の主催者として、やるべきことがありましてな」

伯爵はトレイシーの両手をぎゅっと握った。

「忘れちゃいけませんよ、わたしのテーブルに座って下さい、必ず」

そうして伯爵がいなくなると、ジェフは同伴の女性に言った。

「天使ちゃん。きみのバッグにアスピリンは入っていないかい？　一錠ほど持ってきてくれないかな？　ひどい頭痛がしてきたんだ」

「まあ、それは大変」

ウォーレス嬢は愛しそうにジェフを見つめた。

「すぐ取ってくるわ、あなた」

トレイシーは彼女がいそいそとフロアーを歩き去るのを見つめながら言った。

「あの方、あんまり甘すぎて、あなた糖尿病にでもなっちゃうんじゃない？」

思わず自分の口から出た嫉妬めいた言葉に、トレイシーは戸惑った。

「なかなかかわいいだろう、彼女。ところで最近、ご機嫌はいかがですかな、公爵夫人？」

トレイシーは周囲の目を気にして笑みを作ったが、言葉は厳しかった。

「そんなことあなたに関係ないでしょ？」

「ああ、ところが大いにあるのさ。友達として忠告をしようと思ってね。この城は狙わないほうが無難だぜ」

「どうしてよ？　あなたが先に計画を立てたからなの？」

ジェフはトレイシーの腕を取ると、ピアノの近くの人気のないところへ連れていった。そこでは黒い瞳の若い男が、アメリカのショーの歌を切なげに弾きがたりしていた。

音楽が奏でられていたので、ジェフの声が聞けるのはトレイシーだけである。

「実を言うとね、ぼくもどうにかできないものかと計画を練ってみたんだ。が、とてもじゃないが危険すぎるとわかったよ」

「本当に？」

トレイシーはジェフとの会話を楽しみ始めていた。

芝居をやめて本来の自分に戻ったので、急に気が楽になったのだ。

〈ギリシャ語にぴったりの言葉があったわね〉

トレイシーは思った。英語でいう『偽善者』は、ギリシャ語の『俳優』が語源なのだ。

「いいか、よーく聞いてくれよ、トレイシー」

ジェフは真剣な口調で言った。

「この城はやめるんだ。まず第一に、生きてここから出られないよ。夜になると獰猛な番犬が放されるからね」

急に、トレイシーは真剣に聞き始めた。やはりジェフもこの屋敷を狙っているのだ。

「すべての窓とドアに電線が仕掛けてある。警報装置は警察署に直結している。たとえどうにか邸内に侵入できたとしても、すべての場所に目に見えない赤外線が縦横に張りめぐらせてあるのさ」

「そんなことぐらい知ってるわよ」

トレイシーは少々強がって言った。

「それなら、赤外線はきみが足を踏み入れた時には警報を鳴らさないってことも知ってなくちゃね。そいつはそこから出た時に鳴りだす仕掛けになっているのさ。熱の変化に感応するんだ。それを鳴らさないで通過するなんてできないよ」

トレイシーはそのことは知らなかった。

〈どうやってジェフは知ったのかしら?〉

「わたしにどうしてそんなことを教えてくれるの?」

ジェフはにっこりと笑った。この瞬間がこの上なく魅力的だと、トレイシーも認めざるを得なかった。

「きみに捕まってもらいたくないからだよ、公爵夫人。きみをいつもどこかで見ていたいんだよ。わかっているだろう、トレイシー。きみとぼくは良い友達になれるんだよ」

「あなたはカン違いしてるわよ」

トレイシーは反論しようとした。と、その時、ジェフのデート相手が急いでやって来るのが見えたので、言葉を変えた。

「ほーら、糖尿さんがお戻りよ。せいぜい楽しむことね」

トレイシーがその場を去りかけると、ジェフの連れ合いの声が聞こえてきた。

「お薬を飲み込めるようにシャンパンを持ってきたわ。あなた、大丈夫?」

晩餐は贅沢きわまりなかった。それぞれのコースに添ったワインが用意されており、白手袋の召使いが完璧なサービスに務めた。最初のコースはご当地産のアスパラガスに白いトリュッフソースをかけたもの。次いで繊細な味のアミガサダケ入りコンソメ。それからラムの背肉で、伯爵邸の畑で採れた新鮮な野菜が添えてある。ぱりぱりしたアンティーブのサラダがその後に出てきた。デザートには客の好みに合わせた手盛りのアイスクリームが出され、銀の飾り皿にはカップケーキが山と盛ってあった。

そして最後がコーヒーとブランデー。男性には葉巻が配られ、女性にはバカラのクリスタル小ビンに入った香水の《ジョア》が贈られた。

食事が終わると、マティーニ伯爵がトレイシーに話しかけた。

「あなたはわたしが所蔵しておる絵に興味がおありだと、言っておられましたな。これからご覧になられますか？」

「ぜひとも、見せていただきたいですわ」

トレイシーは即座に返事した。

伯爵の画廊は、さながら個人美術館だった。イタリアの巨匠たちやフランス印象派画家たちの作品が数多く蒐集され、ピカソもあった。長い回廊の両脇には、不世出の画家たちの不朽の名作が燦然と輝いている。モネやルノアール、カナレットやグァルディスやティントレットの絵もあった。絶妙な筆致のティエポロやグェルチーノやティチアーノ、そして壁いっぱいサイズのセザンヌの労作もあった。コレクションもここまでくると、もう値のつけようがない。

トレイシーはそれらの傑作を一点ずつじっくりと見つめ、心ゆくまで満喫した。

「警備は厳重にしてあるのでしょうね」

伯爵は微笑した。

「実はこれまでに、わたしの宝を狙って侵入を企てた泥棒が三人います。一人は犬に喰い殺され、もう一人は不具になり、三人目は残りの人生を刑務所で過ごす羽目になりました。この城は難攻不落の要塞なのです、公爵夫人」

「それを聞いて安心しましたわ、伯爵」

戸外で閃光がきらめいた。

「花火が始まったようですな」

伯爵が誘った。

「面白いですよ。行って見ましょう」

伯爵は紙のように乾いた手でトレイシーの柔らかな腕をそっとつかみ、画廊の外へ導いた。

「明朝、ドービルへ行きます。海沿いに別荘があるんですよ。この週末に数名の友人が来ることになっています。あなたもいかがですかな」

「ぜひともそうしたいのですが」

トレイシーはいかにも残念そうに言った。

「残念ながら夫が癇癪を起こしそうなのです。早く帰ってこいってうるさいのですわ」

花火がほぼ一時間続いたので、トレイシーはざわめきに乗じて邸内のあちこちを偵察した。ジェ

フが忠告したとおりだった。首尾よく盗み出すのは至難のわざである。だがそれゆえに、トレイシーは挑戦意欲をかき立てられた。二階の伯爵の寝室に、二百万ドル相当の宝石とレオナルド・ダ・ビンチなど六点の絵があるのを、トレイシーは知っていた。

『あの城は宝の屋敷なんだよ』

トレイシーはグンターからそう聞かされていた。

『従って厳重この上なく警備されている。万が一の場合にも絶対大丈夫というプランができるまで、手を出しては駄目だよ』

〈ところがわたしには、もうプランが完成しちゃったわ〉

トレイシーは思った。

〈万が一の場合があるかないか、明日わかるでしょう〉


次の夜は雲が低く垂れ、とても寒かった。峻厳な高い塀が城を取り巻き、誰も近づくなと言っているようだった。その壁の影の中にトレイシーは立っていた。黒装束にゴム底の靴をはき、しなやかな子ヤギの皮の手袋をはめ、ショルダーバッグをかついでいる。ふと気がゆるんだすきに刑務所の壁を思い出し、思わず身震いした。

トレイシーはレンタルのバンを運転して、この屋敷の裏手の石壁沿いに走った。壁の内側から低い狂暴な唸り声が聞こえ、それは次第に興奮した吠え声となり、やがては壁に向かって飛びかかり

だした。ドーベルマンの獰猛な巨体が狂暴に牙を剝きだしている姿が、トレイシーには想像できた。彼女はバンの中にいる人間に小声で呼びかけた。

「さあ、今よ」

やはり黒ずくめの服装をした細身の中年の男が、リュックサックを背負い、雌のドーベルマンを抱えて出てきた。この季節は犬の発情期だ。すると石壁の向こうの吠え声が急に変わり、懇願調になった。

トレイシーは雌犬をバンの上に抱え上げた。そうするとちょうど塀の高さだ。

「いち、にっ、さん」

トレイシーがささやくように号令をかけ、二人は壁越しに邸内へと雌犬を投げ入れた。鋭い吠え声が二度した後は、くんくんという声になり、やがてじゃれ合う音が走り去った。まったくの静寂が戻った。

トレイシーは仲間のほうを向いて促した。

「いくわよ」

男はうなずいた。彼の名はジャン・ルイと言い、トレイシーがアンティーブで見つけた。こそ泥をやっては捕まり、人生の大半を刑務所で過ごしてきた人間だ。頭は良くなかったが、鍵と警報器の扱いに関しては天才で、今夜の仕事にうってつけの人物だった。

トレイシーはバンの屋根から石壁の上へ飛び移った。縄ばしごを取り出して壁に固定すると、二人はそれを使って邸内の芝生へ降りたった。屋敷は前夜とまるっきり違っていた。明りがさざめい

て大勢の客たちの笑い声で満ちあふれていたが、今は真っ暗闇で荒涼としている。

ジャン・ルイはドーベルマンに神経を尖らせながら、トレイシーの後をついて歩いた。

城には何世紀にもわたって蔦が張りつき、屋根まで達している。トレイシーは前の晩に蔦の強度を何気ないふりでテストしておいた。いよいよ本番だ。つるにつかまって全体重をかけてみた。大丈夫、耐えられる。トレイシーはつるをつたって城壁をよじ登り、地上に目を配った。犬はどこにも見当たらない。

〈犬の愛が長続きしますように〉

トレイシーは祈った。

屋根まで達すると、トレイシーはジャン・ルイに合図し、相棒がよじ登ってくるのを見守った。二人揃うとペンライトを点け、天窓を照らしてみた。中から施錠してある。トレイシーが目くばせすると、ジャン・ルイは背中のリュックサックから小さなガラスカッターを取り出した。ガラスをはずすのに十分もかからなかった。

ちらりと一瞥しただけで、行く手に警報用のワイヤが張りめぐらせてあるのがわかった。

「あんなもん何とかできるわね、ジャン？」

トレイシーは小声で言った。

「大丈夫、まかせときな」

ジャンはそう返事をして、袋の中から両端がワニ口になっている三十センチほどのワイヤを取り出した。ゆっくりと動きながら警報装置のワイヤの一方の端を探り出すと、そこを裸にして、ワニ

口のワイヤに接続した。それから今度は、もう一方のワニ口を警報装置のもう一方の端に接続した。その上でプライヤを取り出すと、注意深く警報装置のワイヤを切断した。トレイシーは警報器が鳴りだすのではないかと緊張したが、何事もなかった。ジャン・ルイはトレイシーを見上げてにやりと笑った。

「ほら、終わったよ」

〈まだよ〉

トレイシーは思った。

〈始まったばかりじゃないの〉

二人は縄ばしごを使って天窓から降りた。ここまでは上々だ。無事に屋根裏部屋まで到達できた。だが、これからが大変なのだ。彼女の心臓はドキンドキンと脈打ち始めた。

トレイシーは赤レンズの保護メガネを二つ取り出し、一つをジャン・ルイに渡した。

「これをかけて」

前の晩あれこれ計画を練った時、ドーベルマンを手なずける方法はすぐに見つかったが、赤外線を使った警報装置を突破する方法はなかなか思い浮かばなかった。ジェフの言うとおり、この屋敷には目に見えない光線が四方八方に仕掛けられている。トレイシーは太極拳の流儀を思い出した。何度も何度も大きく呼吸した。

『知恵のエネルギーを、気を集中させよ。リラックスさせよ』

トレイシーは精神を水晶のように透明にさせた。無我の境地だ。

〈光線の中に人が入っていっても何も起こらない。だが人間がそこから出た途端に、センサーが温度の差を察知して警報を鳴らす。泥棒が金庫の扉を開ける前に鳴ってしまう。何もしないうちに警察が来てしまう〉

だが、この点にこそこの警報システムの弱点がある、とトレイシーは判断した。金庫を開ける後まで警報が鳴らないようにする必要がある。今朝の六時三十分になって、トレイシーにようやく解決策が浮かんだ。盗難が可能だという結論に達すると、いつもの興奮がトレイシーの体の隅々から湧き上がってきた。

そして今、実行の時が来た。トレイシーが赤外線用のメガネをかけると、部屋中のすべてのものが、不意に不気味に赤く輝いて見えだした。屋根裏部屋のドアの前に、光線が走っているのが見える。防護メガネなしでは見えない光だ。

「あの下をくぐるのよ」

トレイシーはジャン・ルイに警告した。

「注意するのよ」

光線の下をくぐり抜けると、二人はマティーニ伯爵の寝室へ通じる真っ暗な廊下に出た。トレイシーは懐中電燈を照らして廊下を歩いた。寝室まで近づくと防護メガネを通して光線が見えた。今度の光線は低く走っている。トレイシーは慎重に飛び越えた。ジャン・ルイがそっくり同じように続いた。

トレイシーが懐中電燈で周りを照らすと、息を飲むような素晴らしい絵が掛かっていた。

『ダ・ビンチの絵は必ず持ってきてくれるね』

グンターは言っていた。

『もちろん、宝石もだよ』

トレイシーは絵を降ろしてひっくり返し、床に置いた。そうして注意深く絵だけを額縁からはずしてまるくくるみ、ショルダーバッグに入れた。これで目的の半分は達成した。残りの仕事は金庫を開けることで、それは寝室の奥のカーテンで仕切られた小部屋にあるはずだ。

トレイシーはカーテンを引きあけた。四本の赤外線が床から天井に達しており、互いに交錯して走っている。どの光線にも触れないで金庫まで行くのは絶対に不可能だった。

ジャン・ルイもお手上げの表情でその赤外線を見つめていた。

「これは駄目だ。通れるわけないよ。下のほうは這ったって駄目だし、上もあんなに高くちゃ越えられねえ」

「わたしの指示どおりにするのよ」

トレイシーはそう言ってジャンの後ろにまわり、両腕で彼の腰をしっかりとつかんだ。

「さあ、わたしと一緒に歩くのよ。まずは左足を先に出して」

二人は光線の中に一歩踏み込み、さらにもう一歩と進入した。

ジャン・ルイはおっかなびっくりに声を洩らした。

「ほら、光に触れちまうぜ!」

「そうよ」

二人はそのまま光線の中へ入っていき、最も赤外線が交錯している中心で静止した。

「さあ、よく聞いててね」

トレイシーは説明した。

「あなたは金庫のところへ行くのよ、わかる？」

「だけど光線が――」

「気にしなくてもいいの。大丈夫よ」

トレイシーは自分が正しいことを願うように言った。

ためらいながら、ジャン・ルイは赤外線の外に出た。装置は沈黙したままだ。ジャンは驚いて目をまんまるにし、トレイシーを振り返った。トレイシーは光線の中心に立ち、自分の体の熱でセンサーが感応せず、警報器を鳴らさないようにしていた。ジャン・ルイは急いで金庫に近づいた。トレイシーは自分が少しでも動くと警報器が鳴りだすのがわかっていたので、石のようにじっと立ち尽くしていた。

首も動かさず、トレイシーは横目でジャン・ルイの作業を見つめていた。

彼は背中に担いだバッグから道具を取り出して、金庫のダイヤルをいじり始めた。トレイシーは突っ立ったまま、身体がぶれないように気をつけながら、ゆっくりと大きく呼吸をしていた。時間が止まったようだ。ジャン・ルイの作業が永遠に続くような気がした。トレイシーの右足のふくらはぎはこわばり、ついにケイレンしてきた。彼女は歯をくいしばって耐えた。動きたいのを必死でこらえた。

「あとどのくらいかかる？」

トレイシーはささやいた。

「十分か、十五分だね」

トレイシーは生まれてからずっと、そこに立ち尽くしているような気がしていた。左足の筋肉もしびれてきた。あまりの苦痛に、思いっきり金切り声を上げたかった。赤外線というピンで、生きたままはりつけにされているようなものだ。その時、カチリと音がした。金庫が開いたのだ。

「すっげえぞ！　こいつは銀行だ！　全部もらっちまうのかい？」

ジャン・ルイは尋ねた。

「証書類はいらないわ。宝石だけよ。現金があったらみんなあなたにあげるわ」

「あんがとよ」

ジャン・ルイはかさかさと金庫を漁っていたが、しばらくたつとトレイシーのところに歩き寄ってきた。

「すげえ稼ぎだ」

ジャンは言った。

「だけど、今度はどうやって光線を誤魔化してここから出るのかね？」

「それは無理よ」

トレイシーは答えた。

ジャンはまじまじとトレイシーを見つめた。

「何だって?」

「わたしの真ん前に立ってよ」

「だって——」

「わたしの言うとおりにしてよ」

びくびくしながら、ジャン・ルイは光線の中に足を踏み入れた。

トレイシーはしばらく息をとめた。何も起こらない。

「いいわよ。今度はゆっくりとここから出ていくのよ」

「それから?」

ジャン・ルイの目はメガネの奥で大きく見開かれていた。

「それからはね、一目散に走るの」

二人は光線の中をそろそろと後ずさりし、赤外線が切れかかるカーテンのそばまで来ると、トレイシーは呼吸を整えた。

「そう、これでいいの。わたしが、さあ、と声をかけたら、来た道を一目散に戻りましょう」

ジャン・ルイはごくりと唾を飲み込み、無言でうなずいた。彼の体がこきざみに震えているのがトレイシーにはわかった。

「さあ!」

トレイシーはくるりと向きを変えると、ドアへ走った。ジャン・ルイも後を追う。二人が光線の照射から逃れた瞬間、警報装置が作動した。鼓膜が破れんばかりの大音響だ。

トレイシーは全速力で屋根裏部屋へと突っ走り、ぶら下げたままの縄ばしごをよじ登った。ジャンもすぐ後に続いた。屋上を横切り、つるをつたって城壁を降り、二つ目のはしごが掛かっている壁に向かって猛然と庭を走った。間もなく二人はバンの屋根に達し、さらに地上へとすべるように下り立った。トレイシーが運転席に飛び乗り、ジャンも助手席に着いた。

脇道をたくみにバンを運転するトレイシーの目に、森の中に駐車している黒いセダンが映った。バンのヘッドライトが一瞬だけセダンの車内を照らすと、ハンドルを握ったジェフ・スチーブンスが見えた。助手席には大きなドーベルマンがいた。トレイシーは大声で笑いながら、ジェフに投げキッスを送り、バンのスピードを上げた。

サイレンを鳴らしながらやって来るパトカーのわめきが、遠くから聞こえてきた。

第二十六章

　フランスの南西部、ビスケー湾に面したリゾート地のビアリッツは、かつてほどのにぎわいはない。隆盛を誇ったベルビュー賭博場は老朽化して閉鎖されており、マザグラン通り市営賭博場のほうも、今は小さな商店やダンス教室などに部屋を貸す雑居ビルに様変わりしている。丘の上に立ち並ぶ別荘が、くすみながらもどうにか威厳を保っている程度だ。

　それでも七月から九月にかけてはにぎわう。金持ちや貴族の称号を持った人たちがヨーロッパ各地からやって来て、ギャンブルをしたり、日光浴を楽しんだり、昔日を懐かしんだりしているのだ。自分の城を持たない客は、アンペラトリス通り一番地にある豪華なホテル・ドュ・パレに滞在する。かつてナポレオン三世の夏の住居であったこのホテルは、大西洋に突き出た岬の上に建っており、自然の眺望は最高と評判だ。そこはまるで古生代の怪物が灰色の海からにょっきりと現れたような

地形で、側面はぎざぎざの岩の崖になり、その一方の端に灯台が立ち、もう一方の端には板敷きの歩道が敷かれている。

八月下旬のある午後、フランス人のマルゲリート・ドゥ・シャンティリィ男爵夫人が、ホテル・ドュ・パレのロビーにさっそうと入ってきた。男爵夫人は優雅な物腰の若い女性で、銀色がかったブロンドの髪にかわいい帽子をちょこんと乗せている。緑と白のシルクのジバンシーのドレスに、その姿態が一段と似合い、すれちがう女性たちはねたみながらも振り返って見つめ、男性はぽかんと口を開けたまま彼女の歩く姿に見とれた。

男爵夫人はフロントに歩き寄った。

「わたしの鍵をくださいな」

それはとても美しい発音のフランス語であった。

「かしこまりました、男爵夫人」

フロント係はトレイシーに、部屋の鍵と何通かの電話のメッセージを渡した。

トレイシーがエレベーターへ向かうと、メガネをかけてさえない風体の男がエルメスのスカーフ売場から突然飛び出してきて、ドシンと彼女にぶつかり、その衝撃でトレイシーはハンドバッグを落としてしまった。

「あ、失礼しました」

男は言った。

「大変申しわけないことをしました」

そうしてトレイシーのハンドバッグを拾い、彼女に渡した。

「どうかお許しください」

男は中部ヨーロッパ訛の英語で詫びた。

マルゲリート・ドゥ・シャンティリィ男爵夫人は悠然とうなずくと、そのまま歩き続けた。

近くにいた係が彼女をエレベーターへ先導し、三階で降ろした。トレイシーは三一二号のスイートルームを指定して泊まっていた。部屋を選ぶのはホテルを決めるのと同じくらい重要なことを、彼女は経験で知っていた。イタリアのカプリ島ではクウィシサーナ・ホテルのバンガロー五二二号。スペインのマジョルカ島ではソン・ビダ・ホテルのロイヤル・スイート——そこからは山々や遠くの湾が一望できる。ニューヨークではヘルムスレイ・パレス・ホテルのタワースイート四七一七号。アムステルダムではアムステル・ホテルの三二五号——そこに泊まると運河のせせらぎを聞きながら安らかに眠れる。

ここビアリッツのホテル・ドュ・パレ三一二号室からは、海と街並の両方の景観が眺められる。トレイシーの部屋のどの窓からも、まるで溺れそうな人間のように海からちょこんと顔を出している岩々に、波が砕け散っている光景が見えた。窓の真下には、腎臓の形をした巨大なスイミングプールがあって、灰色の海と好対照の明るいブルーの水をたたえている。プール脇は大きなテラスとなっていて、陽よけのアンブレラが夏の光線を遮断していた。

部屋の壁は、青と白のシルク緞子で飾りつけられており、基部の側壁は大理石、じゅうたんやカーテンはピンクがかったバラ色だ。木製のドアとシャッターには、時代を経た古つやがうき出てい

た。

後ろ手でドアを閉めると、トレイシーはぴったりとかぶっていたブロンドのかつらをはずし、頭皮をマッサージした。男爵夫人の扮装は彼女の十八番だった。『デブレッツ貴族年鑑』や『ゴーサ年鑑』を調べれば、選び出せる称号は何百もある。二十ヵ国以上にも渡って、王妃、公爵夫人、伯爵夫人、男爵夫人その他の貴夫人たちが記載されているそれらの本は、トレイシーにとってこの上なく貴重だった。何世紀にも遡った家系図も載っており、一族縁戚の名前や出身校、住居に別邸の住所まで記されているのだ。その年鑑から著名な一家を選び出し、遠縁のいとこ……ことに富裕な遠縁のいとこになりすますことは、実に簡単だ。世間の人というのは、爵位やお金には弱いのである。

トレイシーは先ほどホテルのロビーでぶつかった男のことを思い出して、にんまりと笑った。戦陣の火蓋は切って落とされたのだ。


その晩の八時、マルゲリート・ドゥ・シャンティリィ男爵夫人がホテルのバーで座り、飲んでいると、先刻、衝突してきた男が彼女のテーブルへ近づいてきた。

「お邪魔します」

男はためらいがちに言った。

「今日の午後はあんなぶざまなことを仕出かしてしまいまして、めっそうもございませんでした」

トレイシーは優美な微笑みを返した。

「お気にされなくて結構です。ちっちゃな事故ですわ」

「おそれいります」

男はなおもためらいながら言った。

「よろしかったら一杯おごらせていただけませんか。わたしの気分もいくらかおさまるのですが」

「ウイ。それでお気が済むのでしたら」

男は向かいの椅子にしゃちほこばって座った。

「自己紹介をさせてください。わたしはアドルフ・ザッカーマン教授と申します」

「マルゲリート・ドゥ・シャンティリィですわ」

ザッカーマンは給仕頭に合図した。

「何をお飲みになってるんですか？」

ザッカーマンはトレイシーに尋ねた。

「シャンパンです。だけど――」

男は手を上げて言葉をさえぎった。

「それくらいはわたしも払えますよ。実を申しますとわたしは、世界中で欲しいものなら何でも買えるようになれる瀬戸際にいるんですよ」

「本当に？」

トレイシーはかすかに微笑みかけた。

「それはよかったですわね」

「ええ、本当に」

ザッカーマンはボランジェを一ビン注文すると、トレイシーに向き直った。

「とんでもない大異変がわたしの身に起こったのです。本当ならこんなことを見ず知らずの人に話すべきではないのですが、あまりにも興奮しているもので、とても自分だけの胸にしまっておくことができません」

ザッカーマンは上半身を折り曲げてトレイシーに近づけ、声を落とした。

「本当のことを言いますと、わたしは単なる学校の教師でして――いや、最近までそうだったのです。歴史を教えていました。ま、面白い教科ではありますが、かといってあなたもご存知のように、血湧き肉躍るという種類のものではございません」

トレイシーは品のよい好奇心を顔に浮かべて、彼の話に聞き入った。

「つまりですな、ほんの数ヵ月前まではわくわくすることなどなかったのです」

「数ヵ月前に何が起こったんですの、ザッカーマン教授？」

「わたしは、スペインの無敵艦隊アルマダのことを調査していました。この教科を学生たちが少しでも興味を持って勉強できるように、どんなことでもいいから、変わったこと、面白いことを探していたのです。すると地方のある博物館の古文書室で、どういうわけか他の書類に混じって、一枚の古い記録に出くわしました。それは一五八八年にフィリップ王子が艦隊を送り出した時の秘密文書だったのです。その艦隊の一隻には金塊が積み込まれていたのですが、嵐に遭遇して、跡形もなく沈没してしまったことになっています」

トレイシーは相手を探るように見つめた。

「沈没したということになっていますですって？」

「そのとおりです。ですけれど、わたしが見つけ出した記録文書によると、船長と乗組員たちは人気のない入江まで船を操舵していって、わざと沈めたのです。時がたってから戻ってきて宝物を回収するつもりだったのですが、そうする前に海賊に襲われ、皆殺しにされてしまいました。記録文書だけが生き残ったのは、海賊どもは誰一人として読み書きができなかったからですね。やつらは自分たちが手に入れたものの本当の意味がわかっていなかったってわけです」

ザッカーマンの声は興奮で震えてきた。

「さて、そこでです」

歴史の教師はさらに声をひそめ、周囲をぐるりと見回して安全を確認してから続けた。

「わたしが持っている記録文書には、宝物の場所にたどりつくための詳しい指示が書きこまれているんです」

「何て運がいいんですの、教授」

男爵夫人はいかにもうらやましそうな声音で言った。

「その金塊は、今のお金にしておそらく五千万ドルの価値があるでしょうな」

ザッカーマンは言った。

「しかも面倒はないんです。行って持って来るだけでいいんですから」

「じゃ、なぜすぐそうしないんですの？」

歴史教師はまごついて肩をすくめた。

「資金です。宝物を水面まで引き上げるのに船を用意しなければなりません」

「なーるほど。いかほどくらいご入用なのかしら?」

「十万ドルかかるんです。実は白状しますと、わたしはとてつもなく愚かなことをしてしまったのです。わたくしが生涯こつこつ貯めたお金、これが二万ドルあったのですが、そいつを持ってビアリッツにやって来て、必要な資金が得られるかとカジノで賭けたんです」

ここまで言うと、ザッカーマンの声は力をなくしていった。

「それで、負けたというわけね」

彼はうなずいた。メガネの奥で涙がきらりと光るのが見えた。

シャンパンが届き、店長がコルクの栓を抜いて、金色の液体を二つのグラスに注いだ。

「幸運がありますように」

トレイシーが乾杯した。

「ありがとう」

二人はそれぞれのグラスに口をつけ、それぞれの考えに戻ってしばらく沈黙した。

「つまらない話をしてしまってすみませんでした」

ザッカーマンは詫びた。

「お美しいご婦人に、個人的な悩みを打ち明けてしまいまして」

「そんなことないわ。面白いお話でしたわよ」

トレイシーは男をなぐさめた。

「あなたはそこに金が沈んでいると確信しているのね、ウイ？」

「一かけらの疑いもありません。わたしは当時の船積み命令書の現物と、船を沈めた船長自身が書いた地図を持っています。宝物がある正確な位置までわかっているのです」

男爵夫人は男をまじまじと見つめながら、しばらく黙考した。

「だけど、十万ドルがないと手が出せないということなのですね？」

ザッカーマンは寂しそうに笑った。

「それがあれば五千万ドル相当の宝に到達できるのですが」

男はそう言うと、もう一口シャンパンを飲みこんだ。

「可能性がありますよ」

男爵夫人はフランス語で言った。

「何ですって？」

「あなたは共同出資者を募ることをお考えになりませんの？」

ザッカーマンはびっくりしたように夫人を見つめた。

「共同出資者ですって？　いいえ。わたしは独りでやるつもりでした。ですけど、今となってはお金を無くしてしまったし……」

彼の声はまたも消えいりそうに小さくなった。

「ザッカーマン教授、わたしが十万ドルの提供を申し出たらいかがなさいます？」

歴史教師は首を左右に振った。

「バカげたことをおっしゃらないでください、男爵夫人。そんな申し出を受けられるわけがないではありませんか。大金を失うかもしれないのですぞ」

「だけど、あなたは宝がそこにあると確信しているんでしょ――?」

「それはもう、わたしには確証がありますから。ですが、万が一ということもありますからね。保証があるわけではないのです」

「保証できることなんて、この世の中にはそんなにありませんわ。あなたの問題にはとても興味をそそられます。わたしがお手伝いして解決できたら、わたしたち二人にとって大変有益なのではございませんか?」

「いいえ、あなたがお金を失う恐れが少しでもあるとなれば、わたし自身の気持ちがそれを許せないのです」

「わたしには、お金のゆとりがあるのよ」

男爵夫人は相手をなだめた。

「それにこの投資は、見返りもかなり大きいのじゃありません?」

「もちろん、そういう面もあります」

ザッカーマンは肯定した。椅子にどっかりと座って事態を熟考していたが、やがて疑念が氷解したところで、彼は言った。

「もしどうしてもそうしたいとおっしゃるのなら、利益は折半ということでどうでしょう」

男爵夫人は喜んでにっこりと笑った。

「それでしたらお受けします。いいでしょう」

教授は素早くつけ加えた。

「実費を差し引いた利益をですね、もちろん」

「当然のことですわ。いつから開始できます？」

「今すぐにでも」

教授は急に元気づいてきた。

「使いたい船はすでに目をつけてあります。海底をさらう新式の装備を搭載していますし、乗組員も四人ついています。もっとも彼らにも、引き上げたものが何であろうと、数パーセントの手数料は支払わねばなりませんがね」

「よろしいですわ」

「一刻も早く始めないと、船が雇えなくなるかもしれません」

「五日あれば、お金が用意できますわよ」

「そいつは素晴らしい！」

ザッカーマンは叫んだ。

「その間にすべての準備が整えられるでしょう。ああ、偶然の出会いから、思いがけないことが起こるものですね？」

「ウイ。まったくそうですわ」

「我々の冒険を祝って」

教授がグラスを上げた。

トレイシーもグラスを上げて乾杯した。

「わたしの直観が当たりますように、宝が出てきますように」

二人はカチリとグラスを鳴らせた。と、グラスの向こうに、ある人物を目撃し、トレイシーはギクリとした。遠い隅の席にジェフ・スチーブンスが座っており、にやにやしながら彼女を見つめていたのだ。隣には派手に宝石を飾りたてた婦人がいる。

ジェフはトレイシーと視線が合うと、軽く会釈した。トレイシーは、最後に彼を見たのがマティーニ伯爵の城の外で、無邪気な犬を隣に置いている姿だったことを思い出し、にっこりと微笑み返した。

〈あの件ではわたしの勝ち〉

トレイシーは満ちたりた気分でそう思った。

「お許しいただけるのであれば」

ザッカーマンが話を続けている。

「わたしはいろいろと準備にかかりたいのです。いずれまたご連絡いたします」

トレイシーが愛想よく手を差し出すと、彼はそれにキスしてバーから出ていった。

「お見受けしたところでは、お友達はあなたを置き去りにしたようですな。何が原因なのかは想像もつきませんけど。今日はまたブロンドがよくお似合いで、とてもお美しいですよ」

トレイシーが見上げると、ジェフがテーブルの横に立っていた。彼は今しがたザッカーマンが座っていた椅子に、図々しく腰をおろした。

「おめでとう」

ジェフは言った。

「マティーニ邸での一件は実に素晴らしかったよ。たいしたもんだ」

「あなたにしては、よく褒めてくださるわね、ジェフ」

「きみの知らないところで、ぼくはきみに随分散財させられてるんだよ、トレイシー」

「すぐ慣れるわよ」

ジェフは席の前に置いてある空のグラスをもて遊んだ。

「ザッカーマン教授の狙いは何なんだい？」

「あーら、あなた、彼を知ってるの？」

「そうとも言えるね」

「彼は……そのう……一杯おごってくれただけよ」

「それでやつは、沈んだ宝物の話をしたってわけかい？」

トレイシーは急に警戒した。

「どうしてそれを知ってるの？」

ジェフはびっくりしたようにトレイシーを見た。

「まさか、信じたっていうんじゃないだろうね？　その話は世界中でさんざん使い古された手なんだぜ」

「今度のはそうじゃないわ」

「きみはあいつの話を信じるって言うのかい？」

トレイシーは強硬に言い張った。

「あらいざらい話すわけにはいかないけれど、教授はたまたまある秘密の情報を入手したのよ」

ジェフは信じられないといった面持ちで首を左右に振った。

「トレイシー、やつはきみを引っかけようとしているんだよ。沈没した宝船にいくらぐらい投資してくれと持ちかけたんだい？」

「大きなお世話よ」

トレイシーは澄まして言った。

「自分のお金をどう使おうと勝手でしょ」

ジェフは肩をすくめた。

「わかったよ。昔なじみのジェフがきみに警告しなかったなんて、後で言うなよ」

「まさかあなたも、本当はあの金に興味を持っているんではないでしょうね？」

ジェフはもう勝手にしろというように両手を上げて言った。

「どうしてきみはぼくの言うこととなると、いつも疑うんだい？」

「簡単じゃなくって？」

トレイシーはすかさず答えた。

「あなたを信用していないからよ。一緒にいた女の人は誰なの？」

そう言ってすぐ、愚かな質問をしてしまったと後悔した。

「スザンヌのことかい？　ただの友達さ」

「お金持ちでしょうね、もちろん」

ジェフはけだるく笑った。

「実際のところ、彼女にはいくらでも金があると思うね。明日の昼食を三人で一緒にしたかったら、港に停泊中の二五〇フィートの彼女の船の料理人が腕をふるって——」

「どうもありがとう。でもあなた方の昼食を邪魔しようなんて夢にも思っておりませんわ。あなたは何を彼女に売りつけようとしているの？」

「それはきみに関係ないね」

「そりゃそうね」

トレイシーの口から出てきた言葉は、しゃがれて不自然な調子だった。意識しても応対がどこか嫉妬めいてしまうのだ。

トレイシーはシャンパンを飲むふりをして、グラス越しにジェフを観察した。忌まわしいほど魅力的な男だ。清潔感のただよう善人の風貌、長いまつ毛に切れ長の美しい目。だけど心は蛇よ。しかも非常に頭の切れる蛇なのよ。

「あなたは今までに、まっとうな職に就こうと考えたことがあるの？」

トレイシーは尋ねた。

「まともに生きても大成功していたでしょうね」

ジェフはショックを受けたようにトレイシーを見つめた。

「何を言ってるんだい？　この素晴らしい人生を捨てろって意味かい？　冗談だろう！」

「あなたは今まで、詐欺師一筋で生きてきたの？」

「詐欺師だって？　ぼくは企業家だよ」

ジェフはむきになって言った。

「また、どんなふうにして、詐、企業家になったの？」

「ぼくは十四歳の時に家を飛び出して、カーニバルの一座に加わったんだ」

「十四歳の時に？」

その言葉にトレイシーの心はかすかに動いた。このハンサムで取り澄ました男の虚飾の陰にある真実を、初めて垣間見た思いだった。

「ぼくにはとてもいい経験だったよ――逃げずに立ち向かうことを学んだからね。あの素晴らしいベトナム戦争が勃発すると、グリーンベレー部隊に参加し、そこで高度な教育も受けたよ。そのいちばん大きな点はね、ぼくが思うに、戦争こそ最大の詐欺だということさ。それに比べりゃ、きみもぼくもとるに足りないアマチュアってことになるね」

ジェフはそこまで言うと、急に話題を変えた。

「ペロタは好きかい？」

「それをわたしに買わせたいなら、結構よ、いらないわ」

「球技だよ。ハイアライを変形させたようなゲームさ。今晩の券が二枚あるんだ。スザンヌは行けないって言うもんでね。どう、行ってみないかい？」

トレイシーはいつの間にか承諾していた。

二人は町の小さなレストランで食事をした。この地方特産のワインを飲み、ローストポテトやガーリックと一緒に煮込んだローストダックを食べた。うまかった。

「この店の特別料理なんだよ」

ジェフがトレイシーに教えた。

二人は政治のことや読んだ本、旅行した国や地方のことについて、あれこれと話した。トレイシーは、ジェフが驚くほど物識りなことを知った。

「十四歳で自活して生きるとなると」

ジェフは説明を始めた。

「色々と素早く学ぶもんだよ。まず、自分が何が欲しいのかわかってくる。それから他人が何を欲しがっているかもわかる。詐欺というのはね、日本の柔術に似てるんだ。柔術は勝つために相手の力を利用するよね。詐欺では、相手の強欲さを利用するってわけさ。きみは初めに動くだけでいい。

後は相手が勝手にきみの仕事を仕上げてくれるってわけさ」

トレイシーは微笑んだ。自分たちは何と似た者同士なんだ。ジェフも同感かしらと思いながら話を聞き続けた。ジェフと一緒にいると楽しかった、が同時に、いったんことがあれば、彼は簡単に裏切り者になるだろう、とトレイシーには確信できた。ジェフはあくまで要注意人物なのである。これからもトレイシーは、用心し続けなければならない。

ペロタは、ビアリッツの中腹にあるフットボール場ほどの大きな野外競技場で開催された。コートの両端には、コンクリートを緑色に塗った巨大な板が設けられており、中央が競技場で、その両側に段々になった石造りのベンチが四列ある。夕暮れになると照明が灯される。トレイシーとジェフが到着した頃はほぼ満員で、両チームのファンが大挙して押しかけてきていた。やがて選手たちは試合を開始した。

両チームの選手は順番に、ボールをコンクリートの板に打ちつける。そのはね返ってきたボールを、各自の腕にくくりつけられたセスタという長く狭い籠でキャッチするのだ。ペロタは動きの早い危険なゲームといえる。

選手がボールを受けそこなうと、観客席からどよめきと悲鳴が上がる。

「みんな本当に熱中しているのね」

トレイシーが感想を述べた。

「何しろ試合には大金が賭けられているからね。この地方のバスク人ってのは、ギャンブルが大好きなんだ」

見物客は続々と押しかけ、ベンチは身動きができないほどぎゅうぎゅう詰めになり、トレイシーの体はぴったりとジェフにくっついていた。ジェフはそれに気づいていても、いっこうに知らぬふりだった。

ゲームが白熱するにつれ獰猛さも増大し、それとともにファンの絶叫も激しく夜空にこだましていった。

「これじゃ危険じゃない?」

トレイシーが尋ねた。

「男爵夫人、あのボールは時速百六十キロで飛んでいるのですよ。あれが頭にでも当たれば、即死です。もっとも選手がミスするなんてめったにありませんがね」

そう言いながら、ジェフはうわのそらでトレイシーの手をたたき、目は競技にクギづけになっていた。

選手たちはさすがに熟練しており、優雅に、完璧に、ボールをコントロールしていた。しかし、ゲームが中盤に差しかかった頃、選手の一人が、不意にとんでもない角度にボールを投げてしまった。その致命傷を与える死のボールがまっすぐに、トレイシーとジェフが座っているベンチへ飛んできた。見物客たちはわれ先に伏せようとした。ジェフはトレイシーをつかむと地面へ押しつけ、自分の体をかぶせて彼女をかばった。と、ボールがうなりをたてて二人の頭のすぐ上を通過し、後ろの壁に当たってはね返った。トレイシーは地面にうつぶせになりながら、自分の上にジェフの逞しい体がかぶさっているのがわかった。二人の顔はほとんどくっつかんばかりだった。

ジェフはしばらくそのままの姿勢でいたが、やがて立ち上がり、トレイシーの手を取って立たせた。二人の間にばつの悪さがただよった。

「わたし――わたしはもう存分に楽しんだわ」

トレイシーは言った。

「もうホテルに帰ってやすみたいの、いいでしょう?」

ジェフはトレイシーの提案に素直に従った。ホテルまで来ると、二人はロビーで別れた。

「今夜はとても楽しかったわ」

トレイシーはジェフに言った。心からそう思ったのだ。

「トレイシー、きみはザッカーマンの宝船の話に、本当に乗るわけじゃないだろうね?」

「いいえ、乗るわよ」

ジェフはトレイシーをまじまじと観察して言った。

「きみはぼくもその宝船の金を狙っていると思っているんじゃないだろうね?」

トレイシーはジェフの目をのぞき込んだ。

「違うって言うつもり?」

ジェフは表情を硬くした。

「いいや、まあうまくやるさ」

「おやすみなさい、ジェフ」

トレイシーはジェフがホテルを出ていくのをじっと見ていた。おそらくスザンヌ夫人に会いに行

くのだろう。

〈彼女はもうすぐ被害者というわけね〉

フロント係が声をかけてきた。

「あのう、こんばんわ、男爵夫人。あなたさまに伝言が入っております」

ザッカーマンからのことづけだった。


アドルフ・ザッカーマンは窮地に陥っていた。それも進退きわまるほどの窮地に追い込まれていた。ザッカーマンはアルマン・グランジエのオフィスに座っていたが、あまりの恐怖で失禁し、パンツを濡らしていた。

グランジエはフリア通り百二十三番地に品のいい別荘を所有しており、そこで非合法の賭場を開帳していた。公営の賭博場が開いていようが閉まっていようが、グランジエにとってはどうでもよかった。というのも、フリア通りの彼のクラブは、金持ちの贔屓客でいつもいっぱいだったからである。公営の賭博場と違って、私営クラブには賭金の上限がなく、金づかいの荒い連中が、自由な賭けを楽しみにやって来た。そこの常連客は、アラブの王子、イギリスの貴族、東洋の実業家、アフリカの政府要人などという具合いに、多士済々だ。

ほんの申しわけ程度の布切れしか身につけていない若い女性が、無料のシャンパンやウイスキーの注文をとりに、部屋をぐるぐる回っている。これもアルマン・グランジエの客集めのうまさで、

金持ち連中というのは、むしろ貧乏人よりも何でも無料で欲しがるものなのだと、彼は見抜いていた。実際のところ、飲物の一杯や二杯、グランジエにとってものの数ではなかった。ルーレットにもカードにも、インチキの細工がしてあったからである。

クラブはいつも、金をしこたま持った老紳士と、その連れの若く美しい女たちでいっぱいだった。そしてその女たちは、遅かれ早かれグランジエにぞっこんになると相場が決まっている。彼の容姿は、完璧な男の縮小版といえようか。茶色の瞳をいつもうるませ、ぼってりとして官能的な唇を、整った顔に浮かべている。身長は一六〇センチしかなく、完璧な容貌と低い背の組み合わせが、かえってマグネットのように女性を魅きつけた。グランジエは、女性なら誰にでも見えすいたお世辞を並べたてた。

「あなたの魅力は圧倒的です。けれども、わたしたち二人にとって不運なことに、わたしは今、誰かさんと恋愛中なんです」

こんなお決まりの口説き文句も、あながち嘘ではなかった。『誰かさん』は毎週のように変わった。ビアリッツには、若く美しい男性の供給が無限にあるのだ。そしてグランジエは、そういう若者たちにとっかえひっかえ、陽の目を見させていた。

グランジエは地下組織と警察の両方につながりを持ち、私営の賭博場の営業を続けるのに十分な勢力を保っていた。彼は組織の使い走りから始まって、麻薬の運び屋になり、そしてとうとうビアリッツに、小さいながらも自分の領地を支配できるようになったのである。敵対者がこの小男がここまでのし上がったことを知った時は、もう手が出しにくいほどの力を持っていた。

さて、アドルフ・ザッカーマンであるが、このニセ歴史教師は、グランジエに厳しく問い詰められていた。

「沈没した宝船の話でおまえが引っかけようとしている男爵夫人のことを、もっと詳しく話せ」

グランジエの怒り狂った声の調子から、ザッカーマンは何かまずいこと、それも恐ろしくまずいことがある、というぐらいは察しがついた。

ニセ教師はごくりと生唾を飲み込み、そして話した。

「説明します。あの女は未亡人で、亭主が多額の遺産を残したんだそうです。で、女のほうから、十万ドルを提供しようと言ったのです」

ザッカーマンは自分の声の調子に勇気を得て、さらに話し続けた。

「一度でも金を受け取ればこっちのもんです。サルベージ船がぶっこわれたのであと五万ドル必要だと女に言います。さらにまた十万ドル出させて——ご承知のとおり——いつもの手でやるのです」

ザッカーマンはアルマン・グランジエの顔にさげすみの表情を見た。

「いったい、何がいけないんです、旦那？」

グランジエは冷たい調子で言い放った。

「気に入らねえのはな、たった今パリの仲間から連絡を受けたからだよ。やつはな、てめえの男爵夫人とやらのパスポートを偽造したんだとよ。女の本名はトレイシー・ホイットニーと言ってな、アメリカ人なのさ」

ザッカーマンは突然、口の中がからからになった。彼は唇を舌でなめて濡らし、そして言った。

「ですが、女は本当に興味を持っているように見えましたけど、旦那」

「このウスノロ！　女は詐欺師なんだぞ。ペテン師をペテンにかけようったって、おまえにできるわけないだろう」

「そんなら、ど、どうして話に乗ったんでしょうか。断らなかったのはなぜでしょう？」

アルマン・グランジエは冷やかに言った。

「おれの知ったことかよ、教授。だがな、じきに暴いてみせるぜ。それが終わったら、そのご婦人とやらは湾で泳ぐことになるぜ。足に重しをつけてな。このアルマン・グランジエさまをかもにするやつは誰でも許さねえ。ほら、今ここから電話しろ。資金を半分提供しようと言う者がいて、これからあなたに会うためにそちらに向かう、そう男爵夫人に伝えるんだ。おれの言うことがわかるか？」

ザッカーマンはへつらうように言った。

「合点です、旦那。心配しないでください」

「心配なんだよな」

グランジエは言った。

「おまえのやることは心配でたまらんよ、へボ教授さんよ」

アルマン・グランジエは、理屈にあわない話は嫌いだった。沈んだ宝船の話は何百年も前からあ

る詐欺の手口で、被害者はいつでもマヌケと相場が決まっている。詐欺のベテランがそんな単純な話に引っかかるはずがない。グランジエはその点が納得いかなかったので、どうにか解明するつもりだった。答えが出れば、女はブルーノ・ビサントに引き渡す。ビサントは犠牲者を処分するまでに、いろいろといたぶって遊ぶのを常としている男だ。

リムジンがホテル・ドュ・パレの正面玄関に横付けされると、アルマン・グランジエは車から降りてロビーへ入っていった。ジュール・ベルジュラックがすかさず応対に出た。彼は十三歳の時からこのホテルで働いているバスク人で、今では髪が真っ白になるほど年老いている。

「マルゲリート・ドゥ・シャンティリィ男爵夫人のスイートは何号室かね?」

フロントの係は、ルームナンバーを口外してはならないのが鉄則だったが、アルマン・グランジエにそんなものは通用しないのだ。

「三一二号室です、ムッシュー・グランジエ」

「メルシー」

「それに三一一号室もです」

グランジエは立ち止まった。

「何だって?」

「男爵夫人は、隣室のスイートもお使いになってらっしゃるのです」

「おお、そうかい。それでそっちは誰が泊まっているんだね?」

「どなたも泊まっていらっしゃいません」

「誰もだって？　確かかい？」

「ウイ、ムッシュー。あの方はずっと鍵をかけていらっしゃってます。メイドも立ち入るな、と申されています」

グランジエは不審そうに顔をしかめた。

「合鍵はあるかい？」

「もちろんございます」

フロント係はまったく躊躇することなく、机の下から合鍵を取り出し、アルマン・グランジエに渡した。ジュールはグランジエがエレベーターのほうへ歩くのを見ていた。グランジエみたいな男にたてつく者などいはしないのだ。

アルマン・グランジエが男爵夫人の部屋の前まで行くと、ドアが少し開いていた。それを押して中へ入った。居間には誰もいない。

「ハロー。どなたかいらっしゃいますか？」

別の部屋から、明るい女性の声が聞こえてきた。

「わたし、入浴中ですの。数分で出ますわ。飲物でも召し上がっていてくださいな」

グランジエは、見慣れた家具類が備えつけられてある部屋をうろつき回った。というのも、もう長い間、彼は友人たちをこのホテルに泊まるよう案内していたからである。寝室へ行ってみた。高価な宝石類が化粧台の上に無造作に置いてある。

「あと一分もかかりませんわ」

浴室から声がした。

「ごゆっくりどうぞ、男爵夫人」

〈男爵夫人だなんて！　バカをぬかすな！〉

グランジエは腹だたしくそう思っていた。

〈小細工してみたところで、へっ、逆効果になるのがオチだぜ〉

グランジエは隣接の部屋に通じるドアへ歩み寄った。それには鍵がかかっている。グランジエは合鍵を使ってドアを開けた。踏み入ると、使っていない部屋特有のカビくさい臭いがした。誰も泊まっていないと受付係も言っていたぞ。ならば、彼女は何のためにこの部屋が必要なのだろう——？グランジエの目が、その場にそぐわないものを捉えた。重々しい電気のコードが壁のソケットに差し込まれ、床にそって這い、洋服掛けの小部屋へと消えているのだ。コードを通す隙間分だけ、小部屋のドアは開いている。不審に思ったグランジエはずかずかと歩き寄り、ドアを押し開けた。

小部屋には針金が張られており、濡れた百ドル札の列が、洗濯ばさみに吊るされていた。タイプライターの台もあって、その上には布がかけてある。グランジエは布をめくった。小さな印刷機が現れ、まだインクの乾いていない百ドル札がはさまっている。印刷機の隣には、アメリカ紙幣のサイズで空白のままの紙の束と、ペーパーカッターがあった。切りそこねた百ドル札が、何枚か床にぶちまけられている。

とがめるような怒りの声が、グランジエの背後から聞こえた。

「ここで何をしているのですか？」

グランジエはくるりと向き直った。風呂上がりの濡れた髪をタオルに巻きつけ、トレイシー・ホイットニーが、部屋に入ってきていた。

アルマン・グランジエは穏やかに言った。

「ニセ札じゃないか！　あんたは我々にニセ札を提供しようとしたんだな」

グランジエは、トレイシーの顔に次々にあらわれた表情を見守った。最初は否定、それから怒り、やがて反抗の顔つきになった。

「そのとおりよ」

トレイシーはあっさりと認めた。

「でも、そのお札を使ったって問題ないわ。誰も本物との見分けがつけられないもの」

「このペテン女め！」

こいつをやっつけたら、どんなに気持ちいいだろう、とグランジエは思った。

「このお札は、金とおなじよ」

「おお、本当かい？」

グランジエは軽蔑の口調を隠そうともせず、針金からぶら下がっている濡れたニセ札を取りはずし、ざっと眺めた。片面を見て、次は反対面を眺め、さらにもっと近づけて仔細に点検してみた。実に見事にできている。

「この原版は誰が製版したんだい？」

「誰だっていいでしょう。それよりもね、金曜日までにはこのお金で十万ドルが用意できるわよ」

グランジエは意味がわからず、風呂上がりの女を見つめた。やがて相手が何を考えているかがわかると、大声で笑いだした。

「あんたもマヌケだな。宝船なんてあるわけないじゃないか」

トレイシーは戸惑った様子だった。

「どういうことなの？　宝船がないですって？　ザッカーマン教授の話じゃ——」

「あんた、あの男の話を信じてたのかい？　困ったもんだぜ、男爵夫人さんよ」

そう言いつつも、グランジエは手にしているニセ札をなおも仔細に見つめた。

「こいつは貰っとくぜ」

トレイシーは肩をすくめた。

「お好きなだけどうぞ。どうせただの紙切れですからね」

グランジエは濡れたニセ百ドル札を、手につかめるだけつかんだ。

「メイドがこの部屋に入らないって保証はなかっただろうに？」

グランジエは尋ねた。

「決して入らぬよう、みんなにはお金を渡してあります。外出する時は、この小部屋にちゃんと鍵をかけておいたのよ」

〈なかなか頭の切れる女だ〉

アルマン・グランジエは思った。

〈だからと言って生かしておく理由にはならない〉

「ホテルから出るんじゃないぞ」

グランジエは命令した。

「おまえに会わせたい友達がいるんだ」


アルマン・グランジエは、女をただちにブルーノ・ビサントに引き渡すつもりだったが、何かしら引っかかるものがあったので、しばらく先に延ばすことにした。グランジエはまたもや紙幣をしげしげと見つめた。商売がら、ニセ札なら幾度も手にしてきたが、こんなにも本物そっくりの札にお目にかかったのは初めてだ。この原版をこしらえたやつは天才に違いない。紙質は本物みたいな手触りだし、細かい線もくっきりと出ている。色も鮮明でズレもない、濡れてはいるがベンジャミン・フランクリンの肖像が完全である。あのペテン女の言うとおりだ。今ここに手にしている札と本物の札との違いを指摘するのは困難だ。グランジエはこのニセ札が本物の貨幣として通用するかどうか、知りたくなった。それはどうにも拒みきれない誘惑だった。

彼はブルーノ・ビサントに女を引き渡すのを保留することにした。

次の日、アルマン・グランジエはザッカーマンを呼びつけ、例の百ドル札の一枚を彼に渡した。

「銀行へ行って、これをフランと交換してこい」

「承知しました、旦那」

グランジエは子分の詐欺師がオフィスをあわただしく出ていくのを見ていた。あのバカへの懲罰

だ。偽札使用の罪で逮捕されたとしても、ザッカーマンは死にたくないだろうから、絶対に入手先を明かさないはずだ。もっとも、うまくニセ札をフランと交換してきたら……。

〈ま、帰ってこられるかどうか、しばらく待てばわかることだ〉

十五分後、ザッカーマンがオフィスに戻ってきた。百ドル分のフランを数えて親分に渡した。

「他にご用は、旦那？」

グランジエは狐につままれたような気分でフランを見つめた。

「何にも言われなかったか？」

「え、何がですか？　またどうして？」

「さっきと同じ銀行へもう一度行ってくるんだ」

グランジエは命令し、話を続けた。

「銀行へ行ったらこう言うんだ……」

アドルフ・ザッカーマンはフランス銀行のロビーへ入っていき、支配人が座っている机に歩み寄った。今回の任務が危険なことは充分に承知していたザッカーマンだが、グランジエの怒りを買うよりは、この危険に直面したほうがましだと決意したのだ。

「ご用でしょうか？」

支配人が尋ねた。

「ええ」

ザッカーマンは緊張感をなんとか隠そうとした。

「あのう、実は昨夜、バーでアメリカ人たちと知り合って、ポーカーをやることになったんだ」

と、そこまでやっとの思いで言った。

銀行の支配人はわけ知り顔にうなずいた。

「お金がすっからかんになってしまった。で、いくらか用立てしてくれ、ですかな？」

「そうじゃないんです」

ザッカーマンは言った。

「実は——えーと、そのう、おれが勝ったわけなんだけどね。気になるのは、えーと、負けたやつが、そのう、何て言うか、あんまし正直者には見えなかったもんで」

そこまで言うと、ザッカーマンは百ドル札を二枚取り出した。

「やつらが払ったのはこの金なんだけど、おれが思うには、どうも何て言うか……ニ、ニセ札みたいな気がしてね」

ザッカーマンは銀行家が身を乗り出し、そのずんぐりした野太い指で紙幣を取った時、思わず息を殺した。支配人は綿密に点検を始めた。表を見て、次に裏を調べ、さらに光にかざした。

やがて銀行家はザッカーマンに向き直り、にっこり笑った。

「よかったですなあ、ムッシュー。この札は本物ですよ」

ザッカーマンはほっと胸をなで下ろした。

〈やれやれ、助かった！〉

無事にやりおおせたのだ。


「間違いないってことです。へっちゃらでしたよ、旦那。銀行のやつが言うには本物ですって」

それは信じられないほどの吉報だった。アルマン・グランジエは報告を受けると、座ったまま考え続けた。彼の頭の中では、ある計画が半分ほど固まりつつあった。

「おい、男爵夫人を連れに行ってこい」


トレイシーは、アルマン・グランジエのオフィスで大きい机をはさんで、グランジエ本人と向かい合って座っていた。

「お前と手を組もうと思っているんだ」

グランジエはトレイシーに相談を持ちかけた。

トレイシーは立ち上がろうとした。

「わたしは誰とも組みたくなんかないわ。それに――」

「座りなよ」

トレイシーはグランジエの目をのぞき込んでいたが、やがてあきらめたように腰を下ろした。

「ビアリッツはおれが取り仕切っている町だ。例の札を一度でも使ってみろ、あっという間に逮捕させてやるぞ、わかるか？　この国の刑務所ではな、きれいなご婦人はいろんな目に遭うことになっているんだよ。つまりだ、おれと組まずにはここでは何にもできはしないってことさ」

トレイシーは真意を探るようにグランジエを見つめた。

「と言うことは、あなたに縄張り代を払えって意味？」

「いいや、違うんだ。命の代金を払いなって意味だよ」

トレイシーは相手が本気だと悟った。

「さてと、あの印刷機の入手先を話しな」

トレイシーはためらった。グランジエは彼女が迷って苦しむのを楽しんでいた。獲物が降服する瞬間を見つめるのは楽しい。

トレイシーはしぶしぶ言った。

「スイスに住んでいるアメリカ人から買ったわ。その人は合衆国の造幣局で製版工として二十五年勤務していたのね。だけどいざこざがあって辞めさせられ、退職金も貰えないことになったの。彼は騙されたと思い、相応のお金を取り戻す決心をしたのよ。それで、ぶっ潰す前の百ドル紙幣の原版をこっそり持ち出し、コネを使って財務省の印刷用紙まで手に入れたってわけ」

〈それで状況がわかったぞ〉

グランジエはすっかり満足して思った。

〈そういうわけなら、あの札があんなふうに本物そっくりなはずだぜ〉

そう思うと、彼の欲望はにわかに活気を帯びてきた。

「あの機械だと、一日にどれぐらいの札が印刷できるんだ？」

「一時間に一枚ってところかしら。片面ずつ丁寧に印刷しなければならないし――」

グランジエはさえぎった。

「もっとデカい印刷機はないのかい？」

「あるわよ。八時間で五十枚――五千ドル分ね――それだけ印刷できる機械を彼が持っているけれど、五十万ドル出さないと売ってくれないわ」

「そいつを買うんだ」

グランジエが言った。

「わたし、五十万ドルものお金は持っていないわ」

「おれが出すよ。いつ手に入るんだ？」

トレイシーはしぶしぶ言った。

「すぐに連絡はできるけど、しかしわたしは、ちょっと――」

グランジエは受話器を取り上げるとすかさず言った。

「ルイ、フランス・フランで五十万ドル分を用意しろ。金庫から出して、不足分は銀行から下ろせ。おれのオフィスへ持ってくるんだ。急げ！」

トレイシーは緊張して立ち上がった。

「わたし、行かなくっちゃ――」

「おまえはどこへも行けないんだよ」

「でも、本当にわたし——」

「そこに座っておとなしくしていろ。おれに考えがあるんだよ」

グランジエには事業上の仲間がいた。その連中も、このニセ札印刷機の取引にならば必ず加担したがるだろう。

〈だが、やつらにバレなきゃ、知らぬふりを通そう〉

グランジエはそう決めこんだ。

デカい印刷機は自分だけのために買い、そのために銀行から引き出した賭博場の口座の金は、後で印刷して返せば万事うまくいく。女の処理はそれらの手続きが済んでから、ブルーノ・ビサントに任せればよい。どうせ女はおれとは組みたがらない。

さよう、グランジエだって誰とも組みたくなんかないのだ。


二時間後に、金を入れた大きな袋が届いた。グランジエがトレイシーに言った。

「おまえはホテル・ドュ・パレをチェックアウトするんだ。丘の中腹におれの別邸がある。万事済むまで、おまえはそこにいろ」

グランジエはそう言うと、トレイシーに受話器を押しつけた。

「さあ、スイスにいる友達とやらに電話して、デカい印刷機を買いたいと言うんだ」

「電話番号を書いたメモ帳は、ホテルに置いてあるの。パレに戻って、あそこから連絡を取るわ。あなたの家の住所を教えてくれれば、印刷機をそちらへ送るよう彼に言うわ——」

「ならん！」

グランジエはぴしゃりと言った。

「おれは痕跡を残したくないんだ。空港留めで送れば、誰かを引き取りにやらせよう。今晩、飯でも食いながら話そうじゃないか。じゃ、八時に会おう」

それは解散の言葉だった。トレイシーは立ち上がった。

グランジエは金が詰まった袋を見て、アゴをしゃくった。

「金の扱いには十分注意しろよ。そいつに何も起こらないようにな——おまえにもだよ」

「何も起こりはしないわよ」

トレイシーはグランジエを安心させた。

グランジエはにんまりと笑った。

「そりゃそうだけどな。ザッカーマン教授におまえをホテルまで送らせよう」

トレイシーとザッカーマンはホテルまでの道すがら、リムジンの中でほとんど押し黙っていた。金を詰めた袋をはさんで、二人はそれぞれの考えにふけっていたのだ。ザッカーマンは事態がどうなっているのかはっきりとはわかってはいなかったが、自分のためにはかなり好転していると感じていた。女が鍵である。女から目を放すなとグランジエに命令された。だからザッカーマンはこの命令を死守するつもりでいた。

その日の夕刻、アルマン・グランジエは天国にもいる心地だった。今頃は大型の印刷機を購入する手配のすべてが済んでいることだろう。ホイットニーなる女の話では、一日に五千ドル分が印刷できるとか。ふん、おれならもっとうまく稼働させるぜ。交代制にすれば二十四時間ぶっ通しで印刷が可能ではないか。そうすれば一日で一万五千ドルこさえられる。一週間では十万ドル、十週間だと百万ドルではないか。もっともそんなのは小手調べにすぎない。今夜はその製版工の身元をもっと詳しく探り、やつと交渉して、もっと印刷機を手に入れるのだ。際限なく富が生産できる。

八時きっかりに、リムジンがホテル・ドュ・パレの正面玄関に横付けになり、グランジエが車から降りてきた。ロビーに入ると、ザッカーマンが入口近くでドアをしっかりと見張っていたので、彼は満足そうにうなずいた。

グランジエはフロントへ歩み寄った。

「ジュール、シャンティリイ男爵夫人におれが来たと連絡してくれ。ロビーまで下りてこさせろ」

フロントは顔を上げると言った。

「ですが、男爵夫人はチェックアウトなさいましたよ、ムッシュー・グランジエ」

「そんなこたあない。さあ、呼ぶんだ」

ジュール・ベルジュラックは困ってしまった。アルマン・グランジエに反論するのは危険なことだ。

「わたし自身が手続きしましたんで」

〈まさか〉

「いつだい？」

「ホテルに戻ってこられてすぐです。男爵夫人は、部屋まで計算書を持ってくれれば現金で払うと、おっしゃいまして――」

アルマン・グランジエは胸騒ぎがした。

「現金だって？　フランで払ったのか？」

「よくおわかりですね。はい、おっしゃるとおりです、ムッシュー」

グランジエは焦って尋ねた。

「女はスイートから何かを持ち出したかね？　デカいカバンとか、箱とか？」

「いいえ。荷物は後で誰かに取りにこさせるとおっしゃっていました」

ということは、女は金を持ってスイスに行き、単独で大型の印刷機を買うつもりなのだ。

「女の部屋へ案内しろ。急げ！」

「ウイ、ムッシュー・グランジエ」

ジュール・ベルジュラックは棚から鍵を取り出すと、グランジエを先導してエレベーターへと急いだ。

グランジエはザッカーマンの前を通りざま、彼をどやしつけた。

「何やってるんだ、ぼけーっと座ってやがって。バカ者が。女は行っちまったぞ」

ザッカーマンはわけがわからないというふうにグランジエを見上げた。

「出ていくはずがありません。女はロビーに下りてきませんでしたから。おれはずっと見張っていたんですよ」

「見張っていたんですよ」

グランジエは相手の口真似をした。

「それじゃ看護婦が出ていくのは見なかったか？　白髪のババアはどうだ？　裏口から出ていくメイドは？」

ザッカーマンはすっかりうろたえた。

「そんなところまでは見ていませんので」

「賭博場に戻って待ってろ」

グランジエは怒鳴った。

「おまえの処分は後で考える」

男爵夫人が借りていたスイートは、グランジエがさい前きた時とほとんどそのままだった。隣室へ通じるドアは開きっぱなしだ。グランジエはそこに入ると、例の衣類掛けの小部屋につかつかと近づき、ぐいとドアを引き開けた。印刷機はまだそこにあった。せめてもの救いだ！　ホイットニーとかいう女はあわてて出ていったので、大きすぎる印刷機は置きっぱなしにしたのだろう。ドジを踏んだものだぜ。

〈いや、ドジを踏んだのはこのことだけじゃねえぞ〉

グランジエは思った。あの女は、おれから五十万ドルを騙し取りやがった。償いはたっぷりとらせるぜ。女を探すのは警察に手伝ってもらう。あのアマが捕まって監獄に入れられれば、手下を使ってどのようにでも料理はできる。まずは製版工のことを白状させ、その後で女の口を塞げばいい。永久にだ。

アルマン・グランジエは警察署へ電話し、デュモン警部を呼んでもらった。相手が出ると三分ほど熱心に話し、そして言った。

「ここで待ってますよ」

十五分後にグランジエの友人の警部が、怪異な容貌の男を伴って到着した。そいつはグランジエが見たこともないような醜男だった。額は今にも爆発しそうなほど膨れており、茶色の両目はぶ厚い眼鏡でほとんど消され、表情は狂信者みたいに不気味だった。

「こちらはダニエル・クーパーさんだ」

デュモン警部が紹介した。

「グランジエさん、こちらのクーパーさんもまた、先ほど電話で話した女性に興味を持っておられるんでね」

クーパーは唐突に喋り始めた。

「あんたはデュモン警部に、女がニセ札作りに関係していると言いましたな」

「言ったよ。女は今この瞬間にも、スイスへ向かっているはずですぜ。国境で捕まえられるでしょう。必要な証拠なら、すべてここに揃ってますぜ」

グランジエは二人を小部屋へと案内した。ダニエル・クーパーとデュモン警部は中をのぞきこんだ。

「あの印刷機で女はニセ札をこしらえたんです」

ダニエル・クーパーは機械へ歩み寄り、綿密に点検した。

「女がこれでニセ札を印刷したですって?」

「何べんも同じことを言わせないでくれよ」

グランジエは怒ったように言った。そしてポケットから紙幣を取り出した。

「これがその札だよ。女がおれに渡したニセ百ドル札の一枚さ」

クーパーはその札を受け取ると窓際に行き、光にかざして調べた。

「これはまぎれもなく本物の札だ」

「そう見えるだけさ。フィラデルフィアの合衆国造幣局で働いていた製版工が盗み出した原版を買い、それで印刷したから本物そっくりなんだよ。この印刷機で女が刷ったのさ」

クーパーは相手かまわず言った。

「あんたは大バカだ。これはただの印刷機さ。名刺を印刷するのが関の山ってシロモノよ」

「名刺だと?」

グランジエの周りで部屋がぐるぐると回転し始めた。

「あんたは、ただの紙が百ドル札に化けるってホラ話を、本気にしたのかね?」

「いや、実際におれはこの目で見たんだよ――」

グランジエの言葉はそれ以上続かなかった。何を見たと言えるだろう？　乾かそうとぶら下げてあった濡れた百ドル札、印刷されていないまっ白い紙、それにペーパーカッター。詐欺の大仕掛けがおぼろに見えてきた。ニセ札づくりも、スイスで待っている男の話も、全部が嘘っぱちなのだ。トレイシー・ホイットニーは沈んだ宝船の話などに引っかかりはしなかった。あのアバズレ女は、おれが仕組んだ芝居を逆手に取って、まんまと五十万ドルをせしめたというわけだ。この話が噂となって外部に洩れれば……。

二人の男はグランジエをじっと見ていた。

「札が本物なら、女を捕まえても無駄だ。他に何か訴えることがあるんじゃないのか、アルマン？」

デュモン警部が尋ねた。

訴えられるはずがないではないか。どう説明できると言うのだ。ニセ札づくりをしようとしたら騙されてしまったとでも？　しかも五十万ドルもの金をまんまと盗まれたってことが仲間にバレれば、どうなる？　グランジエは突然の戦慄に襲われた。

「いや、べつに、そのう——訴えることは、これ以上ありません」

声も口調もしどろもどろになった。

〈アフリカへ逃げよう〉

アルマン・グランジエは必死に頭をめぐらせていた。

〈アフリカまで逃げれば、組織の者に見つからないだろう〉

いっぽうのダニエル・クーパーも、頭の中で思いをめぐらしていた。

〈今度こそ、今度こそ捕まえてやる〉

第二十七章

マジョルカ島で会いましょうよ、そうグンター・ハートックに提案したのはトレイシーのほうだった。彼女は地中海に浮かぶスペイン領のその島が大好きである。世界の観光地の中でも、まさに絵に描いたような風光明媚な場所だからだ。

「それにね」

トレイシーはグンターに言った。

「あの島は昔、海賊たちの隠れ家でもあったのよ。わたしたちがくつろぐには最適の場所じゃないかしら」

「われわれ二人が一緒のところを、誰にも目撃されないようにして会おう」

グンターも同意した。

「じゃ、万事、大丈夫なように手配するわ」

この話のそもそもは、グンターがロンドンから掛けてきた電話から始まった。

「ちょっと尋常な手段ではいかないことがあるんだよ、トレイシー。難しいけどやりがいがあるはずだぜ」

そして翌朝、トレイシーはマジョルカ島の中心都市のパルマへと飛んだ。

グンター・ハートックは、世間の定規で測れば、当然悪党である。だがトレイシーは信頼していた。最初に一緒にした仕事、つまりパーカー・アンド・パーカー商会を騙した時以来、グンターは決してトレイシーを裏切らなかった。宝石商のコンラッド・モーガンや、トレイシーがこれまで出会った男たちとは違っていた。「折半」と彼が言えば、きちんと分け前を半分にして渡してくれ、そればかりでなく、自分に不利が生じた場合でも、小言をいうことなく、トレイシーとの約束を必ず守った。まともに生きるあらゆるチャンスをもぎとられたトレイシーにとって、グンター・ハートックは同志であり、教祖となっていたのである。

トレイシーの行動は、インターポールの『レッド・サーキュレーション——要警戒』命令によって監視されていた。ビアリッツ出発も、マジョルカ到着も、地元警察に連絡が入っていた。トレイ

シーがソン・ビダ・ホテルのロイヤル・スイートにチェックインした時から、監視チームが二十四時間の警戒体制についた。

パルマ警察のエルネスト・マルゼ署長は、すでにインターポールのトリニョン警部と電話で話していた。

「わたしは確信していますよ」

トリニョン警部は言った。

「このトレイシー・ホイットニーは、一人で連続犯罪を引き起こしている元締のはずです」

「じゃあ、女も運の尽きですな。ここマジョルカで犯行を重ねようものなら、われわれがいかに迅速に法を守るかを、彼女も思い知ることになりますからな」

トリニョン警部が言った。

「署長、最後にもう一言つけ加えておきます」

「ええ、何なりと」

「アメリカ人が一人そちらに訪ねていくでしょう。ダニエル・クーパーという名前の男です……」

尾行している刑事にとって、トレイシーは単に観光だけが目的みたいに見えた。監視チームは、島のあちこちを旅行して回る彼女をずっと尾行した。トレイシーは、サン・フランシスコ修道院や色鮮やかなベルベール城、それにイレタス海岸などをぶらついた。闘牛を見物したり、プラザ・デ・ラ・レーヌで名物料理を味わったりして過ごした。いつでも、どこへ行くにも一人だった。

島の最北端のフォルメントール岬まで出かけ、寺院をあちこち訪れたかと思うと、マナコールの真珠工場を見学するといった気ままぶりであった。

「署長、何も出ません」

監視チームの刑事たちは、エルネスト・マルゼ署長に報告した。

「あの女は、観光に来ているみたいですよ」

署長秘書がオフィスに入ってきて告げた。

「アメリカ人が面会に見えています。セニョール・ダニエル・クーパーです」

マルゼ署長には、アメリカ人の友人がたくさんいる。彼はアメリカ人が好きなのだ。トリニョン警部は何だかんだとその男の悪口を言っていたが、マルゼ署長は、ダニエル・クーパーであれ誰であれ、アメリカ人なら好きになれると思っていた。が、その見込みははずれた。

「あんたらはマヌケだ。みんな同じだ」

ダニエル・クーパーはいきなり怒鳴った。

「あの女がただの観光者なわけがないよ。何かを企んでいるはずだ」

マルゼ署長は反発してどやしつけたいのを、かろうじて抑えた。

「セニョール、ホイットニーなる女の目標は、いつも何か目を見張る壮麗なもので、不可能に挑戦して成就させては喜んでいる、と先刻言われましたな。わたしどもは入念に調べましたが、セニョール・クーパー。ここマジョルカには、セニョリータ・ホイットニーの才能をくすぐるようなものは何もありませんな」

「ここで誰かに会いませんでしたか……誰かと話をしたはずなんだが？」

生意気で横柄な口調だった。

「いや、誰とも接触していません」

「じゃ、これから会うはずだ」

ダニエル・クーパーは自信満々だった。

〈やっぱり本当だ〉

マルゼ署長は自分に話しかけていた。

〈こういう男がいるから、みんな醜いアメリカ人なんて言うんだ〉


マジョルカ島には二百余りの洞窟がある。最も見ごたえがあるのは『龍の洞穴』と呼ばれている鍾乳洞だ。ポルト・クリスト漁港の近くで、パルマから一時間の距離のところにある。

太古からの洞穴が地中深く穿たれ、大洞窟には石筍や鍾乳石が無数にある。時おり、曲がりくねりながら地下を流れる水の音を除けば、そこはまるで静寂な墓地のようだった。地下水はまた、緑、青、白とさまざまな色に見え、ここがいかに深いかを証明しているかのようだ。

洞窟は、青みがかった象牙色のおとぎの国という趣だ。照明灯が効果的に配置され、果てなく続く迷路をぼんやりと灯し出している。

誰も、ガイドなしで洞窟には入れない。朝、一般公開の時間になると、鍾乳洞はたちまちのうち

に観光客で押し合いへしあいの様相を見せる。

トレイシーは土曜日にこの鍾乳洞を訪れることにした。いちばん混んでいる日だ。世界各地から、何百何千人もの観光客が押しかけてくる。トレイシーは入口の小カウンターで入場券を買うと、人混みの中に消えた。ダニエル・クーパーとマルゼ署長の部下二人が、ぴったり尾行していた。

一人のガイドが狭い小道の足元を指し示しながら、観光客を先導していた。まるで下を歩いている人たちを指差しながら非難するかのように、無数の鍾乳石の突起から水滴がポタポタと落ち、足場が滑りやすくなっているのだ。

大きく穿たれた横穴にさしかかると、見物客たちは足を止めて、カルシウムの見事な造形物を賞賛した。それは巨大な鳥に見えるものもあれば、奇妙な動物や樹木の形をしているものもある。うす暗く照らされた小道の脇には、地中湖がいくつかあった。一同が一つを通り過ぎる時に、トレイシーの姿が忽然と消えた。

ダニエル・クーパーはすかさず前へと急いだが、トレイシーの姿はどこにも見当たらなかった。今度は後戻りしようにも、次々に見物人が押しかけるので、トレイシーを探すのは不可能に近い。彼女は自分よりも前にいるのか、あるいは後方にいるのか見当もつかなくなった。

〈あの女め、ここで何かをやらかすつもりなんだ〉

クーパーは自分に問いかけた。

〈だけど、どうやって？　どこで？　いったい何を？〉

大きな地中湖に面した洞窟のいちばん低いところは、競技場のような広場になっていて、そこに古代ローマ式劇場ができていた。段々になった石のベンチが置かれ、観光客たちは暗闇の中でそれらの椅子に座って、時間ごとに演じられるショーの始まりを待つ。

トレイシーは石のベンチを前から数えて十列目にくると、今度は脇から二十番目に移動していった。二十一番目に座っていた男が横を向いた。

「べつに問題はないだろうね？」

「うまくいったわよ、グンター」

トレイシーは顔を寄せて、男の頬にキスをした。

グンターが何事か言ったが、周囲がざわついていたので、トレイシーはよく聞き取ろうとさらに耳を寄せた。

「きみが尾行されているとしたら、われわれが一緒のところを目撃されないほうがいいからね」

トレイシーは、人でいっぱいの大きく暗い洞窟を、素早く見回した。

「ここなら大丈夫よ」

トレイシーは興味津々の目つきでグンターを見た。

「とても重要なお仕事みたいね」

「そうなんだよ」

グンターはトレイシーの耳に口を寄せた。

「ある大金持ちがしきりに入手したがっている絵があるんだよ。ゴヤの絵でね、『プエルト』と呼ばれている作品だ。その絵を手に入れてくれる者になら誰でも、現金で五十万ドル払うと言っているんだよ。わたしの仲介料は別にしてだよ」

トレイシーはしばらく思案した。

「誰か他にもやろうとしている人がいる?」

「正直に言おう。イエスだ。わたしの見るところ、成功のチャンスは限られている」

「その絵はどこにあるの?」

「マドリッドのプラド美術館だよ」

「プラドですって!」

その言葉を聞いた途端に、トレイシーの頭の中を「不可能」の文字がよぎった。

グンターは、ショーを見ようと詰めかけている観客たちのお喋りを気にもしない恰好で、さらにトレイシーの耳元へ口を寄せた。

「これはかなりの工夫を要する仕事だよ。それにはきみしかいないと考えたのさ、トレイシー」

「お世辞でしょ」

トレイシーは満更でもなく言った。

「五十万ドルですって?」

「そのまま手取りだ」

ショーが始まり、周りが急に静かになった。電球が少しずつゆっくりと明るさを増していき、そ

れに呼応するように音楽も巨大な洞窟にこだましていった。観客席の前、つまりステージの中央は大きな湖で、石筍の陰からゴンドラがあらわれ、スポットライトが一斉に照射した。船にはオルガン奏者が乗っていて、名調子のセレナーデを水面に反響させながら演奏した。観客たちがうっとりと見とれている、色とりどりの明かりが虹のように闇にきらめく中を、ゴンドラはゆっくりと湖をすべり、やがて音楽とともに消えさった。

「素晴らしい!」

グンターが感嘆した。

「このショーを観るだけでも、ここに来た価値があるね」

「だから旅っていいのよね」

トレイシーもすかさず言った。

「わたしが今いちばん行きたい街があるの。どこだと思う、グンター?　マドリッドよ」

鍾乳洞の出口で見張っているダニエル・クーパーの視界に、トレイシー・ホイットニーが飛び込んできた。

彼女は一人だった。

第二十八章

マドリッドのリッツ・ホテルは、スペイン一のホテルとされている。百年以上もの歴史を誇り、ヨーロッパ各国からやって来た君主たちが、ここに寝泊まりした。大統領に独裁者、それに億万長者たちを泊めてきたのである。トレイシーはリッツ・ホテルについてのいろんな評判を聞いていたので、実際に投宿してみて失望した。ロビーなどはどことなくうら寂しい。

副支配人がトレイシーを、彼女が要求したホテル南ウイングのスイート四一一–四一二号へ案内した。

「きっとご満足いただけると思いますよ、ホイットニーさま」

トレイシーは窓へ歩み寄り、外を眺めた。真下を道路が走り、向かいがプラド美術館だ。

「これならいいわ。ありがとう」

その部屋は、真下の道路の車の騒音でやかましかったが、望んだとおりの場所だった。プラド美術館が俯瞰できるのだ。

トレイシーは軽い食事を部屋まで届けさせ、早々と就寝した。ベッドに横になってもなかなか寝つけなかった。この騒音、このカビの臭いの中で寝ろというのは、むしろ拷問だわ、とトレイシーは思った。

深夜、ロビーに張りついていた刑事が、同僚と交代した。

「女は部屋にこもりっきりだ。今夜はもう出かけないと思うよ」


マドリッドの警察本部は、市内の一区画を占めるほどの広さと威容を誇っている。赤レンガ入りの灰色の建物で、高くそびえる時計塔が目立つ。正面の入口の上に赤と黄色のスペイン国旗がはためき、玄関にはいつも、ベージュ色の制服に茶褐色の帽子をかぶり、マシンガンと警棒と短銃と手錠を携行した警官が配置についている。インターポールと連絡を取り合う部署も、この本部の中にある。

数日前、マドリッド警察庁のサンチャゴ・ラミロ長官あてにインターポールからX－D緊急電報が入り、トレイシー・ホイットニーのスペイン入国が近いことが知らされてきた。長官は電文の最後の行を二度読むと、パリのインターポール本部のアンドレ・トリニョン警部に電話した。

「電文の意味がよくわからなかったものでね」

　ラミロ長官は言った。

「警察官でもないアメリカ人に、わたしの部下を精いっぱい協力させろ、とそういうことなんですかな？　して、その理由は？」

「長官、クーパーなる人物が有用であることは、あなたもすぐおわかりになると思いますよ。彼はホイットニー嬢についてとても詳しいのです」

「詳しいって、何がだね？　要するに犯罪者だということじゃないかね。それも頭を使った、ね。だが心配はいらんよ。スペインの刑務所には我々がぶち込んだ知能犯でいっぱいなんですぞ。この女も、我々の手をすり抜けられるわけがありませんよ」

「それは結構なことですな。まあしかし、ともかく、クーパー氏とも相談してみていただけますか？」

　長官はしぶしぶ言った。

「あなたがそこまで推奨なさるのであれば、わたしも反対はせんよ」

「メルシー、長官」

「いやいや、セニョール」


　ラミロ長官はインターポールのトリニョン警部と同じように、アメリカ人という人種が好きではなかった。アメリカ人は粗野で、物質主義で、しかもとろいときている。

〈が、今度の奴は、どうも違うみたいだな〉

長官は思った。

〈だったらおれも好きになれるかもしれない〉

が、実際に長官がダニエル・クーパーを迎えた時、彼は一目で大嫌いになった。

「あの女はヨーロッパの警察の半分を手玉にとってきたんだ」

ダニエル・クーパーは長官の部屋に入ってくるなり、挨拶がわりにそう言い放った。

「それで多分、あんたがたも同じ目に遭いますよ」

長官は癇癪玉を爆発させるのをかろうじて自制した。

「セニョール、われわれの仕事にケチをつけないでいただきたい。ホイットニーとかいうセニョリータは、今朝、バラハス空港に着いた瞬間から、われわれの監視下にあるのです。ホイットニー嬢は誰かが落としたピンを拾っただけで、たちどころに収監されるはずです。スペイン警察の腕前を、彼女はこれから知ることになるよ」

「彼女は道路に落ちたピンを拾いに、ここへ来たんじゃないですぞ」

「じゃ、ここで何をしようとしているのか、ご存知なのかね?」

「具体的にはわからないのですが、ただ、何かどデカいことをやらかそうとしていることだけは確かです」

ラミロ長官は澄まして言った。

「デカいほどいいんだよ。彼女の行動は逐一見張っているんだから」

拷問のような、前夜の不完全な眠りから目を覚ましたトレイシーは、しばらくは頭がぼんやりとしていた。軽い朝食と熱いブラックコーヒーを部屋まで持ってくるように注文すると、窓に歩み寄ってプラド美術館を見下ろした。建物はあたかも要塞だ。石材と自然の土を焼いて固めた赤レンガで築かれ、周囲には芝と樹木がめぐらされている。ドーリス式の二本の柱が正面に立てられ、両側から二つの階段が二階にある正面入口へと登っている。それとは別に、一階にも二つの脇の入口がある。

学校の児童たちや、世界のあちこちからの旅行者が、美術館の玄関前に列を作っていた。朝の十時になると、警備員によって玄関の二つの大きな扉が開けられ、見物客たちは前へと移動を開始する。二階中央の回転ドアから入館するか、一階の両脇の入口から入るのだ。

電話が鳴った。トレイシーはギクリとした。グンター・ハートックの他に、トレイシーがマドリッドにいることを知っている者は誰もいないのだ。いぶかりながら受話器を取った。

「ハロー?」

「こんにちわ、セニョリータ」

聞き覚えのある声だった。

「マドリッド商工会議所の依頼でお電話しています。あなたがこの町で退屈されぬよう手配するように、わたしが申しつけられました」

「何をぼやいているのよ。わたしがここにいるのが、どうしてわかったの、ジェフ？」

「セニョリータ、商工会議所は何でもわかるんですよ。ところで、この街へは初めてかい？」

「そうよ」

「それはよかった。そんならあちこちを案内してあげよう。ここにはどのくらい滞在するんだい、トレイシー？」

誘導尋問だ。

「はっきりとは決めてないの」

トレイシーはさり気なく言った。

「買物をしたり、観光したりするだけなのよ。あなたこそマドリッドへ何をしに来たの？」

「きみと同じさ」

口調までトレイシーに合わせてきた。

「買物をしたり、観光したりするだけだよ」

トレイシーは偶然の一致だなんて思わなかった。ジェフ・スチーブンスもまたトレイシーと同じ目的でマドリッドにいるのに違いない。ゴヤの『プエルト』を盗むためなのだ。

ジェフが誘った。

「夕食でもどうだい？」

気が進まなかったが、トレイシーは承諾した。

「ええ、いいわ」

「よし。それならジョッキーを予約しとくよ」

トレイシーにはジェフに期待するものなど何もなかったが、エレベーターから下りてロビーに出、彼女を待っているジェフの姿を見ると、自分でもわけがわからずうれしくなるのだった。ジェフは握手してきた。

「今日のきみは特別に美しい！」

トレイシーはめかしこんでいた。バレンチノの濃紺の服を着て、首にはロシア産の黒テンの毛皮を巻き、モード・フリゾンのパンプスをはいている。そして手には、Hの頭文字が入った紺色のエルメスのハンドバッグを持っている。

ダニエル・クーパーはロビーの隅の小さなテーブルに席をとり、ペリエのグラスを前に置いて、トレイシーが見知らぬ男に挨拶するのを見ていた。彼は体の底から、大きな力が湧き上がってくるのを感じた。

〈正義はわれにあり、と主はのたもうた。わたしはその主の剣であり、主の復讐の武器なのだ。わたしの人生は懺悔そのもの、そして今おまえは、わたしが償いをするのを助けるのだ。まもなく、おまえを罰してやるぞ〉

クーパーには、世界のどこの警察もトレイシー・ホイットニーを捕まえられないことがわかっていた。

〈だが、このおれにはできる〉

クーパーは確信していた。

〈あの女は、もうおれのものなのだ〉


ダニエル・クーパーは、任務を超えて、トレイシーに完全に取り憑かれてしまっていた。どこへ行くにもトレイシーの写真を携行し、夜寝る前にその顔を熱心に見つめるのが習慣となっていた。ビアリッツでは、彼の到着が遅過ぎて捕まえそこなった。マジョルカではすり抜けられた。だがここでは、インターポールが追尾しているので、今度こそ逃しはしないだろう。

またクーパーは、よくトレイシーの夢を見た。彼女は一糸まとわぬ裸で巨大な檻に入れられており、逃がしてください、と彼に懇願するのだった。

〈愛しているよ、トレイシー〉

クーパーは夢の中で言う。

〈だから、絶対逃がしてあげないよ〉


《ジョッキー》は、こぢんまりした上品なレストランだった。

「ここの味はなかなかだよ」

ジェフが太鼓判を押した。

また今夜はとりわけハンサムに見えるわ、とトレイシーは思った。ジェフのかもしだす雰囲気には、トレイシーも自然に溶け込めるものがある。二人は波長が合うのだ。どうしてなのかトレイシーにはわかっていた。二人は機知を競い合いながら、高い賭金をめぐって試合をしている選手同士なのだ。

〈だけど、勝つのはわたしよ〉

トレイシーは思った。

〈彼よりも先に、プラドから絵を盗み出す方法を必ず見つけるわ〉

「妙な噂が流れているんだ」

ジェフが言った。

トレイシーは彼の話に耳をかたむけた。

「どんな噂なの？」

「ダニエル・クーパーって名前を聞いたことあるかい？　保険の調査員で、すごいキレモノらしいぜ」

「知らないわ。その人がどうしたというの？」

トレイシーは関心なさそうに返事した。

「注意するにこしたことはないよ。どうやら危険人物の予感がするんだ。ぼくはきみの身の上に何も起こってほしくないんだよ」

「心配は無用よ」

「だけど、ぼくはずっと心配していたんだよ、トレイシー」

トレイシーは声を上げて笑った。

「わたしのことを？　またどうして？」

ジェフはトレイシーの手に自分の手を重ねて、気軽な調子で言った。

「きみは大切な人だからさ。きみが近くにいると思うだけで、ぼくは楽しいんだ」

〈何て口がうまいんでしょう〉

トレイシーは思った。

〈この男の正体を知らなかったら、危うく信じるところよね〉

「注文しましょうよ」

トレイシーは話題を変えた。

「お腹がぺこぺこなの」


その日からというもの、ジェフとトレイシーは二人だけでマドリッドをあちこち探索した。が、実際は二人っきりではなかった。ラミロ長官の二人の部下が、奇妙なアメリカ人と一緒に、四六時中後をつけていたのだ。ラミロ長官はクーパーに、監視チームの一員になることだけは許可した。そのほうが厄介払いできる。あのアメリカ人は頭がおかしい。ホイットニーとかいう女が、警官の

鼻先で、とてつもない宝物を盗もうとしているなんて思い込んでいやがる。

〈バカバカしい〉


トレイシーとジェフは連れだって、マドリッドのいろんなレストランで食事を楽しんだ。《ホーチャー》《プリンチペ・ド・ビアナ》、それに《カーサ・ボタン》。どこへ行っても目立つ、お似合いのカップルとして歓迎された。ジェフはその他にも、観光客に荒らされていない地元のレストランを知っていた。《カサ・パコ》《ラ・チュレッタ》《エル・ラコン》といった店にトレイシーを案内して、名物料理を紹介した。

二人の行先には、ダニエル・クーパーと二人の刑事が追尾し、油断なく行動を監視していた。気づかれないように二人を遠くから眺めながら、ダニエル・クーパーはしきりに首をかしげていた。このドラマの中で、ジェフ・スチーブンスは何の役を演じているのだ。奴は何者なんだ？　トレイシーの次なる犠牲者？　あるいは二人は、共同で何かを企んでいるのだろうか？


クーパーはラミロ長官に問い合わせてみた。

「ジェフ・スチーブンスなる男の情報が入っていますか？」

「ないですな。前科もないし、旅行者としてしか登録されていませんね。やっこさんはご婦人がひっかけたただの色男だと思いますよ」

クーパーは本能的に、それは違うと思っていた。だがいずれにしても、彼が追いかけているのは、

ジェフ・スチーブンスなどという男ではないのだ。

〈トレイシーがおれの獲物なのだ〉

クーパーは自分に言い聞かせた。

〈おまえだけを狙っているんだよ、トレイシー〉

二人が、夜がすっかり更けてからリッツ・ホテルに戻った時のこと、ジェフはトレイシーを部屋のドアまで送った。

「お邪魔して、一杯ご馳走になれないかな？」

ジェフが誘ってみた。

トレイシーもそうしたい気分だった。が、彼女は体を傾けてジェフの頬に軽くキスして言った。

「あなたの妹だと思っていてちょうだい、ジェフ」

「近親相姦をきみはどう思う？」

トレイシーはそれに答えず、ドアを閉めた。

数分たって、ジェフは自分の部屋からトレイシーに電話した。

「明日一日、セゴビアで過ごさないかい？　とっても情緒のある古い街なんだぜ。マドリッドから二、三時間で行けるよ」

「面白そうね。今夜は楽しかったわ。おやすみなさい、ジェフ」

トレイシーはベッドに横になったものの、なかなか眠れなかった。考えてはいけないことで頭がいっぱいだったのだ。もう長いこと異性に特別な感情を抱くことはなかった。チャールズとの一件

で、彼女の心は深く傷ついてしまっていた。もう二度と恋などしたくなかった。ジェフ・スチーブンスは確かに楽しい友達だ。しかしトレイシーは自分に言い聞かせた。彼とはこれ以上絶対に深入りしてはいけない。この男と恋に落ちるのはたやすい。だがしかし、それは愚かな行為なのだ。身の破滅だわ。

いや、楽しければいいじゃないの。

迷うほど目が冴えて、トレイシーはなかなか眠れなかった。

セゴビアへの日帰り旅行は最高だった。ジェフが借りてきた小型カーで、二人はスペインの美しいワインの里へとくりだした。二人の後を気づかれないように、一台のセアトがずっと追尾していた。当然それは普通の車ではない。

セアトはスペインで生産されている唯一の乗用車で、スペイン警察の公用車としても採用されている。市販のモデルは非力で百馬力しかないのだが、警察に搬入される車種は百五十馬力にまでパワーアップされている。従ってダニエル・クーパーと二人の刑事が、トレイシーとジェフ組においてきぼりを食う心配はまずなかった。

トレイシーとジェフは、ちょうど昼時セゴビアに着いたので、早速、食事をすることにした。二千年も経っているというローマ水道の近くに、かわいらしいレストランを見つけ、入った。

昼食が終わると、二人は中世の名残をとどめるこの町のあちこちをぶらついた。由緒あるサンタ・

マリア大聖堂や、ルネッサンス時代のタウンホールを見物し、ローマ時代の要塞アルカーサルへと車を登らせた。町を見下ろす絶壁の上に建てられたその場所からの景観は、息を飲むほどの素晴らしさだった。

「ここにずーっとこうしていると、下のあのあたりの草原から、ドン・キホーテとサンチョ・パンサが馬に乗って、とことこ駆けて来るんじゃないかと、本当に思えてくるね」

ジェフが言った。

トレイシーはジェフを観察した。

「あなたも、槍を抱えて風車に立ち向かいたいんでしょ?」

「風車の形にもよるね」

ジェフは優しく言って、トレイシーに体を寄せてきた。

トレイシーは崖っ淵から離れた。

「セゴビアの町のことを、もっと教えてちょうだい」

これで、恍惚とした雰囲気が破れた。

ジェフは熱心でうってつけのガイドだった。歴史、考古学、建築学に至るまでよく知っており、彼の本業が詐欺師であることを、トレイシーは危うく忘れるほどだった。この日はトレイシーの生涯で、最も思い出に残る楽しい一日となった。

スペイン警察のホセ・ペレイラ刑事が、クーパーに不平をたれた。

「やつらが盗んでいるのは、結局おれたちの時間だけじゃないですか。二人は単なる恋人同士です

よ。見りゃあわかるじゃないですか。彼女が何かを企んでいるって、確かなんですか？」

「確かだ」

クーパーは怒鳴った。どうして自分はこんなにイライラしているんだろう。クーパー自身、不思議だった。おれの望みは、トレイシー・ホイットニーを捕まえ、その罪にふさわしい罰を与えることだけではないか。いつもの任務、いつもの犯人探しのはずではないか。それなのに、連れの男がトレイシーと腕を組むのを見るたびに、クーパーは言い知れぬ怒りに身を震わせていた。

トレイシーとジェフがマドリッドに戻ると、ジェフが言った。

「そんなに疲れていなかったら、夕食にとっておきの店を知っているんだけどね」

「行きたいわ」

トレイシーは、このまま一日が終わってほしくなかった。

〈今日という一日にわたしを捧げるわ。今日だけは普通の女になりましょう〉


マドリッドっ子の夕食は遅い。九時前に開いているレストランは数えるほどしかない。ジェフはバスク料理の店として有名な《ザラカイン》を十時に予約した。そこは優雅なつくりで、味は格別、サービスも申し分なかった。トレイシーはデザートは注文しなかったが、料理長の特別あつらえのパイ菓子が出された。柔らかくふわふわしていて、トレイシーが今まで食べたパイの中で最高においしかった。トレイシーはすっかり満足して、幸せな気分で椅子の背にもたれた。

「素晴らしい食事だったわ。ご馳走さま」

「気に入ってくれてうれしいよ。誰か大切なお客さんをもてなす時には、ここに連れてくるに限るね」

トレイシーはジェフをじっと見つめた。

「わたしが大切な客だというわけ、ジェフ?」

ジェフはにやりと笑った。

「疑問の余地ないね。さあ、この後はまた別の面白いところがあるんだよ」

次に行ったのは、タバコの煙もうもうのカフェだった。店の中には十余りのテーブルがあって、皮のジャケットを着たスペイン人の労働者たちが席を占めていた。片隅にはタブラドと呼ばれる低いステージがあり、二人の男がギターをかき鳴らしていた。トレイシーとジェフはステージ近くの小さなテーブルに着いた。

「フラメンコのことはいくらか知ってるだろう?」

ジェフが尋ねた。周囲が騒々しかったので、その声は自然と大きくなった。

「スペインのダンスだということぐらいしか知らないわ」

「おおもとはジプシーなんだよ。マドリッドの気取ったナイトクラブへ行けば、フラメンコの真似ごとにはお目にかかれる。だけど、今夜はここで本物が見られるはずだよ」

ジェフの熱心な解説を、トレイシーは微笑みながら聞いていた。

「クラシックなクアドロ・フラメンコが見られるよ。歌手と踊り子とギタリストの一団なんだ。初

めは一緒に演じ、それから一人ひとりが自分の芸を披露するんだ」

台所のそばの隅のテーブルから、トレイシーとジェフを観察していたダニエル・クーパーは、二人が何をそんなに熱中して話をしているのか、いぶかしく思っていた。

「踊りは実に見事だよ。動きも、音楽も、衣装も、リズムの盛り上がりも、みんなピタッと決まらなければ駄目なんだ」

「そんな詳しいことを、どこで知ったの？」

トレイシーが尋ねた。

「フラメンコ・ダンサーの友達がいたんだよ」

〈そんなところでしょう〉

トレイシーは思った。

カフェの照明がうす暗くなり、ステージにスポットライトが当てられた。そうして魔法が始まった。スタートはゆっくりだった。芸人の一団が何気なく舞台へ上がる。女は色鮮やかなスカートとブラウスを着ていて、美しく結った独特のアンダルシア髪に花を飾った櫛を差していた。男の踊り手も伝統的な服装――体にぴったりのズボンとベストを着て、ぴかぴか光るコルドバ革の半長靴という恰好だった。ギタリストが、椅子に座った女の歌うスペイン語の歌に合わせて、物悲しいメロディをかき鳴らし始めた。

「どんな内容の歌なの？」

トレイシーが小声で尋ねた。

「訳してやるよ。えーと、わたしは恋人と別れるつもりだった、だけど、わたしよりも先に別れを言い出したのは彼だった、わたしの胸は破れた、まあこんな内容さ」

一人の踊り子がステージの中央に進み出た。最初は足で踏み鳴らすだけのサパテアドで始まり、ギターの音に合わせて動きが速く激しくなった。リズムが盛り上がると、踊りはますます官能的に、ステップは次から次へと変化していった。百年も前に洞窟の中でジプシーたちが楽しんだ光景を彷彿させる。

クラシックな踊りのさまざまな型を奏でながら、音楽は激しさを増してゆく。アレグリアからファンダンギロへ、それからザンブラへ、セギリアへと。狂おしさは頂点に達し、いよいよ感きわまると、ステージの横の演奏者たちが掛け声を浴びせ始めた。

「オレ・トゥ・マドレ」

「オレ・トゥス・サントス」

「アンダ・アンダ」

はげましを含んだ囃子言葉につられて、踊り子はますます荒々しく狂乱のリズムへと、自分を陶酔させていった。

音楽と踊りが突然やんだ。カフェ中に一瞬の沈黙が流れ、やがて弾かれたように拍手喝采となった。

「素晴らしいじゃないの！」

トレイシーも興奮していた。

「ちょっと静かにして」

ジェフがトレイシーをなだめた。

続いて別の女性が、ステージの中央に進み出てきた。肌の浅黒い典型的なカスチリア美人で、まるで観客がまったく目に入らないかのように遠くを見つめ、超然としている。ギターが哀愁をおびた東洋風のボレロを低く奏で始めると、男の踊り手が彼女に加わり、カスタネットが見事なリズムでカタカタと囃したてた。

待機中の芸人たちが掛け声で囃したて、フラメンコにつきものの手拍子が始まると、踊りも音楽もどんどん盛り上がり、舞い上がり、ついにはカフェ全体がサパテアドの響きに乗って揺れ出した。つま先半分のビート、かかとのビート、靴底全体を使ったビートの連打に、観客たちは半ば催眠状態に陥るほどであった。

男女の体は、離れては近づき、次第に欲情をみなぎらせ、互いに触れることなく、激しく狂おしい剝き出しの愛を踊ってみせた。ついに激情のクライマックスが来ると、観客たちは感きわまって絶叫を発した。照明が消されて真っ暗になり、再び点灯されると、観客はわれを忘れて絶賛した。トレイシーも知らぬ間に歓声に加わっていた。彼女の体もまた、欲情に燃え立っていた。ジェフの目がまともに見られない。二人の間の空気は緊張で震えていた。

トレイシーがテーブルに目を落とすと、陽焼けして強そうなジェフの手が見えた。今この手に抱かれたい、優しく、激しく抱かれたい。トレイシーは自分の欲情を見せまいと、両手を固く膝の上でそろえた。手も足も震えていた。

ホテルまで帰る車の中で、二人はあまり話さなかった。トレイシーの部屋のドアまで来ると、彼女は振り向いた。

「今日はとっても――」

と、ジェフの唇がトレイシーの口を塞いだ。トレイシーの腕は彼の肩に回り、しっかりと強く抱き締めた。

「トレイシー――?」

唇はイエスと答えていたが、最後の意志をふり絞ってトレイシーは言った。

「長い一日だったわね、ジェフ。わたし、とても眠いの」

「ああ!」

「明日はずっと部屋で休息するわ」

ジェフはすぐ平静さを取り戻して答えた。

「それはいい考えだね。多分、ぼくも休息するよ」

二人とも、まだ相手の言葉と行動を信じてはいなかった。

第二十九章

翌朝の十時に、トレイシーはプラド美術館の入口の前にできた長い列に並んでいた。開館はしたものの、制服に身を固めた警備員が回転ドアを操作し、一度に一人ずつしか入館させない。

トレイシーは入場券を買い、群衆の流れにそって大きな丸天井の中へと入った。ダニエル・クーパーとペレイラ刑事がすかさず後を追う。クーパーの興奮は高まった。トレイシー・ホイットニーがただの見学客としてここに来たのではない、と彼は確信していた。女の計画が何であれ、獲物がいよいよ行動を開始したのだ。

トレイシーは部屋から部屋へとゆっくり移動した。ルーベンス、ティチアーノ、ティントレット、ボッシュらの作品、それにエル・グレコの名前で有名になったドメニコ・テオトコポウロスの絵な

どがふんだんに飾ってある。ゴヤの作品群は一階の特別ギャラリーに陳列されてあった。

部屋の入口ごとに制服姿の警備員が一人ずつ配置されており、しかも各自の手の届くところに赤い警報ボタンがあることに、トレイシーは気づいた。警報器が鳴りだした途端に、美術館のすべての出入口は閉鎖され、脱出のチャンスは皆無になるだろう。

トレイシーは、十八世紀のフランドル派の巨匠たちの作品が展示してある部屋の中央のベンチに座り、床のあちこちに目を配っていた。出入口の両側には丸いものが設置してある。夜になると自動的にスイッチが入る赤外線装置だろう。トレイシーがこれまで訪れた他の美術館の警備員といえば、眠そうだったり退屈そうな態度で、お喋りしている客の流れにはほとんど注意を払わなかった。が、ここの警備員は用心深そうだ。世界各地の美術館で、芸術品が一部の狂信者によって傷つけられることはままあるが、このプラドにおいては、そんな不遜な行為は絶無であろう。

各部屋では、画家の卵たちがイーゼルを立て、巨匠たちの作品の模写に励んでいた。プラド美術館はその行為を許可してはいたが、警備員の視線はそれら模写画家たちにもふり注がれている。

二階の各部屋を見終えると、トレイシーはフランシスコ・デ・ゴヤの作品が展示してある一階へと下りていった。

ペレイラ刑事がクーパーに言った。

「ほら、彼女は別におかしなことはしてないじゃないですか。ただ鑑賞しているだけですよ。それに——」

「あんたの考えは間違いだよ」

そう言うと、クーパーは走るように階段を下りていった。

ゴヤの陳列は、他の絵よりも厳しい監視下に置かれているような気がトレイシーにはした。だがそれも当然である。壁という壁に、度肝を抜く作品が陳列されている。トレイシーも本などで何度もお目にかかったおなじみの絵の本物が、そこに掛けてあった。この天才が描き上げた永遠の美に魅せられ、トレイシーはカンバスからカンバスへと移動していった。ゴヤの『自画像』は中年の牧羊神を思わせる……精緻な筆致の『カルロス四世の家族』……『着衣のマハ』と有名な『裸のマハ』。

そして『魔女の安息日』の隣に、問題の絵『プエルト』が展示してあった。その絵の前で立ち止まり、しばし見つめると、トレイシーの心臓は自然と高鳴ってきた。絵の前景は、美しく着飾った男女が六人ほど石壁の前に立っており、霧のかかった遠景には、港の灯台や漁船が描かれている。絵の左下の隅に、ゴヤのサインが読めた。

これが、標的なのだ。

〈五十万ドル!〉

トレイシーはちらりと周囲を見回した。入口に警備員が立っている。その向こうの他の部屋に通じる廊下にも、警備員がいるのが見てとれる。トレイシーはその場にじっと立ちつくし、『プエルト』の絵を鑑賞していた。トレイシーがそこを立ち去ろうとすると、旅行者の一団が階段を下りてきた。人混みの中ほどに、ジェフ・スチーブンスの姿がひときわ目立っていた。トレイシーは彼が自分を見つける前に、顔をそむけると、急いで脇の出口に向かった。

〈どうやら競争になるわね、スチーブンスさん。けれども、勝つのはわたしよ〉

「あの女は、プラドから絵を盗むつもりなんだ」

ダニエル・クーパーのその言葉に、ラミロ長官は、何をぬかすんだという風に、クーパーを睨んだ。

「バカな！　プラドから絵を盗めるわけがないじゃないですか」

クーパーは頑強に言い張った。

「あの女は午前中ずっとあそこにいたんだ」

「プラドでは、今まで一度たりとも盗難は発生していないし、これからだって起こりえないでしょう。なぜだかわかりますか？　理由は簡単、不可能だからですよ」

「あの女は決してありきたりの方法ではやらない。ガス弾を打ち込まれた場合のことを考えて、換気装置がよく稼働するように手を打っておきたまえ。警備員が勤務中に飲むコーヒーに眠り薬が入れられるといけないから、仕入れ先を調べておくべきだ。飲み水も検査――」

ラミロ長官の堪忍袋の緒が切れた。もう充分だ。この不作法で醜いアメリカ人のために、厳しい国家予算の下で活動している警察力を一週間も割き、トレイシー・ホイットニーなる女性を四六時中尾行してきた。だがなおもこのダニめは、いかに警察力を行使するかを、こともあろうに長官たるわしに伝授しようとしている。我慢にも限界がある。

「わたしの考えでは、ご婦人はマドリッドで休暇を過ごしているだけですな。わたしは監視体制の

解除を命じよう」

クーパーは仰天した。

「駄目だ！　それは駄目だ。トレイシー・ホイットニーという女は――」

ラミロ長官はめいっぱい背伸びして立ち上がった。

「わたしに、ああしろこうしろと指図するのはもう止めにしていただきたい、セニョール。そういうわけですから、他に言うことがなかったら、わたしは別の用事があるんでね」

クーパーは怒りを抑えてその場に立っていた。

「そういうことなら、わたし単独で任務を遂行する」

長官はにんまりと笑った。

「そのご婦人の脅威から、プラド美術館をお守りいただける？　結構ですな、セニョール・クーパー。それでわたしも安眠できるというものです」

第三十章

『成功のチャンスはきわめて限られている』

グンター・ハートックはトレイシーに語っていた。

『これはかなりの工夫を要する仕事だよ』

〈むしろ不可能というべきよ〉

トレイシーは思った。

ホテルの部屋の窓からプラドの天窓を見下ろして、美術館で下調べしたすべての情報を頭の中で整理してみた。午前十時に開館して午後六時に閉まる。開館している間は警報器を解除してあるが、すべての部屋と出入口に警備員が配置されている。

〈仮に壁からどうにかして、絵を取り外せたとしても、持ち出しようがないわ〉

美術館から出る時、入館者の大きな荷物は、出口で中身を確認されるのだ。

トレイシーはプラドの屋根を念入りに見渡し、夜に侵入できないものかどうかを考えてみた。いくつかの障害が待ち受けている。第一に、外からよく見える。夜になると屋根にはスポットライトが浴びせられ、何マイルも先から明るく見えるのである。うまく見つからずに侵入できたとしても、内部には赤外線装置が設置され、そのうえ夜警もいるはずだ。

見たところ、プラド美術館は難攻不落である。

ジェフはどんな計画を立てているのだろう？ 彼もゴヤの作品を盗みに来ているに違いない、とトレイシーは確信していた。

〈あのずる賢い頭が何を考えているか、何とかして知りたいわ〉

今はっきりしていることは、彼に先を越させないことだ。わたしが先に絵を持ち出す方法を見つけださねばならない。

トレイシーは翌朝、再びプラド美術館を訪れた。入館者たちの顔以外は何も変わっていなかった。トレイシーはジェフが来ているのではないかと注意を払ったが、彼はとうとう現れなかった。

トレイシーは思った。

〈ジェフはもう盗み出す方法を考えついたのだわ。憎たらしい奴。優しい言葉でわたしに近づいてきたのも、わたしの気をそぞろにし、絵のことに集中させないためだったんだわ〉

彼女は怒る心をなだめながら、冷静にことを分析してみた。

トレイシーは再び『プエルト』が展示してある部屋に行ってみた。壁に掛かっている絵、油断な

く目を光らせている警備員、イーゼルを前にして模写に励んでいる画家の卵たち、それにぞろぞろとひっきりなしに出入りしている群衆を見回した時、トレイシーの心臓の動悸が突然、早鐘を打ち出した。

〈そうだ。わかったわ! どうやればいいか!〉

トレイシーがグラン・ビア通りの電話ボックスから電話をかけていると、ダニエル・クーパーが近くのコーヒーショップの入口に立って、彼女の後姿を見つめていた。

〈クソったれめ。どこへ電話しやがっているんだ。そいつを教えてくれれば、一年分の給料だってやるぜ〉

ダニエル・クーパーの推測では、それは多分、長距離電話だろう。しかも料金は受信人払い。だから、記録を調べても無駄であろう。

この日のトレイシーは、明るい緑色のドレスを着ていて、ひときわ愛らしかった。ストッキングをはいていない両足はまぶしくもあった。

〈男どもがじろじろ見るじゃないか〉

クーパーは思った。

〈ふしだら女め!〉

クーパーは怒りに燃えていた。

電話ボックスでは、トレイシーが会話を終わりかけていた。

「彼は本当に敏捷なんでしょうね、グンター。時間は二分しかないのよ。すべてはスピードにかかっているわ」

宛先　J・J・レイノルズ殿文書番号　Y－72－830－412

差出人　ダニエル・クーパー

極秘

対象人物　トレイシー・ホイットニー

わたしの意見では、対象人物は目指す犯行を遂げるためにマドリッドにいる。目標はプラド美術館と思える。スペイン警察は非協力的であるが、わたしは独力で対象人物を監視し、適当な機会に逮捕に持っていく所存である。

二日後の午前九時、トレイシーはマドリッドの中心地にあるレティロ公園のベンチに座り、鳩に餌を与えていた。レティロ公園は王室の庭園の跡で、広い敷地には湖があり、樹木や芝生はよく手入れされていて、子供用の小ステージも設置され、マドリッドっ子たちの憩いの場になっている。髪に白いものが混じったややネコ背の老人、セザール・ポレッタが公園の歩道沿いに歩き寄ってベンチまで来ると、トレイシーの隣に座り、紙袋を開いて鳩にパンくずを投げ始めた。

「ブエノス・ディアス、セニョリータ」

「ブエノス・ディアス。何か問題があります?」

「何もないね、セニョリータ。知りたいのはいつ何時にやるかってことじゃよ」

「まだ決めていないの」

トレイシーは言った。

「いずれにしてももうすぐよ」

老人は歯のない口を開けて笑った。

「警察は頭にくるぞ。こんなことをやったやつは、今までいなかったからな」

「だからこそうまくいきそうなのよ」

トレイシーが言った。

「いずれ連絡するわ」

トレイシーは残りのパンくずを鳩に投げると、立ち上がって歩き去った。シルクのドレスが程良く揺れて、彼女のふくらはぎをなまめかしく見せていた。


トレイシーが公園でセザール・ポレッタと会っている最中に、ダニエル・クーパーは彼女のホテルの部屋を捜索していた。彼はホテルのロビーに待機していて、トレイシーが外出する機会をうかがっていたのだ。ルームサービス係に何の注文もしていなかったので、彼女は朝食をとりに出かけたものとクーパーは決め込んだ。三十分はかかると読んだ。簡単に部屋に入れた。フロアー・メイ

ドの目を盗んで、鍵穴をつっ突くだけでドアは開くのである。何を探すかはわかっていた。絵の贋作である。トレイシーがどうやって絵をすり替えるかはわかっていなかったが、計略はそんなところであろうと推測できた。

寝室は後回しにして、黙々と手際よく探した。衣装棚を開けてドレス類をかきわけ、下着入れの中も見た。引き出しも順番に調べていった。パンティにブラジャーにパンティストッキングが詰め込まれている。

クーパーはピンク色のパンティをつかむと、それを頬にこすりつけ、トレイシーの甘ずっぱい柔肌を想い描いた。不意に、トレイシーの匂いがあたりに充満している感じになった。下着を元の位置に戻すと、急いで次の引き出しにかかった。だが、模写絵はなかった。

クーパーは浴室に入ってみた。浴槽にはまだ水滴が残っている。ここにお湯を張って、生まれたままの姿で、まるで子宮の中にでも横たわっているようにあの女はくつろいでいたのだ。お湯が彼女の乳房を愛撫し、お尻の周りにも遠慮なく侵入している光景をクーパーは想像した。彼の男性自身が勃起しだした。クーパーは浴槽に掛けてあった濡れたままの洗い布をつかむと、それを自分の唇に押し当てた。トレイシーの残り香にめくるめきながら、クーパーはズボンのジッパーを下ろした。洗い布に石鹸を塗りたくると、目の前の鏡に映るおのれの顔の血走った目と対峙しながら、それで自分の分身に刺激を与え始めた。

数分後、侵入した時と同じ素早さで部屋を出たクーパーは、いちばん近くにある教会へ向かった。

翌朝、リッツ・ホテルを出たトレイシーを、ダニエル・クーパーがぴったりと尾行していた。クーパーは今、従来感じたことのない親近感をトレイシーに抱いていた。彼女の匂いを知っている。想像の中で、裸の彼女がお湯の中で身をくねらせている姿も見た。トレイシーは完全におれのものだ。生かすも殺すもおれ次第なのだ。

トレイシーがグラン・ビア通りを、店頭に飾られた商品を眺めながら歩くのを、クーパーは見つからないように後をつけた。やがて彼女は大きなデパートへ入っていき、店員に話しかけると、女性用トイレに向かった。クーパーはいらいらを募らせながら、その入口付近で待っていた。ここだけはさすがのクーパーも踏み込めない。

仮に、クーパーがその中に入ったとしたら、彼はトレイシーが、肉太りで超重量級の中年女と話をしている光景を目撃しただろう。

「決まったわ」

鏡に向かって口紅を塗りながら、トレイシーは言った。

「明朝の十一時よ」

中年女は首を左右に振った。

「まずいね、セニョリータ。その時間は気にいらないと思うね。あんたは最悪の日を選んじまってるよ。明日はルクセンブルグの皇太子がマドリを訪問する予定になっていてね、ご一行はプラド美術館を視察するんだって、新聞に書いてあったよ。美術館は特別配置の警備員や警官でごった返す

ことになるよ」

「警官がたくさんいればいるほど好都合だわ。じゃ、明日ね」

トレイシーが出ていくと、その後姿に中年女はつぶやいた。

「わたしゃ知らんからね……」


王室一行は、午前十一時きっかりにプラド美術館を訪れる予定となっており、マドリッド市警がプラドを取り巻く通りにロープを張りめぐらしていた。だが、大統領官邸での歓迎式典が長引いたために、正午近くになっても王室の一行は姿を見せなかった。ようやくサイレンが鳴り響き、警察のオートバイに先導された六台のリムジンが走ってきて、プラド美術館の玄関に横付けになった。

玄関では、この美術館のクリスチャン・マチャダ館長が、緊張の面持ちで殿下の到着を待ちわびていた。

マチャダ館長は、朝早くから館内を念入りに点検し、警備員には特別に警戒するようにと訓示していた。館長はこの美術館に誇りを持っており、皇太子にも気に入ってもらいたかった。

〈高貴な方と知り合いになるのは損ではないな〉

マチャダ館長は思っていた。

〈今晩の大統領官邸での晩餐会に、殿下の肝入りで招待されるということになるかもしれないではないか〉

マチャダ館長の唯一の心残りは、群がる客たちを今日締め出せなかったことであった。だが、皇太子の護衛官と美術館の私設警備員たちが任務を遂行してくれるであろう。とにかく出迎えの準備は万端整っている。

王室一行は階段を上り、二階のメインフロアに着いた。館長はうやうやしく歓迎の挨拶をし、武装した護衛官に守られた殿下を、丸天井の間を通って十六世紀のスペイン画家たちの作品が展示されている部屋へと案内していった。

皇太子は眼前に繰り広げられている美の極致を、ゆっくりと鑑賞していった。ルクセンブルグ皇太子は美術愛好家で、画家たちをこよなく敬愛していた。自分自身にとくに画才があるわけではないが、巨匠たちのひらめきを自分のカンバスに模写し続ける若い画家たちにも、温かい視線を送っていた。

公式訪問の一行がサロンに到達した時、クリスチャン・マチャダ館長は誇らしげに言った。

「さて、それでは、殿下にお許し願えるならば、階下にあります、われらがゴヤの展示室にご案内致しましょう」

トレイシーにとって、神経をすりへらす午前中だった。予定の十一時になっても皇太子一行がプラド美術館に到着しないため、彼女はパニック状態だった。トレイシーは秒単位でこと細かに行動計画を練っていたが、すべてが作動するには皇太子の到着がカギなのである。

トレイシーは目立たないように一般の客に混じり、部屋から部屋へと移動していった。

〈皇太子は来ないんだわ〉

トレイシーはそう結論した。

〈中止するしかないわね〉

まさにそう思った瞬間、外の通りからサイレンの音が聞こえ、こちらに近づいてきた。

隣の部屋の見通しのきく地点からトレイシーを監視していたダニエル・クーパーにも、当然サイレンの音は届いていた。この美術館から絵を盗みだすなんて不可能だ、と理性ではわかっていたが、トレイシーならどうにかやれるのではないか、という虫の知らせみたいなものがあって、クーパーはそっちのカンのほうを信じていた。クーパーは人混みにまぎれてトレイシーへ近づいていった。どんなささいな動きも見逃さないつもりだった。

トレイシーは『プエルト』が展示してあるサロンの隣の部屋まで来ていた。サロンの入口の向こうで、ネコ背のセザール・ポレッタがイーゼルを前にして座り、『プエルト』の隣に掛かっている『着衣のマハ』を模写しているのが見えた。彼からわずか三フィートのところに一人の警備員が立っていた。トレイシーがいる部屋では、女性の画家の卵がイーゼルの前に立ち、ゴヤのカンバスに描かれている鮮やかな茶色と緑色の色彩を捉えようと、『ボルドーの乳絞り』を熱心に模写していた。日本人の旅行者の一団が、まるで異国の鳥の群れのように、騒がしくお喋りしながらサロンにやって来た。

〈さあ、今だわ!〉

トレイシーは自分を鼓舞した。この瞬間を待っていたのだ。心臓の高鳴りが、警備員に聞こえるのではないかと心配するほどだった。トレイシーは近づいてきた日本人の一団に道を開け、女性画家の陰に隠れた。日本人の男性の一人がトレイシーの前をかすって通った時、トレイシーはあたかも押されたかのように後ろによろめき、女性画家にぶつかって、イーゼル、カンバス、絵具もろとも床にぶちまけた。

「まあ、何てことをしてしまったのでしょう！」

トレイシーは大声を上げた。

「わたしが拾いますから」

トレイシーがびっくりして放心気味の画家を手助けしようとすると、かえって靴のかかとが散乱した絵具を踏みつけ、床にこすりつけることになってしまった。ダニエル・クーパーは一部始終を目撃しており、何事も見逃すまいと、さらに彼女に近づいた。これはトレイシー・ホイットニーの計画の第一歩なのだ、とクーパーは確信していた。

警備員がすっ飛んできてわめいた。

「何だ？　どうしたんだ？」

この突然の出来事に、観光客たちは野次馬に早変わりし、倒れている女性の周囲を取り巻いて、絵具のチューブを踏みつけ、堅い木の床を奇妙な模様に染めてしまった。とんでもない事態の発生だ。しかも皇太子のご一行がこの部屋に、今にもお見えになるというのに。警備員はあわてふためき、大声で叫んだ。

「おい、大変だ！　来てくれ！　早く！」

隣の部屋の警備員が助けにすっ飛んで来るのを、トレイシーは見た。セザール・ポレッタは、『プエルト』が展示してある部屋にたった一人になった。

トレイシーは混乱の真只中にいた。二人の警備員は、絵具が踏みつけられたところから客たちをどかそうと、無我夢中で奮闘していた。

「館長に連絡するんだ」

一人の警備員が叫んだ。

「急ぐんだ！」

もう一人の警備員はあたふたと二階へ駆け上がっていった。

「何てこった！　ひどいヘマだぜ！」

二分後、クリスチャン・マチャダ館長は大惨事を目のあたりにした。館長は恐怖の面持ちであたりを見回すと、すかさず怒声を発した。

「何をしておる！　掃除婦を連れてくるんだ——急げ！　モップと雑巾とテレピン油もな。急げ！」

若い助手が走って出ていった。

マチャダ館長は警備員に向き直って命令した。

「おまえは自分の持場へ戻れ」

「はい、館長」

館長に一喝された警備員が野次馬をかきわけ、セザール・ポレッタが作業中の部屋へ戻るのをト

レイシーは見送った。

クーパーは、一瞬たりともトレイシーから目を離さなかった。彼女の次の行動を待った。しかし、何も起こらなかった。トレイシーはどの絵にも近づかなかったし、共犯者らしい人物とも接触していない。やったことといえば、イーゼルを倒し、絵具を床にこぼしたことだけである。だが、それでもクーパーは、トレイシーのその行為は計画的なものに違いないと確信した。が、しかし、何の目的のために？　いずれにしても、敵の計画は今実行されたのだ。クーパーにはそうとしか思えなかった。彼はサロンの壁をぐるりと見回してみた。紛失している絵はない。

クーパーは急いで隣の部屋に行ってみた。警備員が一人と、背の曲がった老人がイーゼルの前に座って『着衣のマハ』を模写しているだけだ。すべての絵があるべきところにある。が、何かおかしいはずだ。クーパーの直観である。

ダニエル・クーパーは、今しがた混乱の最中に見かけた館長のもとに急いだ。

「間違いなくそうだとの確信があるのですが」

クーパーはあたりかまわず大声で館長に呼びかけた。

「この二、三分の間に、ここから絵が盗まれたはずですよ」

クリスチャン・マチャダ館長は、目をぎらつかせたアメリカ人を見つめた。

「あんたは何の話をしているんだね？　もしそうだとしたら、警備員たちが警報器を鳴らしているはずだよ」

「どれかの絵が、ニセ物とすり替えられていると思うのですが」

館長はいらいらを我慢しながら微笑んだ。

「あんたの論理には、一つだけ小さな間違いがあるんですよ、セニョール。一般には知られていないことなのだが、各々の絵の後ろにはセンサーが設置されているんだ。壁から絵を引き離そうとする者がいたとすれば——贋物とすり替えるためにはそうしなければならないのだが——ただちに警報器が鳴りだす仕掛けになっているのだよ」

ダニエル・クーパーはそれでも納得がいかなかった。

「警報装置が切断されている可能性は」

「バカな。電源やコードが切られたとしても、その瞬間に警報器が鳴りだす仕掛けでもあるんだよ、セニョール。この美術館から絵を盗みだすなんて不可能だね。われわれの警備体制は、ほら、よくいう二重防止つきなんだよ」

クーパーの苛立ちは募るばかりだった。館長の言うことはいちいちもっともである。確かに絵の盗難は有り得ないことに思える。だが、それならどうして、トレイシー・ホイットニーはわざと絵具をこぼしたのだろう？

クーパーはこのまま見過ごしたくなかった。

「あなたの部下に、美術館内を点検するよう命じてくれませんか？　お願いしますよ。わたしはホテルで待機していますから」

クーパーができる精一杯の提案だった。

その晩の七時、クリスチャン・マチャダ館長がクーパーに電話してきた。

「わたしが自分の目で調査しましたよ、セニョール。全部の絵がしかるべき場所におさまっていました。わが美術館から紛失したものは何もありません」

これで一件落着だ。外見上は、ちょっとした事故が起こったにすぎない。だが、ダニエル・クーパーの狩人としての本能は、獲物が逃げてしまった、と告げていた。


ジェフはトレイシーをリッツ・ホテルの主食堂に招き、夕食をご馳走した。

「今夜のきみはことのほかキラめいて見えるよ」

ジェフが褒めたたえた。

「ありがとう。自分でもとってもいい気分なのよ」

「今日の相手がぼくだからだよ。来週あたりバルセロナに行ってみないかい、トレイシー。なかなかステキな町だよ。きみもきっと気に入る——」

「ごめんなさいね、ジェフ。わたし、そろそろスペインを出なくっちゃ」

「本当かい?」

「いつ発つの?」

ジェフの声は残念そうだった。

「二、三日したら、ね」

「そうかい。がっかりだなあ」

〈あなたはもっとがっかりするはずよ〉

トレイシーは思った。

〈わたしがプラド美術館から『プエルト』を盗みだしたことを知ればね〉

トレイシーは、ジェフはどうやって絵を盗むつもりだったのかしら、と思っていた。もはやそれは問題ではなかったが。

〈わたしはこのお利口なジェフ・スチーブンスを、出し抜いてやったわ〉

とはいえ、何とも説明のつかない理由で、トレイシーはかすかに残念な思いを抱いていた。


クリスチャン・マチャダ館長は、オフィスの椅子にどっかりと座り、朝の濃いコーヒーをブラックで飲んでいた。皇太子ご一行の訪問が無事に済んだので、一人で祝っていたのだ。絵具がこぼれた事件を除いては、すべてのことが予定通りに行われた。混乱が収拾されるまで、皇太子とその随行員が他のことに気をとられていたのを感謝した。館長は、あのバカげたことをほざいたアメリカ人の保険調査員のことを思うと、口元に笑みが浮かんできた。あの男は、何者かがプラド美術館から絵を盗んだ、なんて言いやがった。

〈昨日は何事もなかった。今日もない。明日も何も起こりはしないだろう〉

館長は悦に入ってそう考えた。

秘書がオフィスに入ってきた。

「失礼します。館長、ご面会の方が見えています。これをお渡しするようにとのことです」

秘書は館長に一通の手紙を手渡した。それはチューリッヒのクンストハウス美術館の便箋に書かれていた。

敬愛する館長殿
われらが美術専門家のヘンリー・レンデル氏を紹介致します。レンデル氏は世界の美術館を見学旅行中で、貴館の比類なきコレクションをとくに鑑賞したいと望んでおられます。同氏にご好意を与えてくださらんことをお願いします。

紹介状には美術館長のサインがしてあった。

〈結局は、みんながわたしのところに来たがる〉

マチャダ館長はいい気分で思っていた。

「お客さんをお通ししなさい」

ヘンリー・レンデルはハゲが目立つ長身の男で、スイス訛の強い話し方をした。二人が握手した時、マチャダ館長は客人の右手人差し指がないことに気づいた。

ヘンリー・レンデルは言った。

「お時間を割いてくださってありがとうございます。マドリッドを訪れたのは初めてですが、世界的に有名なここの芸術作品を見るのがとても楽しみです」

クリスチャン・マチャダ館長はつつましやかに言った。

「失望はなさらないと思いますよ、レンデルさん。どうぞ一緒においでください。わたしがご案内致しましょう」

二人はフランドル派の巨匠たち、ルーベンスとその弟子たちの作品が展示してある丸天井の下をゆっくりと通り、スペインの巨匠たちの作品でいっぱいの中央ギャラリーまで来た。ヘンリー・レンデルは一つひとつの作品を仔細に観察していた。二人の男は、色々な画家たちのスタイルや、ものの見方や色彩のセンスなどについて、専門家として意見を交わし合っていた。

「いよいよですぞ」

館長は宣言した。

「わがスペインの誇りをご覧にいれましょう」

館長は客人を階段の下へ導き、ゴヤの作品がいっぱい展示してあるギャラリーへと入っていった。

「すごい！　まさに目の保養ですな」

レンデルは圧倒されて感嘆の声を上げた。

「すみません！　しばらくわたしをこの場所に突っ立ったままにさせてください。ここでこうして眺めていたいんです」

クリスチャン・マチャダ館長は、客人が畏敬の念で絵を鑑賞している間、満足して待っていた。

「こんなすごい芸術を見るのは初めてです」

レンデルはうやうやしく言った。そうしてゆっくりと動くと、そのサロンの作品を順番に鑑賞し

ていった。

「『魔女の安息日』ですね――素晴らしい！」

レンデルは言った。

二人はゆっくりと移動した。

「ゴヤの『自画像』ですね――惚れぼれする！」

クリスチャン・マチャダ館長はにっこりと微笑んだ。

レンデルは『プエルト』の絵の前で立ち止まった。

「よくできた贋作ですね」

レンデルはすぐ次の絵へ行きかけた。

館長は彼の腕をつかんで引き止めた。

「何ですって？　何ておっしゃいましたか、セニョール？」

「よくできた贋作だと言いましたけど」

「あなたは非常なカン違いをしておられますぞ」

館長はすっかり憤慨していた。

「カン違いなんかしていませんよ」

「いや、いや、しておいでだ。」

マチャダ館長は辛辣に言った。

「あれは本物ですよ。わたしが保証します。あの絵の出所は確かなところですから」

ヘンリー・レンデルはその絵に歩み寄り、もっと細かく調べた。

「すると出所からして誤魔化されていますな。これはゴヤの内弟子のユージニオ・ルーカス・イ・パディラが描いたものですよ。当然、ご存知でしょう、ルーカスがゴヤの贋作を何百点も描いたことを」

「確かに知っていますよ」

マチャダ館長は怒鳴るように言った。

「だけど、これはそういった贋作ではない」

レンデルは肩をすくめた。

「あなたのご判断におまかせします」

そう言うと、彼は次の絵に移りかけた。

「わたしはこの絵を自分で見立てて購入しました。分光写真や絵具テストも間違いなく――」

「当然なさったことでしょう。ですが、ルーカスはゴヤと同時代に、同じ画材を使って描いたんですよ」

ヘンリー・レンデルはかがんで、絵の下にあるサインを調べた。

「お望みならば、簡単に再確認する方法があります。補修室に戻してサインを検査するんです」

レンデルはおかしそうにくすくす笑った。

「ルーカスは我の強い男で、描いた作品に自分のサインをしたけれど、お金のためにそのまた上にゴヤの名前をかぶせました。そのほうがとてつもなく高く売れましたからな」

レンデルは腕時計に目をやった。

「ああ、ここらで失礼させてください。約束の時間に遅れそうなんです。大切な宝をお見せいただきまして、まことにありがとうございました」

「どういたしまして」

館長は素っ気なく言った。

〈こいつはどうしようもないバカだ〉

プラド美術館の最高責任者はそう思っていた。

「もし、わたしが何かのお役に立てるようなら、わたしはヴィラ・マグナに滞在しています。本当にありがとうございました、セニョール」

ヘンリー・レンデルは立ち去った。

クリスチャン・マチャダ館長は、出ていく男の後姿を見つめていた。あのスイスのバカが何でまた、よりによって我々の宝のゴヤが贋作だなんて言いやがるんだ!

館長はその作品をもう一度つぶさに見つめてみた。見事な傑作だった。彼はかがみこんでゴヤのサインを注視した。まったく異常なしだ。だがまてよ、ありうるだろうか? かすかな疑念が消え去らなくなった。誰もが知っているように、ゴヤと同時代に生きたユージニオ・ルーカス・イ・パディラは、何百点ものゴヤの贋作を描き、贋作の大家となった。マチャダ館長は、ゴヤの『プエルト』に三百五十万ドルを支払った。もし贋作をつかまされていたとすれば、それは思うだに耐えられないことだ。自分にとって恐ろしい汚点となるだろう。

ヘンリー・レンデルはまっとうなことを一つだけ言った。絵が本物であることを確認する簡単な方法があることを示唆したのだ。館長は絵のサインを検査し、それが終わったらレンデルに電話して、もっとふさわしい職業を捜すように遠回しに言ってやるつもりだった。

館長は助手を呼びつけ、『プエルト』を補修室に移すように命じた。

名作の点検は繊細さが要求される作業である。うっかり不注意に扱おうものなら、お金では償えないかけがえのないものを破壊してしまう恐れがある。プラド美術館の補修工たちは、この道の熟練者だった。彼らのほとんどは、画家としては成功しなかった者たちだが、補修の仕事に携わることによって、最愛の美術の世界に残れる。見習いとして出発し、補修の名人のもとで修行して何年かの後に助手に昇格、先輩熟練工の監督下で、ようやく名作が扱えるのである。

プラド美術館で絵画補修担当をしているジャン・デルガドは、クリスチャン・マチャダ館長の見守る中、『プエルト』を特製の木枠の上に置いた。

「サインを調べてもらいたいんだよ」

館長はそう要請した。

デルガドは唐突な命令にびっくりしたが、さりげない表情を装って言った。

「はい、かしこまりました、館長」

絵画補修担当は、小さい綿玉にアイソプロピル・アルコールを含ませると、それを絵の脇のテー

ブルに置いた。もうひとつの綿玉には中和液を含ませた。

「用意できました、館長」

「とりかかってくれ。だが、くれぐれも慎重にな！」

マチャダ館長は急に息苦しくなった。デルガドが最初の綿玉を取り上げ、それをゴヤのサインのGの部分にそっと触れさせた。デルガドがすぐにもうひとつの綿玉をつまんでその部分を中和させたので、アルコールが深く浸透しすぎることはなかった。二人の男はカンバスを注視した。

デルガドが眉をひそめた。

「えー、と、すみません、まだ何とも言えません。もっと強い溶液を使いたいのですが」

「そうしてくれ」

館長が許可を与えた。

デルガドは別のビンのふたを開けた。絵画補修担当は新しい綿玉にディメンシル・ペトンを含ませると、それをゴヤのサインの最初の文字に再び触れさせ、すぐに中和液の綿玉も使った。化学薬品の鼻を刺す臭いが部屋中に充満した。クリスチャン・マチャダ館長は、信じられない現象を絵の上に見ていた。ゴヤのサインのGが消えてゆき、代わりにLの文字がくっきり浮き出てきたのだ。

デルガドは青ざめた男の顔を振り仰いだ。

「どうしましょう——続けますか？」

「やるんだ」

館長はしゃがれ声で言った。

「続行してくれ」

ゆっくりと、一文字ずつ、ゴヤのサインは溶液の作用で消えていき、代わってルーカスの文字が浮き出てきた。文字が代わるたびに、マチャダ館長はみぞおちを殴打される思いだった。こともあろうに、世界で最も有名な美術館の館長が、ニセ物をつかまされていたのだ。評議員たちの耳に噂はすぐ伝わるだろう。スペイン国王の耳にも入るだろう。世界中の物笑いの種となるだろう。もはや、身の破滅である。

館長はよろめきながら自室に戻り、ヘンリー・レンデルに電話した。

「ぜひ、あなたに相談に乗ってもらいたいんだが。至急、わたしの事務所でお会いできませんか」


二人の男がマチャダ館長のオフィスに座っていた。

「あなたの指摘どおりでした」

館長が沈鬱な声で言った。

「ルーカスの手による贋作でしたよ。このことが世間に知れ渡ると、わたしは笑い草になるでしょうな」

「ルーカスには多くの専門家が騙されてきましたよ」

レンデルが慰めるように言った。

「彼の贋作を見分けるのが、たまたまわたしの趣味でして」

「あの絵に三百五十万ドルも支払ったんです」

レンデルは肩をすくめた。

「お金は取り戻せるんですか？」

館長は絶望的というふうに首を横に振った。

「あの絵は、わたしが直接に出向いて購入したんです。亡き夫の家に三代も伝わる家宝だと主張する未亡人からね。売り主を訴え、それが世間の耳目を集めることになれば、決して好結果は得られません。この美術館の他の作品までが疑われる羽目に陥るでしょうからな」

ヘンリー・レンデルはしきりに考えていた。

「世間に公表するには及びませんよ。しかるべき上司に報告して、ルーカスの作品を速やかに取り除くんです。その後で贋作を競売屋に競り売りさせればいいんですよ」

マチャダ館長は首を左右に振った。

「できないね。それをやれば世界中に知れ渡ってしまう」

レンデルの顔がぱっと明るくなった。

「あなたにはまだツキがある。ルーカスの作品なら喜んで買う客を、たまたまわたしは知っているんです。贋作の蒐集家でしてね。もちろん、口の固い男でもあります」

「あの絵が追い払えるならうれしいですな。もう二度と見たくない。美の宝庫のなかにニセ物が混じっているなんて。無料ででもくれてやりたいほどですよ」

館長は苦々しくつけ加えた。

「そうまですることはないでしょう。わたしの知り合いのお客ならですね、おそらく五万ドルは出すんじゃないでしょうか。電話してみましょうか？」

「いやあ、そうしてもらえればありがたいですな、セニョール・レンデル」


緊急に開かれたミーティングで、評議員たちは驚きながらも、プラド美術館の宝の一つが贋作だなどという外聞だけは、どんな犠牲を払ってでも避けようと決議した。できるだけ素早く、内密にその絵を売り払ってしまおう、という合意もなされた。黒服を着た男たちが会議室から黙々と退出した。汗を拭きつつ惨めな様子で立っているマチャダ館長に、声をかける者は誰もいなかった。

その午後に契約が成立した。ヘンリー・レンデルがスペイン銀行に行って、五万ドルの小切手を持って戻ってきた。それと引き換えに、地味な麻布にくるまれたユージニオ・ルーカス・イ・パディラの絵が彼に手渡された。

「このことが世間に洩れると、評議員たちの機嫌を損ねることになる」

マチャダ館長は念を押すように言った。

「だが、あなたの知人とやらが分別のある人物だと、うちの評議員たちに説明しておきましたからな」

「それはもう保証しますよ」

レンデルは約束した。

美術館を出たヘンリー・レンデルは、タクシーをつかまえ、マドリッドの北はずれの住宅地へ向かった。目的地へ着くと、階段を上ってアパートの三階のドアをノックした。ドアを開けたのはトレイシーだった。セザール・ポレッタも中で待っていた。トレイシーが物問いたげにレンデルを見ると、彼はにやりと笑って反応した。

「やつらはこの絵を手離したくてしょうがなかったんだ！」

ヘンリー・レンデルは満足そうにほくそ笑んだ。

トレイシーは彼に抱きついた。

「さあ、入ってよ」

ポレッタは絵を取り出すと、テーブルの上に広げた。

「見てなよ」

ネコ背の男は言った。

「あんたらは奇蹟を見ることじゃろう——ゴヤが甦るぞ」

ポレッタはメンソールを含んだアルコールのビンに手を伸ばし、栓を抜いた。たちまち刺すような臭いが部屋中に充満した。トレイシーとレンデルが見つめる中、ポレッタは綿ぎれに薬品を浸して、非常な慎重さでルーカスのサインの一文字ずつに綿を当てていった。徐々に、ルーカスのサインが消え始めた。その下からゴヤのサインが姿を現した。

レンデルは畏敬の念をもってその作業を見ていた。

「すごい！」

「ホイットニー嬢の思いつきなんだよ」

ネコ背の男が白状した。

「この人がわしに持ちかけたんじゃよ。本当のサインの上にニセ画家のサインを描き、さらにそれを本物のサインで覆うのが可能かどうか、とね」

「そのやり方をポレッタが見つけてくれたわ」

トレイシーは笑った。

ポレッタが謙遜して言った。

「バカみたいに簡単なことなんじゃよ。二分もかからん。トリックの種は絵具さ。まず、ゴヤのサインを防護するために、精製された白いフランス製の光沢剤で覆う。それからその上に即乾性のアクリル絵具でルーカスの名前を描く。さらにその上に、絵画用の上薬の入った油性絵具でゴヤの名前を描いたんじゃよ。表面のサインを取り去るとルーカスの名前が浮き出るって寸法さ。補修係がもっとやっていたら、やつらはさらにその下に隠されているゴヤの本物のサインを発見したことじゃろう。もちろん、そこまではやらなかったがね」

トレイシーは二人の男にぶ厚い封筒を渡して、言った。

「お礼の言いようもないくらいよ。ありがとう」

「美術専門家が必要な時はいつでもどうぞ」

ヘンリー・レンデルがウインクした。

ポレッタが尋ねた。

「どうやって絵を国外へ持ち出すんだい？」

「配達人を雇ってあるの。ここへ寄越しますから、来たら渡してね」

トレイシーは二人の男と握手して、アパートを出ていった。

リッツ・ホテルへの帰り道、トレイシーはこのうえなくはしゃいだ気分になっていた。

〈すべては心理学の応用よ〉

トレイシーは思っていた。プラド美術館から絵を盗みだすなんて、初めから不可能なことがわかっていた。そこで美術館側が、進んで獲物の絵を手離す心理になるような、罠を仕掛けたのである。

トレイシーはどうやって出し抜かれたのか知った時のジェフ・スチーブンスの顔を思い描き、大声で笑い出した。


トレイシーはホテルの部屋で配達人を待っていた。彼が来ると、セザール・ポレッタに電話した。

「配達人が今ここにいるの」

トレイシーは言った。

「絵を取りにいかせるわ。着いたらよろしくお願いします——」

「何じゃって？　何のことを言っているんじゃい？」

ポレッタが金切り声を上げた。

「あんたの使いだという人が、三十分も前に絵を持ち去ったぞ」

第三十一章

パリ
七月九日水曜日――正午

マティノン通りのはずれにある事務所の中で、グンター・ハートックが言った。

「マドリッドでの件できみがどんな思いをしているか、およその察しがつくよ、トレイシー。だけど、着手したのはジェフ・スチーブンスのほうが先だったんだ」

「違うわ」

トレイシーはむきになって否定した。

「わたしのほうが先だったのよ。彼はずうずうしく、いちばん最後に登場したのよ」

「だが、絵を届けたのはジェフなわけだ。『プエルト』は今、わたしの顧客に配送途上だ」

トレイシーは苦心して計画し実行した挙句、ジェフにまんまと油揚げをさらわれてしまった。彼は椅子にふんぞり返ったままで、危険なことのすべてをトレイシーにやらせ、最後の土壇場になって、何食わぬ顔で賞金をせしめていった。ジェフはあざ笑っていることだろう。

『きみは特別な人なんだよ、トレイシー』

フラメンコの踊りを見に行った夜のことを思うと、トレイシーは屈辱に耐えられなくなった。

〈何ということだろう。わたしは何てドジなんだ〉

「わたし、今まで人を殺せるなんて思ったことなかったわ」

トレイシーはグンターに言った。

「だけど、ジェフ・スチーブンスなら、喜んで殺せるわ」

グンターは穏やかに言った。

「物騒だなあ。この部屋でだけはやめてくれよ。彼が今ここにやって来ることになっているんだ」

「彼が何ですって？」

トレイシーは弾かれたように立ち上がった。

「きみに新たな相談があるって言っただろう。今度の仕事には相棒が必要なんだ。わたしの考えでは、それにふさわしい唯一の人間は——」

「とんでもないわ。そんなことをするくらいなら餓死したほうがましよ！」

トレイシーはぴしゃりと言った。

「ジェフ・スチーブンスみたいな卑劣な男と――」

「おやおや、ぼくの噂話ですか？」

ジェフがにっこり笑って入口に立っていた。

「トレイシー、きみはいつもより美人に見えるよ。グンター、わが同志、お元気でしたかな？」

二人の男はがっちりと握手した。トレイシーは冷やかな怒りに燃えてそこに突っ立っていた。

ジェフがトレイシーを見てため息をついた。

「おそらくきみは、ぼくに腹を立てているんだろうね？」

「腹を立てているんだろうですって！　わたしはね――」

トレイシーは言葉が見つからなかった。

「トレイシー、まあ聞いてくれよ。きみの計画は実に素晴らしかった。満点に近かった。称賛するよ。一つのことを除けばね。人差し指のないスイス人、あいつを最後までは信用してはいけないんだ」

トレイシーは自分を抑えようとして、大きく息を吸い込んだ。そうしてグンターに向き直った。

「グンター、わたし、これで失礼します」

「トレイシー――」

「駄目よ。どんなことであろうと、わたしはやりたくありません。こんな男と一緒だなんて」

グンターは言った。

「話を聞くぐらいはいいだろう？」

「話しても無駄よ。わたしは――」

「三日後に、四百万ドル相当のデビアスのダイヤモンドの包みが、エール・フランスの貨物便でパリからアムステルダムへ運ばれるんだ。その宝石を欲しがっているお客がいるんだよ」

「なぜ飛行場に運ぶ途中でハイジャックしないのよ？　ここにいるあなたのお友達は、ハイジャックの専門家じゃないの」

トレイシーの声から辛辣な響きがなかなか消えなかった。

ジェフは思った。

〈すごい！　この女、怒るとますます魅力が増すぞ〉

グンターが言った。

「ダイヤモンドは警護が厳しい。我々としては飛行中にハイジャックするつもりだ」

トレイシーは驚いてグンターを見た。

「飛行中にですって？　貨物飛行機の中で？」

「コンテナの中に隠れられるような小柄な人間が必要なんだ。飛行機が飛び立ったら、その人間はコンテナから出て、デビアスのコンテナを開け、ダイヤモンドの包みを取り出し、あらかじめ用意しておいた複製の包みを置いて、元のコンテナに戻る、とそれだけのことだよ」

「つまり、コンテナに入れるほど小柄な人間がわたしってわけね」

グンターが言った。

「きみの体型が適当という意味だけじゃないんだよ、トレイシー。大胆かつ聡明な人物でなくちゃ

いけないんだ」

トレイシーはじっと立ったまま思案した。

「計画は悪くないわ、グンター。いやなのは仕事する相手よ。この人は根っからのペテン師だもの」

ジェフはにやりと笑った。

「それを言ったら、ぼくたち全員がペテン師だよ。違うかい？　首尾よくことを運べば、グンターは、ぼくたちに百万ドルを提供しようと言っているんだ」

トレイシーはグンターを見つめた。

「百万ドルですって？」

グンターはうなずいた。

「ひとりが五十万ドルずつになるけどね」

「その仕事がうまくいくわけがあるんだ」

ジェフが説明した。

「空港の荷物運搬人に知り合いがいるのさ。彼がぼくらを手伝ってくれる。信用できる男だよ」

「あなたと違ってね」

トレイシーが言い返した。

「それじゃ失礼します、グンター」

トレイシーは気取りながら部屋を出ていった。

グンターは後姿を見送った。

「彼女はマドリッドの件で本当に頭にきているんだよ、ジェフ。今度の仕事には乗らないんじゃないかな」

「そいつは気苦労というもんですな」

ジェフは楽しげに言った。

「トレイシーの性格はぼくがよく知っています。彼女はこの仕事を、結局は引き受けますね。本心はやりたいはずですよ」


「コンテナは飛行機に積み込まれる前に密閉されます」

ラモン・ボーバンが説明にかかった。話し手は若いフランス人で、齢よりも老けた顔をしており、目はどんよりと濁っている。エール・フランス貨物便の発送係をしているこの男が、計画の成否のカギを握っているのだ。

ボーバン、トレイシー、ジェフ、それにグンターの四人は、パリを周遊するセーヌ川の大型観光船『バトームーシュ』の手すり際に座っていた。

「コンテナが密閉されちゃったら」

トレイシーがきびきびした口調で尋ねた。

「わたしはどうやってその中に入ればいいの？」

「密閉される直前に入るんですよ」

ボーバンが答えた。

「おれたち荷役人が《ソフトパレット》と呼んでいるデカい木箱があります。内側に布を張って、ロープで結わえるんです。保安上の理由で、ダイヤモンドのような貴重品はいつも、最後の最後に到着して荷積みされ、降ろす時は真っ先ってわけです」

トレイシーは言った。

「するとダイヤモンドは、そのソフトパレットに入れられるってわけね？」

「おっしゃるとおりでさ、マドモアゼル。察しがいいですな。あっしは、あんたが侵入しているコンテナを、ダイヤモンドが入ったソフトパレットの隣に置くように手配します。貨物便が飛び立てば、あんたはダイヤモンドが入ったソフトパレットのロープをほどいて開け、まったく同じ箱と取り換えて、自分が入っていたコンテナに戻り、元どおりに閉めるのです」

グンターがつけ加えた。

「飛行機がアムステルダムに着陸すれば、警備員がダイヤモンドのニセ箱を受け取って、研磨業者のもとに届けるだろう。かれらがニセモノだと気づく頃には、我々がきみを別の飛行機で国外に脱出させている。信じていいよ、手違いはない」

最後の言葉を聞くと、トレイシーは心臓が凍るような気がした。

「わたし、その中で凍死しないかしら？」

トレイシーは尋ねた。

ボーバンがにっこり笑った。

「マドモアゼル、最近の貨物便は暖房してあるんだよ。家畜やペットを運ぶこともしばしばですからね。むしろ居心地のいい空の旅になりますよ。ちょっと狭苦しいでしょうが、それを除いちまえば快適ですぜ」

トレイシーはとうとう実行計画を最後まで聞くことに同意した。数時間ほど我慢すれば、五十万ドルが手に入るのだ。その計画案をあらゆる角度から検討してみた。

〈やれるわ〉

トレイシーは思った。

〈ジェフ・スチーブンスさえいなければ、素晴らしい計画なのに！〉

ジェフに対するトレイシーの感情は、いろんな思いが複雑に交錯し、自分でもよくわからなくなって、そのために自分自身に腹が立つというものだった。ジェフという男がマドリッドであんなひどいことをしたのも、わたしを出し抜いて面白がりたいだけの理由からだ。この男は、わたしを裏切り、騙し、そして今、この場では心の中でわたしを笑っているのだ。

三人の男はトレイシーを見つめ、彼女の返答を待っていた。船はポン・ヌフ橋の下を通り過ぎた。それはパリに現存する最古の橋なのだが、つむじ曲がりのフランス人は今だに〝新橋〟という呼び名に固執している。川向こうの堤防の上で、恋人同士が抱き合っているのが見えた。少女はとっても幸せそうな表情をしていた。

〈あの娘もバカだわ。男に騙されているのよ〉

トレイシーは思った。

さて、自分の決心を伝える番である。トレイシーはジェフの目を正面から見据えて言った。

「いいわよ。やりましょう」

その途端、四人の間にあった緊張がほぐれた。

「時間はさほどない」

ボーバンが喋り始めた。どんよりした目でトレイシーを見つめる。

「兄が運送会社で働いていてね。そこの倉庫であんたをコンテナの中に積み込みますよ。マドモアゼル、あんたは閉所恐怖症じゃないでしょうな」

「心配するには及ばないわ……どのくらい入ってるの？」

「貨物便に積み込むまで数分、それからアムステルダムまでの飛行が一時間てとこですかね」

「コンテナはどれくらいの大きさなの？」

「あんたが座るくらいは充分にありますよ。あんたが身を隠すようなものも入っています——万一の場合に備えてね」

〈手違いなんか起こるわけがないよ〉

男たちはそう保証した。が、『万一の場合』などという言葉も口にする。

「きみが必要とする物のリストはこれだ」

ジェフが話しかけた。

「全部が手配済みだよ」

〈へん、キザだこと〉

ジェフはトレイシーが引き受けるものと踏んでいたのだ。

「ボーバンがきみのパスポートの面倒を見てくれるよ。つまり、出国とか入国とかのスタンプもちゃんと押されるようにね。だからオランダを出る際にも、問題はないはずだよ」

観光船が桟橋に接岸を始めた。

「決行日の朝に、最終的な打ち合わせをやりましょうぜ」

ラモン・ボーバンが言った。

「あっしは仕事に戻らなきゃ。それじゃ、またな」

そう言うと、ボーバンは先に帰っていった。

ジェフが提案した。

「前祝いに食事をしようじゃないか。三人で一緒にどう?」

「悪いけど、先約があるものでね」

グンターが詫びた。

ジェフはトレイシーを見た。

「よかったら二人で――」

「いいえ、結構よ。わたし、くたびれてるの」

トレイシーは即座に断った。

ジェフと同行するのを避けるための口実だったが、そう言ってしまってから、本当に疲れていることに気づいた。長い間、神経を張りつめさせていたせいだろう。頭もふらふらする。

〈この仕事が終わればロンドンに帰って、しばらく休憩しよう〉

トレイシーは思った。頭痛がひどくなってきた。

〈本当に休暇が必要だわ〉

「きみにプレゼントがあるんだ」

ジェフはそう言って、派手な包み紙にくるまれた小箱を手渡した。その中には、隅にT・Wとイニシャルが刺繍してある美しいシルクのスカーフが入っていた。

「ありがとう」

〈ふん、お金なら十分にあるものね〉

トレイシーは辛辣に思っていた。

〈わたしから横取りした五十万ドルで買ったんだわ〉

「どうだね？　食事は本当に駄目かい？」

「ええ、まったくね」


パリでは、古典的なホテルのプラザ・アテネにトレイシーは泊まっていた。素敵な古いスイートからガーデン・レストランが見渡せる。ここのホテルには、甘いピアノの調べが流れている上品なレストランがあったが、この晩のトレイシーはもう疲れ切っていて、フォーマルなドレスに着替える気力もなかった。彼女はホテルの小さなカフェ《ルレ》に入り、スープを注文した。が、半分ほ

ど飲むと皿を押しやり、席を立ってスイートに向かった。

カフェの奥に陣取っていたダニエル・クーパーが、トレイシーの出ていった時間を書きとめた。


ダニエル・クーパーは困った立場にいた。パリに着くとすぐ、彼はトリニョン警部に面会を求めたのだが、インターポールの責任者であるこの警部は、前とはうってかわって冷淡だった。警部はスペインのラミロ長官から、このアメリカ人に関するお小言を電話でたっぷり一時間も聞かされたばかりだったのだ。

「あいつはキチガイだよ!」

ラミロ長官は激昂していた。

「わたしはあいつのために、労力と金と時間を浪費してしまった。トレイシー・ホイットニーとかいう女が、プラド美術館を狙っているなんてぬかすものだから、尾行させたんだがね。ところが彼女は、まったく無害の旅行者だったたってわけさ――わたしは初めからそう言ってたんだよ」

スペインの長官との会話で、トリニョン警部は、ダニエル・クーパーのトレイシーへの嫌疑のかけ方は、そもそも最初っから間違っているのではないか、との結論に達した。あの女性が犯人だと断定する、ほんのわずかな証拠さえないのである。犯罪が起こった時に、その都市を彼女が旅行中だったという事実は、証拠には成り得ない。

それなのにまた性懲りもなく、ダニエル・クーパーはトリニョン警部のもとにやって来て、こう

言うのだ。

「トレイシー・ホイットニーがパリにいます。二十四時間の監視体制を敷きたいのですが」

トリニョン警部は言い返した。

「明確な証拠を提出してくれませんかね。その女性が犯行を計画しているという確証がなければ、わたしとしてはこれ以上協力できません」

クーパーは茶色の目を血走らせて警部を見つめていたが、やがて言った。

「あんたは大バカだよ」

次の言葉が出てくる前に、クーパーは手荒くインターポールの建物から追い出されていた。

その時以来、クーパーはまったく独力で監視してきたのだった。トレイシーの後なら、どんな場所でもつけていった。買物、食事、ただ通りを行く時も、尾行した。寝ずに尾行することもあれば、食事ぬきでやることもある。トレイシー・ホイットニーに打ち負かされることは、彼には許せないのである。彼女を監獄にぶち込むまでは、クーパーの任務は終了しないのだった。


トレイシーはベッドに横たわり、翌日の犯行を頭の中で反復していた。相変わらず頭痛がする。アスピリンを飲んでみたが、ズキンズキンする痛みはいっこうに治まらない。汗もかいてきた。部屋の中が堪えられないほど暑く思えた。

〈明日までの辛抱だわ。そうだ、スイス。あそこに行こう。スイスのひんやりした山へ。わたしの

城へ〉

午前五時に、セットしておいた目覚まし時計が鳴りだした。トレイシーにはその音が、刑務所の婦人監守〝年増の鉄パンツ〟の絶叫に聞こえた。

『着替えの時間だよ。さあ、早くするんだ』

そしてベルのけたたましい音が廊下にこだましている。

トレイシーは目を覚ました。胸が締めつけられるように苦しく、電燈の明かりがやけにまぶしい。やっとの思いで浴室へ行った。鏡に映った顔は赤らんでおり、斑点さえある。

〈今さら病気なんかになれないわ〉

トレイシーは思った。

〈よりによって今日は駄目。やることがたくさんあるんだわ〉

ズキンズキンする頭を刺激しないように、そろそろと服を着た。深いポケットのついた黒のオーバーオールを着て、ゴム底の靴をはき、バスクベレーをかぶった。心臓は不規則に打ったが、それが興奮のせいなのか、本物の病気のせいなのか、よくわからなかった。トレイシーは脱力感で足元がふらついた。喉は炎症を起こしてちくちく痛んだ。テーブルを見ると、ジェフがくれたスカーフが目についた。トレイシーはそれを取って首に巻いた。

ホテル・プラザ・アテネの正面玄関はモンテーヌ通りに面しているが、業務用の出入口は角をぐ

るりと回ったボッカドール通りに面している。『業務用入口』という小さなサインが出ており、そちらへ行くと、ロビーの裏手の回廊から、ゴミバケツなどが置いてある狭い廊下を通って道路に出る。ダニエル・クーパーは正面玄関が見通せる地点で監視していたので、トレイシーが業務用出入口から出ていくのを見たわけではなかったが、虫の知らせというか、トレイシーがホテルからいなくなった瞬間、彼はそれを悟った。クーパーは急いで表通りに出て、左右を見た。トレイシーの姿は見当たらなかった。

灰色のルノーがホテルの裏口でトレイシーを拾い、エトワール方面へ向かった。その時間は交通量が少なく、明らかに英語が話せないニキビ顔の若い運転手は、凱旋門を中心に放射状に広がっている十二本の通りのひとつをぶっ飛ばした。

〈もっとゆっくり走ってもらいたいわ〉

トレイシーは思った。弱った体が揺らされ、車酔いしそうだった。

三十分後、ルノーは、とある倉庫の前で急停車した。ドアの上の看板には『ブリュセール・エ・スィ』と書いてある。ラモン・ボーバンの兄が働いている会社であることを思い出した。

運転してきた若者が、車のドアを開けて小声でつぶやいた。

「急いでくれ！」

落ち着きのなさそうな中年の男がせかせかと現れ出て、車から降りたトレイシーに言った。

「こっちだ。急ぐんだよ！」

トレイシーがふらつきながら彼の後をついて倉庫の裏に回ると、六台のコンテナがあり、ほとん

どが荷詰めされ、密封してあって、いつでも空港に運べるようになっていた。内側に布が張られたソフトコンテナが一台あって、家具が半分ほど詰め込んである。

「入るんだ。早く！　時間がない」

トレイシーはめまいがしてきた。その木箱を見ると思った。

〈入れないわ。あんなのに入ったら死んじゃう〉

中年男はそんなトレイシーの様子を見ると、いぶかしげに言った。

「あんた、病気じゃないのかい？」

引き返すか、やめるのなら今この瞬間だ。

「平気よ」

トレイシーはつぶやくように言った。すぐに終わるのだ。二、三時間もすれば、スイスへ向かっているはずだ。

「よし、これを持って」

男は、両刃のナイフ、ロープを巻いた重い輪、懐中電灯、それに赤いリボンを巻いた小さな青い宝石箱を渡した。

「あんたが取り換えるニセ箱がそれだよ」

トレイシーは大きく深呼吸してコンテナの中に入り、座った。数秒後には、大きな帆布がふたを覆い、外側でロープを巻いて結わえる音がした。

やがて帆布越しに男の声がかすかに聞こえた。

「完了だ。これからは黙って、じっとしているんだ。たばこも喫っちゃ駄目だぞ」

「わたし、喫わないわよ」

トレイシーはそう言いかけたが、後を続ける気力もなかった。

「幸運を祈ってるよ。箱の横にいくつか穴を開けておいたから、呼吸はできるよ。息をするのを忘れちゃ駄目だぜ」

男は自分の冗談に笑いながら、足音を遠ざけていった。トレイシーは暗闇の中に独りぼっちになった。

木箱の大半を食卓椅子のセットが占めていたので、中は狭くて窮屈だった。トレイシーは体中が火照り、まるで火の中にいるようだった。肌に触ると熱っぽく、呼吸するのが困難なほどだった。

〈何かのウイルスにやられたんだわ〉

トレイシーは思った。

〈だけど、もう少し我慢しなくっちゃ。仕事をやり終えるまでは。何か別のことを考えて、気を紛らわそう〉

グンターの声が聞こえてきた。

『心配はいらないよ、トレイシー。アムステルダムで荷が降ろされ、きみが入ったコンテナは空港のそばの個人ガレージへ運ばれる。そこにはジェフがいるはずだ。宝石を彼に渡したら、空港に引き返したまえ。スイス航空のカウンターにジュネーブ行きの航空券を預けておくよ。できるだけ速やかにアムステルダムを離れるんだ。宝石の盗難が発覚すれば、警察は街を封鎖するだろうからね。

手違いなんか起こるわけがないよ。だけど、万一の場合に備えて、アムステルダムの隠れ家の住所と鍵を渡しておくよ。そこは空き家になっているんだ』

トレイシーはうとうととまどろんでしまったに違いない。コンテナが空中にぐいと持ち上げられた時に、ハッと目覚めた。トレイシーはゆらゆらと揺られ、そばにあるものにしがみついて体を支えた。コンテナは何か硬いものの上に置かれた。車のドアがバタンと閉まる音がし、エンジンが唸り出し、一瞬の後にトラックは発進した。

空港へ向かったのだ。

計画は秒刻みで立てられていた。トレイシーが入ったコンテナが貨物便に積み込まれてから数分以内に、デビアスの荷物が運び込まれる。従ってトレイシーが入ったコンテナを運んでいるトラックの運転手は「時速八十キロを厳守すること」と指示されていた。

その朝、空港への道路は普段よりも混んでいるようだったが、運転手は心配していなかった。時間どおりにコンテナを空港まで届ければ、五万フランのボーナスが貰える約束だった。それだけあれば妻と二人の子供を連れて旅行に行ける。

〈アメリカに行こう〉

運転手は思っていた。

〈ディズニーワールドへ行ってみよう〉

ダッシュボードの時計を見ると、思わず笑みがこぼれた。時間どおりだ。空港までは残り五キロで、あと十分ある。

予定時間ぴったりに、トラックはフェノール方面の標識の出た道路の入口に達した。そこを入ればエール・フランスの貨物便本部はもうすぐだ。ロッシー・シャルル・ド・ゴール空港の灰色の低いビルを通り過ぎていった。空港貨物エリアは一般乗客の入口とはだいぶ離れていて、有刺鉄線で仕切られている。行く手は塀で囲まれた大きな倉庫だ。それは三区画ほどの広さで、トロッコに乗ったままの箱や小包みやコンテナがぎっしりと集められていた。と、突然、爆発音がした。車輪がガクンと傾き、運転手はハンドルをとられ、と同時にトラックはガタガタと妙な振動を始めた。

〈クソッ!〉

運転手は舌打ちした。

〈パンクだぜ!〉

エール・フランス貨物便の747型ジャンボ・ジェットは、荷物を積載中だった。機首部分がぱかんと上に開けられ、中の荷物収納庫が外から見える。

積み込みは完了しかかっていた。ラモン・ボーバンは幾度となく腕時計に目をやっては、悪態をついていた。肝心のトラックが到着しないのである。デビアスの委託荷物はすでにソフトパレットに入れられ、側面に帆布をかけ、ロープが厳重に巻きつけられていた。ボーバンは、トレイシーが迷うことなくダイヤモンドが入ったパレットを見分けられるようにと、赤ペンキを帆布につけていた。そのパレットが今、軌道にそって機内に移動し、しかるべき場所に固定されるのをボーバンは

見守っていた。その隣に、コンテナをもう一台載せる隙間があった。

この機に載せられるコンテナは、残りが三台になった。

〈クソッたれめ！　あの女が入った積荷はどこへ行っちまったんだ？〉

積荷責任者が機内から声をかけた。

「早くやろうぜ、ボーバン。なにをぐずぐずしているんだい？」

「一分ほど待ってくれ」

ボーバンはそう返事し、貨物集積場の入口へと走っていった。トラックの姿はまだ見えない。

「おい、ボーバン！　どうかしたのかい？」

彼が振り向くと、上役の責任者がやって来た。

「早く積んで、飛行機が飛べるようにしろ」

「はい、わかりました。ちょっとだけ待ってみようと――」

その瞬間、ブリュセール・エ・スィ倉庫会社のトラックがすっ飛ばしてきて、ボーバンの前まで来るとブレーキをきしらせて停まった。

「こいつが最後の積荷ですぜ」

ボーバンが知らせた。

「よし、積み込め」

責任者は大声で命令した。

ボーバンはトラックからコンテナが降ろされ、飛行機と地上をつなぐブリッジの上に積まれるの

を監視していた。

彼は積荷責任者に手を振って合図した。

「こちらの仕事は終了。後はよろしく」

やがて荷物は収められ、吊りあげられていた機首は、本来の位置まで下げられた。エンジンを点火したジャンボ・ジェットが滑走路へと移動を始めるのを見守ったボーバンは、こう思っていた。

〈さて、いよいよあんたの番だぜ、女泥棒さんよ〉

ものすごい嵐だった。巨大な波が滝のように襲い、船は沈み始めた。

〈溺れちゃう〉

トレイシーは脅えた。

〈ここから脱出しなくては〉

もがこうと手をばたつかせると、何かに当たった。救命ボートだった。波に翻弄され、前後左右にゆれ動いている。トレイシーは立ち上がろうとした。するとテーブルの端に頭をぶつけてしまった。その瞬間に意識が明瞭になり、自分がどこにいるかを思い出した。顔と髪の毛から汗がしたたり落ちている。頭はふらつき、全身は燃えるように熱い。どのくらい意識を失っていたのかしら？

飛行はわずか一時間の予定だ。もう着陸するのかしら？

〈いいや、違うわ〉

熱にうなされながら、トレイシーはまた夢の中に入っていった。

〈大丈夫だわ。悪い夢を見ているのよ。ロンドンの家のベッドに今いるんだわ。お医者さまを呼ばなくっちゃ〉

トレイシーは息苦しくなった。電話器を取ろうともがいてみたが、手が鉛のように重くて、すぐに下に落ちてしまった。

飛行機が乱気流に突入したので、トレイシーは投げだされて箱の側面にぶつかった。彼女は横たわったまま、高熱のぼんやりした頭で、なんとか意識を集中させようとした。

〈時間はあとどのくらいあるのかしら？〉

トレイシーは、地獄のような夢と苦痛の現実の間を、さまよっていた。

〈そうだ、ダイヤモンドだったわ〉

何とかして、ダイヤモンドを手に入れなければならないのだ。だけど、それには……そうだったわ、ロープを切るのよ。この箱から出なくっちゃ。

トレイシーはオーバーオールのポケットに手を突っ込んで、ナイフを握った。だがこれからの作業をやり通すのは、ものすごく難儀な気がした。

〈酸素が足りないわ〉

トレイシーは思った。

〈酸素を吸わなくっちゃ〉

彼女は帆布の端を手探りし、外から結わえているロープを確認すると、帆布ごと内側から切りに

かかった。永遠に続く作業に思えた。帆布が広く開いた。ロープをもう一本切った。するとコンテナの外の貨物便の腹部へとすべり出るのに充分な隙間ができた。箱の外の空気はひんやりしていた。発熱中の身には凍えるような寒さである。全身が震えだし、飛行機の絶え間ない振動で、トレイシーのむかつきはひどくなった。

〈我慢しなくっちゃ〉

トレイシーは思い、精神の集中を保とうと自分を叱咤した。

〈わたしは今、何をしているのかしら？　何か大切なこと……そうだ……ダイヤモンド……〉

トレイシーは目がぼやけ、何もかもがゆれ動いて、焦点が定まらなかった。

〈これじゃ何にもできないわ〉

飛行機がいきなり機首を下げたので、トレイシーは床に投げ出され、でこぼこの金属面に手をこすりつける羽目となった。機が体勢を立て直すまで床にうっ伏し、水平飛行に戻ると、どうにかもう一度立ち上がった。ジェット・エンジンの轟音が、トレイシーのふらふらした頭の中にガンガンと響きわたった。

〈ダイヤモンドよ。ダイヤモンドを捜さなくっちゃ〉

トレイシーはコンテナ群の中をよたよたと歩き、ひとつずつ横目で赤ペンキの目印を捜した。ありがたい、あったわ！　三つ目のコンテナがそれだ。その前に立ち、次にやるべきことを思い出そうとした。意識をはっきりさせるのに努力を要した。

〈ほんの数分でも横になって眠れたら、きっと元気になれるわ。ああ、横になって眠りたい〉

だが、今そんな時間はない。もうすぐアムステルダムに着陸するのかもしれないのだ。トレイシーはナイフを取り出すと、コンテナのロープをスパッと切った。

『一本切れば荷はほどけるからな』

打ち合わせで、男たちはそう言っていた。

トレイシーには、ナイフを握る力がほとんどなくなっていた。

〈やり直しはきかないんだわ〉

彼女は思った。

寒けと恐怖でまたしても震えがきて、がくがくと激しかったので、ナイフをとり落としてしまった。

〈仕事にならないわ。わたしは捕まり、刑務所へまた送られるんだわ〉

トレイシーはぐずぐずとためらい、ロープにしがみつき、さっきまで入っていた箱に這い戻って、すべてが終わるまで隠れていたいと願った。それがいちばん楽なのだ。しかし、トレイシーは頭のズキズキをこらえて、ゆっくりと行動を開始した。ナイフに手を伸ばすと、それを拾い上げた。太いロープを切断にかかった。

とうとう切れた。トレイシーは帆布をひきめくり、うす暗いコンテナの中を見やった。何も見えない。懐中電燈を取り出したが、その途端、トレイシーの耳は急激な気圧の変化を感じ取った。

飛行機は着陸に向けて降下中なのだ。

〈急がなくっちゃ〉

そう思うトレイシーの気持ちとは裏腹に、体がいうことをきいてくれない。その場にぼんやりと立ちつくしていた。

〈動くのよ〉

頭が命令した。

トレイシーは懐中電燈で箱の中を照らした。包みや封筒、それに小箱類がいっぱい詰められており、木製の枠の上に赤いリボンを巻いた二つの青い箱が乗っていた。

〈二つあるわ！　一つのはずなのに――〉

トレイシーは、目をしばたたいた。すると二つの箱は一つに合わさった。箱の周りから後光が射しているように感じられる。

トレイシーはその箱に手を伸ばしてつかみ、代わりにポケットの中からニセ箱を取り出した。まったくそっくりの箱二つを手にした途端、ひどい吐き気に襲われて、彼女は体を激しく震わせた。目をぎゅーっと閉じて、嘔吐感をこらえた。ニセ箱を木の枠の上に置こうとした瞬間、トレイシーは愕然となった。どっちの箱がニセモノだったかしら？　二つの箱を見比べてみた。左手に持っている箱だったかしら、いや、右手にあるやつ？

飛行機は急角度に機首を下げ始めた。今にも着陸しそうだ。どっちなのか決断しなければならない。トレイシーは二つのうちの片方を置き、それが正しいようにと祈りながらコンテナから出た。そしてオーバーオールから一巻きのロープを取り出した。

〈このロープをどうするんだったかしら？〉

頭がガンガンして思考力がなくなっている。ようやく思い出した。『切ったロープは自分のポケットにしまい込み、新しいロープで結わえとくんだ。とにかく、疑惑を招くようなものは何も残しちゃいけないぜ』

大型観光船の陽差しの中に座り、計画を聞かされた時はいとも簡単なように思えた。今やってみて大変だとわかった。もはや力も残っていない。このままでは警備員が切断されたロープを見つけるだろう。そうなれば機内の徹底捜索がなされ、わたしも捕まるはずだ。トレイシーの心の奥底から悲鳴が込み上げてきた。

〈いやよ！　逮捕されるなんて！　監獄はもうごめんだわ！〉

死にもの狂いで最後の力を振り絞り、トレイシーは持参してきた新しいロープをコンテナに巻いて結わえた。飛行機の車輪が滑走路に触れると、トレイシーの足元が激しく振動した。さらにもう一回バウンドし、逆噴射を始めると、彼女は後方に投げ出された。頭を床に打ち据えられ、トレイシーはそのまま失神してしまった。

747型機はターミナルへと滑走路を移動していた。トレイシーは床にぐんにゃりと倒れたままだった。乱れた髪が血の気を失った顔にへばりついている。トレイシーが意識を取り戻したのは、エンジンの唸る音が急に停止したからである。飛行機はすでに静止していた。肘で支えて上半身を起こし、ゆっくりと膝を曲げて力を込めた。コンテナにつかまってよろよろと立ち上がった。新しいロープは指示どおり荷物にしっかりと巻きつけられている。

トレイシーは宝石箱を胸に抱いて、自分が入っていたパレットの方へとふらふら進んだ。帆布を

押し分けるようにして中に入ると、そのままうずくまってしまった。体からは玉のような汗が吹き出しており、呼吸をするのもやっとという有り様だった。

〈やり終えたわ〉

だが、何かやり残しているような気がする。とても大事なことみたいだ。

〈何だったかしら？　そうだわ、自分が入っているパレットのロープをテープでとめるのよ〉

オーバーオールのポケットに手を突っ込み、マスキング・テープのロールを探った。ない。どこかへ失せたのだ。息苦しいのでゼイゼイと喘いでいたため、周囲の物音に鈍感になっていた。人声がしたような気がしたので、息を止めて耳をそばだてた。間違いない。人間の声がする。誰かが笑った。今にも貨物室のドアが開けられ、積荷の降ろし作業が行われようとしている。荷役人たちは切断されたロープを見つけ、パレットの中をのぞき、そして隠れているわたしを発見するだろう。どうにかしてロープを元のように見せかけなくては。膝立ちして手探りすると、マスキング・テープの固いロールに触れた。乱気流の中を飛行中に投げ出された時に、ポケットからはみ出したのだろう。

トレイシーは帆布を持ち上げ、出る時に切ったロープの両端を手で探った。どうにか探しあてると、それにもたもたとテープを巻きつけ、つなぎ始めた。

手探りの作業であった。滝のように顔を流れ落ちる汗で、目がはっきり見えない。首に巻いていたスカーフで顔を拭いた。これでいくらか見える。とうとうロープをつなぎ終え、帆布を元のように戻した。もう、やることはない。ただ待つのみだ。額に触ってみた。前よりも熱があるようだ。

〈太陽の直射を避けなくっちゃ。熱帯の陽差しをもろに浴びるのは危険だわ〉

トレイシーの意識はカリブ海の浜辺へとさまよった。ジェフがダイヤモンドを持って来てくれていたが、彼は海に飛び込むと浮かび上がってこない。トレイシーはジェフを助けようと手を伸ばすが、彼はその手からすべり落ちてしまった。水がトレイシーの頭までかぶさり、息ができない。溺れそうだ。

作業員が飛行機内に入ってくる物音が聞こえた。

「たすけて！」

トレイシーは悲鳴を上げた。

「溺れちゃうわ」

だけど、トレイシーの叫びは弱々しすぎて、誰の耳にも聞こえなかった。

大きなコンテナが貨物便から降ろされ始めた。

トレイシーが入ったコンテナがトラックに積み込まれた時、彼女は再び失神していた。貨物専用の飛行機の床に、ジェフがトレイシーに贈ったスカーフが落ちて残された。


トレイシーは光で目が覚めた。誰かが帆布を巻き上げ、トラックの中が明るくなったのだ。ゆっくりと彼女は目を開けた。トラックはすでに倉庫の中にあった。

ジェフがそばに立っており、トレイシーと視線が合うとにっこり笑った。

「やったね！　でかしたぞ！　その箱をいただこう」

トレイシーは、ジェフがその箱を脇から取り上げるのを、けだるそうに見ていた。

「リスボンで会おうよ」

ジェフはそう言って出て行きかけたが、立ち止まると、くるりと振り向いた。

「具合いが悪そうだね、トレイシー。大丈夫かい？」

トレイシーはものを言う気力もなかった。

「ジェフ、わたし――」

だが、ジェフはそのまま出て行ってしまった。

トレイシーは、それからのことはぼんやりとしか覚えていない。倉庫の後ろのほうに彼女の着替えの服があって、見知らぬ女が言った。

「あんた、ずいぶん加減が悪そうだね、マドモアゼル。医者を呼んでやろうか？」

「お医者さまは駄目」

かすれた声でトレイシーは断った。

『スイス航空のカウンターに行けば、ジュネーブ行きの航空券が置いてある。なるたけ早急にアムステルダムから離れるんだ。宝石の盗難が発覚すれば、警察は市内を封鎖するだろうからね。何も心配することはないよ。万が一の場合に備えて、アムステルダムの隠れ家の住所と鍵を渡しておこう。そこは空き家になってる』

空港だ。空港へ戻らなくっちゃ。

「タクシー」

トレイシーは口ごもった。

「タクシーを呼んで」

女は一瞬、戸惑ったようだったが、やがて肩をすくめた。

「わかったよ。呼んできてあげる。ここで待ってて」

トレイシーはふわふわと高く高く舞い上がり、かぎりなく太陽に近づいた。

「タクシーをお呼びですかい?」

男が問いかけた。

トレイシーは誰にも煩わされたくなかった。ただただ眠りたかった。

運転手が尋ねた。

「どこまで行きますかい、マドモアゼル?」

『スイス航空のカウンターに行けば、ジュネーブ行きの航空券が置いてある』

こんな状態では、飛行機にはとても乗れない。引き止められ、医者が呼ばれるだろう。あれこれと質問されるのは必至だ。いま願うことは、数分でもいいから眠ること。そうすれば気分が良くなるだろう。

運転手の声はいらついていた。

「どこへ行くんですかい?」

行き場所は一ヵ所しかない。トレイシーはタクシーの運転手に、隠れ家の住所を書いた紙を渡し

た。

警察はトレイシーに向かって、ダイヤモンドの行方を厳しく追及している。トレイシーが拒否すると、尋問官は烈火のごとく怒り、彼女を一人だけ部屋に置き去りにして、うだるほど室温を上げた。それに耐えられなくなると、今度は壁につららができるほど室温を下げた。

トレイシーは寒さの中を頑張りぬいて、目を開けた。がたがたと震えが止まらないまま、ベッドの上にうっ伏していた。下に毛布があるのだが、その中にもぐる余力は残っていなかった。服はぐっしょりと濡れ、顔や首にも汗が吹き出している。

〈わたしはここで死ぬんだわ。ここはどこだっけ？〉

〈ああ、そうだわ。いざという時、身を守るための隠れ家よ。身を守るところで死ぬわけね〉

この皮肉な組み合わせに、トレイシーは思わず笑い出した。笑っているうちに咳込み出した。まったく最悪の事態となってしまった。わたしの逃亡はまだ完了していないのだ。今頃は警察が、アムステルダム中を捜索していることだろう。

『マドモアゼル・ホイットニーはスイス行きの航空券を使わなかった？　それならまだアムステルダムにいるはずだ』

わたしはどのくらいの時間、このベッドにいたのかしら？　手を上げて腕時計を見ようとしたが、ぼやけて数字が読めない。何もかもが二重に見える。その小さい部屋にはベッドが二つ、食器棚も

二つ、椅子は四脚あるようだった。震えが止まると、今度は体全体が燃えるように熱くなった。窓を開けたかったが、衰弱しすぎていて動けない。部屋は再び凍えだした。

朦朧とした意識の中で、トレイシーは飛行機の中に舞い戻り、箱に閉じ込められて助けを呼んでいた。

〈やったね！　でかしたぞ！　その箱をいただこう〉

ジェフはダイヤモンドを届け、わたしの分け前まで独り占めして、ブラジルへでも向かっているんだわ。おそらく女性を同伴していて、その女に笑顔を振りまいているわ。彼はまたもわたしを打ち負かしたのだわ。本心からジェフを恨んだ。違う。恨んでいるんじゃない。そう、さげすんでいるんだわ。彼は唾棄すべき男よ。

トレイシーは熱でうなされ、錯乱状態だった。ペロタの固いボールが、彼女に向かってまっすぐ飛んできた。ジェフはトレイシーをつかむと地面へと押しつけてかばった。二人の唇は触れんばかりに接近していた。そしてそれから、二人は《ザラカイン》で食事中だった。

『きみがどんなに大事な人かわかるかい、トレイシー？』

『引き分けを申し出る』

ボリス・メルニコフが提唱した。

トレイシーの体は再び震えだした。抑えようにも抑えられない。トレイシーは、今度は暗いトンネルの中を疾走する急行列車に乗っていた。トンネルを出る時にわたしは死ぬのだわ。乗客は全員が下車して、アルベルト・フォルナッティだけが残っていた。映画プロデューサーはカンカンに怒

ってトレイシーをつかみ、揺さぶりながら怒鳴っていた。

「しっかりするんだ！」

男の強い声がする。

「目を開けるんだ！　見るんだよ、ぼくだよ！」

あらん限りの力を絞り出して、トレイシーは目を開けた。ジェフがベッドの脇に立っている。彼の顔は青ざめ、声には怒りがこもっていた。もちろん、これも夢なのだわ。

「どのくらいの時間、こうしていたんだい？」

「ブラジルに行ったんじゃなかったの？」

トレイシーはつぶやいた。

その後、トレイシーは何にもわからなくなった。


トリニョン警部は、エール・フランス貨物便で発見されたＴ・Ｗのイニシャル入りのスカーフを渡されると、長い間それを見つめていた。

しばらくして、警部は部下に命じた。

「ダニエル・クーパーを呼んでくれ」

第三十二章

まるで絵葉書そのものといったアルクマールの村――オランダの北西海岸に位置し、北海に面している――は、いつも観光客で賑わっている。だがその東に、観光客がめったに訪れないひっそりとした一画がある。ジェフ・スチーブンスは、彼にオランダ語を教えてくれたKLMのスチュワーデスと、何度か休暇を洒落こんでいたので、その地域の地理にあかるく、住んでいる人たちが他人さまには無関心で、旅行客のことなどあれこれと詮索しないということまでわかっていた。

身を潜めるには絶好の場所である。

ジェフは最初、トレイシーを病院に連れて行こうとの衝動にかられた。だが、そんなことをしては危険が大きすぎる。アムステルダムに一分でも長くいれば、トレイシーにとってはそれだけ危険になる。ジェフはトレイシーを毛布でくるんで車に乗せ、昏睡状態のままアルクマールまで運んで

きたのだった。彼女の脈拍は弱々しく、呼吸もか細かった。

アルクマールに着くと、ジェフは小さな宿屋にチェックインした。宿屋の主人は、ジェフがトレイシーを階上の部屋へ運び上げるのを、怪訝そうに見ていた。

「ハネムーン中なんですよ」

ジェフが説明した。

「妻が熱を出しましてね――ちょっと呼吸が乱れているものですから。休憩させたいんですよ」

「医者を呼びましょうか?」

どう返事したものか迷ってしまった。

「必要になったら連絡します」

差し当たってやらなければならないのは、トレイシーの熱を下げることだ。ジェフは彼女を部屋にある大きいダブルベッドに降ろし、服を脱がせ出した。汗でぐしょぐしょに濡れていたのだ。上半身を抱え起こし、頭のほうからドレスを脱ぎ取った。次が靴、そしてパンティストッキングも脱がせた。トレイシーの体は焼けるように熱かった。

ジェフは冷たい水でタオルを湿らせ、裸になったトレイシーの頭から足の先まで優しく拭いてやった。そうして今度は毛布をかぶせてベッド脇に座り、乱れた呼吸に耳を傾けていた。

〈明朝までに熱が下がらなかったなら、医者を呼ぼう〉

ジェフはそう決心していた。

朝が来ると、寝具はまたもやぐっしょり濡れていた。トレイシーの意識は相変わらず戻っていないけれども、呼吸はいくらか落ち着いてきたように思える。ジェフはメイドにトレイシーの面倒を見させたくなかった。あれこれと詮索されるに違いない。それで、女主人に連絡して、新しいシーツを持って来させ、それをドアのところで受け取った。

ジェフは病院で看護婦がしていたのを真似して、トレイシーの体をそっと濡れタオルで拭ってやり、ベッドシーツを取り換え、再び元のように毛布でおおった。

ジェフは『起こさないで』の表示をドアの把手に下げ、近くの薬屋まで出かけた。アスピリンに体温計、スポンジとマッサージ用のアルコールを買った。部屋に戻ったが、トレイシーはまだ目が覚めていなかった。彼女の体温を測ってみた。四十度ある。ジェフはひんやりしたアルコールをスポンジに浸して、彼女の体を拭いた。すると熱が下がった。

一時間たつと、トレイシーの体温はまたしても上がった。医者を呼ばねばなるまい。しかし医者が、トレイシーを病院に入れようと主張した場合がまずい。あれこれと質問を受けるだろう。ジェフは警察が自分たちを捜索しているかどうかわからなかった。だが、もしそうであるなら、病院に行けば二人とも逮捕されることは間違いない。

まずはやらねばならないことがある。アスピリン四錠を細かく砕いて粉状にしたやつをトレイシーの唇の間に乗せ、彼女がそれを全部飲み終わるまで、スプーンで少しずつ水を注いでやった。そうして再び彼女の体をタオルで拭いた。彼女の肌は、いくらか熱がおさまったような気がする。脈

拍を測ってみた。前よりも安定してきている。頭を彼女の胸に当て、耳を澄ました。息づかいが良くなっているのだろうか？　彼には確信が持てなかった。ジェフは祈る気持ちで一つのことを信じ続けた。そしてそれを、呪文のように何度も繰り返した。

「大丈夫だよ、大丈夫だよ」

ジェフはトレイシーの額にそっとキスした。

四十八時間というもの一睡もしていなかったジェフは、くたくたに疲れ、目も落ちくぼんでいた。

〈眠いけど、今寝ては駄目なんだ〉

ジェフは自分に言い聞かせた。

〈ただ、ちょっとだけ瞼を閉じて、目を休ませよう〉

そう思いながら、彼は深い眠りに落ちていった。


トレイシーは目を覚ました。ぼやけていた天井の焦点が少しずつ合ってくるのを眺めながら、自分は今どこにいるのだろう、と思った。意識がはっきりするまで、しばらく時間を必要とした。体中がひどく痛み、まるで過酷な長旅からでも帰ってきたような疲れ方だ。けだるく、見知らぬ部屋を見回したトレイシーは、突如として心臓が止まるくらい驚いた。ジェフが窓辺の肘かけ椅子にもたれ、ぐっすりと眠り込んでいた。まさか！　彼と最後に会ったのは、ダイヤモンドの箱を渡した時だ。何のためにここにいるのかしら？　急に胸騒ぎがし、その答えがわかった。彼に渡した宝石

箱は間違えた箱——ニセ物のダイヤモンドが入った箱——だった。それでジェフは、トレイシーが騙したと思い、隠れ家へ行って捕まえ、ここに連れて来たのだろう。

トレイシーが上半身を起こすと、ジェフも身動きし、目を開けた。トレイシーが見つめているのに気がつくと、うれしそうににっこり笑った。

「やあ、気がついたかい」

心から喜んでいるような声の調子に、トレイシーはむしろ戸惑った。

「ご、ごめんなさい」

トレイシーは謝った。久し振りに発する声はしわがれて、力がなかった。

「わたし、箱を間違えて渡したのね」

「何だって？」

「箱を取り違えたのよね？」

ジェフはトレイシーのそばに歩き寄り、優しく言った。

「間違えてなんかいなかったよ、トレイシー。きみは本物のダイヤモンドが入った箱を渡してくれたぜ。おっつけグンターへ届くだろう」

トレイシーは当惑してジェフを見た。

「それなら——なぜよ——どうして、あなたはここにいるの？」

ジェフはベッドの端に座った。

「ダイヤモンドを渡してくれた時のきみが、今にも死にそうに見えたんだ。それでね、きみが無事

に飛行機に乗るのを見届けたほうがいいと思って、空港で待っていたんだよ。ところがいつまでた
っても来やしない。こいつは問題が発生したなと思ったわけさ。それで隠れ家に行き、きみを見つけたって次第さ。あそこできみを死なせるわけにはいかないよ」

ジェフは明るく言った。

「警察に手掛かりを残すことになるからね」

トレイシーはその説明だけでは納得できなかった。

「あなたがここにいる本当のわけを教えてよ。わたしのところに引き返した理由をね」

「体温を測る時間だよ」

ジェフは元気な声で言った。

「悪くはないな」

数分たつとジェフは告げた。

「三十七度ちょっとですね。患者さん、快方に向かっていますよ」

「ジェフったら――」

「信用したまえ」

ジェフは言った。

「お腹すいてるだろう？」

トレイシーは急にひもじくなった。

「もう、ぺこぺこよ」

「よしきた。何か仕入れてくるよ」

ジェフは食べ物を袋いっぱいに抱えて戻ってきた。オレンジジュースに牛乳、新鮮な果物、でき合いのチキン料理、いろんなチーズや肉や魚をはさんだロールパンなどを買い込んでいる。

「これはチキンスープのオランダ版らしいな。まあ、ともかく食べてみようじゃないか。さあ、ゆっくり召し上がれ」

ジェフはトレイシーを抱え起こして、食べ物を口まで運んでやった。ジェフの優しい素振り、細々とした心遣いを、トレイシーは素直には受け取れなかった。

〈何か企んでいるのだわ〉

一緒に食べながらジェフが言った。

「さっき出かけた時、グンターに電話してみたんだ。ダイヤモンドを受け取ったと言ってたよ。きみの分け前を、スイス銀行の口座へ振り込んだそうだ」

辛辣な質問がトレイシーの口からこぼれ出た。

「どうして独り占めしなかったの？」

その返事をする時のジェフの声は、とても真剣だった。

「理由は簡単さ。もうそろそろ二人のゲームも止めにしようじゃないか、トレイシー。そうしようよ」

これも当然、罠のひとつなんだわ。しかし、トレイシーは疲れ切っていて、逆らう気もしなかった。

「ええ、そうしましょう」

「それじゃ、きみのボディ・サイズを教えてくれないかな」

ジェフが言った。

「きみの服を買いに出かけてくるよ。オランダ人はなかなか進んでいる人たちだけどね、きみがそのまんまの恰好で外を歩き回ったら、やはり肝をつぶすだろうからね」

トレイシーは突然、自分がまる裸なことに気づいて、ベッドカバーを引き寄せた。ジェフが服を脱がせてくれ、体を拭いてくれたようなぼんやりとした記憶が、トレイシーの頭をかすめた。彼は自分の身を危険にさらしてまで、わたしを看護してくれたのだわ。どうしてなのかしら？　彼の素性は十分に知っているつもりだったのだけど……。

〈やはり、わからないわ〉

トレイシーは思った。

〈まったくわからないわ〉

トレイシーはまた眠りに落ちた。

午後になると、ジェフが買物から帰ってきた。バスローブにナイトガウン、下着類、ドレス、さ

らに靴、化粧道具、櫛、ブラシ、ヘアードライヤー、歯ブラシに練り歯磨き……それらを二つのスーツケースに詰め込んできた。ジェフはまた自分用の着替えも買ってきて、国際版のヘラルド・トリビューン紙も仕入れてきていた。新聞の一面には、ダイヤモンドハイジャックが報じられていた。それによると、警察は犯行の手口は解明したものの、解決の糸口は掴んでいない、とのことだった。

ジェフが機嫌よく言った。

「ぼくたちは自由に帰れる！　今はきみが元気になりさえすればいいんだ」

T・Wのイニシャル入りスカーフが犯行現場で発見されたことを報道陣に発表しなかったのは、ダニエル・クーパーの提案だった。

「持主はわかっています」

クーパーはトリニョン警部に言った。

「だけど、だからといって起訴できるほど確とした証拠にはなりません。トレイシー・ホイットニーの弁護士たちは、ヨーロッパ中の同じイニシャルの女性の名前を挙げて、警察を愚弄するでしょうな」

クーパーの意見では、警察は何度も自分で自分を愚弄するようなヘマをしでかしている。

〈神さま、あの女はわたしの手に任せてください〉

クーパーは小さな教会の木のベンチに座り、うす暗い中で祈った。

『ああ、主よ、あの女をわたしにお与えください。あの女を罰するようにわたしにお委ねくだされば、わたしの罪は償えるのです。あの女に宿っている邪悪な心は追い払われ、衣服をはぎ取られたあらわな体が答うたれ……』

裸になったトレイシーが自分の思いのままになる姿を想像すると、クーパーの男性自身は思わず勃起を開始した。神に邪心を見抜かれては大変と、クーパーはむっくりと立ち上がり、恐怖の面持ちで教会から退散した。これ以上の罰は、ごめんこうむりたかったのだ。

トレイシーが目を覚ますと、あたりはうす暗くなっていた。半身を起こして、サイドテーブルの電灯をつけた。部屋には自分一人っきりだ。ジェフは立ち去っていた。

見知らぬ町の、暗闇の一軒屋に一人取り残されたと思うと、言いしれぬ恐怖がトレイシーの心を襲ってきた。ジェフがやさしくしてくれたので、つい甘えた自分がバカだった。

〈自業自得ね〉

トレイシーは苦々しく思った。

『信用したまえ』

ジェフの言うとおりに、わたしはつい信用してしまった。だがジェフがわたしの面倒をみたのは、自分の身を守るためだったに違いない。

わたしはジェフが、自分に好意を抱いていると思い込んでしまった。ジェフを信用したかったし、

彼にとって自分は特別の存在なんだと信じたかった。

トレイシーは枕に頭をあて、仰向けになると、目を閉じ、考えにふけった。

〈ジェフがいないと、正直いって寂しいわ。神さま、何とかしてください。わたし、ジェフがいないと寂しいなんて思うようになってしまったのです〉

神さまはわたしをからかっていらっしゃるんだわ。だけど、よりによって、なぜジェフなの？　なぜ？　トレイシーは苦悶した。しかし、その理由などどうでもよかった。

そんなことよりも、一刻も早くここから脱出する策を考えなくては。そして、どこか安全な場所を見つけて、体力の回復をはかろう。

〈憎たらしいジェフ、バカなわたし〉

トレイシーの心は揺れ続けた。

パタンとドアの開く音がして、ジェフの声が聞こえた。

「トレイシー、起きてるかい？　雑誌とか本を買ってきたよ。きみが退屈だと――」

トレイシーの顔を見て、その表情に気づくと、ジェフは言葉を止めた。

「どうした！　また気分が悪くなったのかい？」

「違うの」

トレイシーはささやいた。

「違うのよ。心配しないで」

次の朝になると、トレイシーは平熱に戻っていた。

「わたし、外に出てみたいわ。散歩に出てもかまわないかしら、ジェフ？」

二人がロビーに降りると、みんなの視線が集まった。宿の主人夫婦は、トレイシーの回復を心から喜んでくれた。

「あなたのご主人はとても献身的なお方ですぞ。ワイフの世話は全部自分でやる、とおっしゃいましてな。本当に心配してらっしゃいましたよ。あんなにも愛してくれる夫を持って、あなたはお幸せですね」

トレイシーがジェフに目をやると、柄にもなく彼が赤面しているのが見てとれた。

外に出ると、トレイシーが言った。

「優しい方たちね」

「涙もろい連中さ」

ジェフの返事はひねくれていた。


ジェフは自分用に補助ベッドを運び込み、トレイシーのベッドの近くに置いた。その夜、ベッドに横になったトレイシーは、いかにジェフが自分の世話をしてくれたかを思い出した。優しくこまごまと看護してくれて、裸の体を拭いてくれたりもした。ジェフという男の存在が大きく立ちはだかってきた。それは、彼女を大きく包んで保護してくれる存在になっていた。

トレイシーは気弱になった。

徐々に、トレイシーの体力が回復するにつれて、彼女とジェフの二人は、この古風で趣のある小さな村を幾度も散策した。アルクマール人工湖に沿って曲がりくねった道路――中世の昔からある玉石を敷き詰めた道――を散歩したり、郊外のチューリップ畑で何時間も過ごしたりした。また二人は、気のおもむくままにチーズ・マーケットに行ったり、古い計量所を訪れたり、骨董品や絵画コレクションが陳列されている市営博物館を見物したりした。トレイシーが驚嘆したことに、ジェフは土地の人たちとオランダ語で話した。

「どこで言葉を覚えたの？」

トレイシーは尋ねた。

「オランダ娘に知り合いがいたものでね」

余計な質問だったわ、とトレイシーは後悔した。

日数を重ねるにつれて、トレイシーの若い肉体はめきめきと健康を取り戻していった。もう大丈夫と見てとったジェフは、自転車を借りて、二人で田園に点在する風車小屋を訪れた。毎日が楽しい休日だった。こんな日がいつまでも続いてほしい、とトレイシーは思った。

ジェフの行動はいつもトレイシーの意表をついていた。優しい言葉をかけ、トレイシーの身を本気になって案じている彼の態度に、トレイシーの警戒心はすっかり消えていた。それでも、ジェフのほうからセックスを求めてくるようなことは、一度もなかった。トレイシーにとっては、依然と

して謎の男である。トレイシーが今までお目にかかった、ジェフのお相手をしていたあの美女たちとジェフは、どんな関係だったのだろう。彼なら当然、よりどりみどりでしょうに。またなぜこの地の果てで、わたしに寄り添っているのだろう？　謎は深まるばかりである。

トレイシーは、誰にも口外すまいと心に決めていたことを打ち明けている自分に驚いた。ジョー・ロマーノとトニー・オルサッティのこと、アーネスチン小僧にビッグ・バーサ、かわいいエミー・ブラニガンのことなど、すべてジェフに話してしまった。打ち明け話を聞いていたジェフは、まるで自分のことのように怒り、嘆き、同情してくれた。ジェフも自分の過去を吐露した。継母のこと、ウイリー叔父とカーニバル一座での日々、ルイーズとの結婚のことなどを。トレイシーは、他人がこんなにも身近に思えたのは初めてだった。

突然、別れる日がやって来た。

ある朝、ジェフが言った。

「警察はもうぼくたちを捜索してはいないと思うよ、トレイシー。そろそろここを立ち去ろう」

その提案はトレイシーの心を一撃した。だが気丈を装って、こう答えた。

「いいわよ。で、いつ出発する？」

「明日あたりでどうだい？」

トレイシーはうなずいた。

「明朝、荷作りするわ」

旅立ちの前夜、トレイシーはベッドに横になったものの、なかなか眠れなかった。ジェフの存在が、かつてなかったほどに部屋を満たしているように思える。ここで過ごした日々は終生忘れ得ないだろう。だが、それも今夜で終わりなのだ。トレイシーはジェフが横になっているベッドを見やった。

「眠っているの？」

トレイシーはそっと話しかけた。

「いや……」

「どんなこと考えてるの？」

「明日のことさ。ここを去ることなんだ。寂しくなるだろうな」

「わたしもよ。あなたと離れるのは寂しいわ、ジェフ」

抑制がきかなくなって、言葉が勝手に出てきた。

ジェフはゆっくりと起き上がり、トレイシーを見つめた。

「どれくらい寂しいかい？」

ジェフは優しく尋ねた。

「とっても」

次の瞬間、ジェフはトレイシーの隣にいた。

「トレイシー――」

「う〜ん、何にも言わないで。ジェフ、腕をわたしに回して。抱いてちょうだい」

始まりはゆっくりだった。

優しくトレイシーを抱くと、ジェフの腕はビロードの感触のように、柔らかくトレイシーを撫でていた。二人の間の一線はふっきれた。ジェフの手はトレイシーの感じやすい部分を求めて愛撫を続けた。トレイシーは待ちきれずに息を洩らし、身をよじらせた。二人の大人の体がひとつになり、ゆっくりと波打ち始めた。波はやがて激しいリズムになり、二人の欲情は激しく奪い合い、与え合いながら、遠慮のない男女の狂乱へと昇りつめていった。彼の硬直した性器が、トレイシーをこすり、打ち、中を満たしてくると、堪えられぬほどの悦びに、あたりかまわず泣き叫びたくなった。トレイシーは虹のまっ只中にいた。官能の潮に、高く高く押し上げられ、ついに堪えきれなくなった時に、肉体の内側に爆発が起こり、何かが溶けて流れだし、体中が震え始めた。

ゆるやかに、めくるめく歓喜がおさまると、トレイシーの体を下へ下へとおりていき、中心まで達すると、またしても狂おしい興奮が全身をつらぬいた。

ジェフの唇が、トレイシーの体を下へ下へとおりていき、トレイシーは目を閉じた。

トレイシーはジェフの体を引き寄せると、強く抱き締めた。ジェフの心臓の鼓動は、トレイシーの鼓動に共鳴していた。トレイシーはジェフをいくら抱き締めても抱き締め足りなかった。彼女はベッドの足元にひざまずくと、ジェフの体に自分の唇をそっと置いた。溶けそうな暖かいキスを体中に這わせながら、トレイシーの美しい手がジェフの固くなった男性自身を握りしめていた。トレイシーは優しくそれを愛撫すると、ジェフは歓喜の呻き声を上げた。やがてジェフがトレイシーの

上になると、二つの体がまた激しく波打ち始めた。今度は前よりも激しく、我慢できないほどの悦びに、堰を切った洪水のような爆発が訪れた。トレイシーの頭の中はささやいていた。

〈これなのね、今わかった。初めての経験だわ。だけど、こんな悦びは、今夜だけのことにしておきましょう。別れの思い出に〉

一晩中、二人は愛しあい、隠すものなんて何もないほど自分をさらけだして語りあった。長い間堰き止められていた水門が開けられ、逆まく水流となってあふれ出たようだった。夜明けに、アルクマールの運河に朝日がキラキラと反射しだした頃、ジェフが言った。

「結婚してくれないか、トレイシー」

トレイシーは聞き違えたのかと自分の耳を疑ぐったが、同じ言葉がまたジェフの口から出た。しかし、トレイシーはまともに受け取れなかった。どう考えてもあり得ないことだ。二人の結婚などうまくいくはずがないではないか。楽しすぎて目が回ってしまう。でも、楽しければいいのだわ、もしかしたらうまくやれる、きっとうまく行くわ。

トレイシーは小さな声で返事した。

「ええ。いいわ！」

そう言うと、トレイシーは泣き出した。ジェフの力強い腕の中にしがみついて、泣きじゃくった。

〈もう、わたしはひとりぼっちじゃないんだ〉

トレイシーは思った。

〈わたしたちは二人ともひとりぼっちじゃないんだ。ジェフとわたしで明日を分かちあおう〉

明日という日が、トレイシーに訪れた瞬間であった。

しばらくたってから、トレイシーは尋ねた。

「いつなのよ、わたしのことをそう思ったのは、ジェフ？」

「隠れ家で見て、死ぬのかと思った時さ。ぼくは動転してしまった」

「わたしは、あなたがダイヤモンドを持って逃げ去ったとばかり思っていたわ」

トレイシーは告白した。

ジェフは彼女をまたも抱きしめた。

「トレイシー、ぼくがマドリッドでやったことは、金が目的じゃないんだよ。あれはゲームというか――つまり挑戦だったのさ。それが楽しくてこの仕事をやっているんじゃないのかい？　とても解けそうにない難問を与えられると、何とかして解決策を見つけるのが楽しいのだよな」

トレイシーはうなずいた。

「そうなのよね。最初はお金が欲しかったわ。ところがそのうちに、他のことが目的になったの。お金だったら、今まで随分あちこちに配ってきたわ。むしろ、自分の才知を金儲けだけに使って悪どい商売に成功している人間たちの、鼻を明かしてやりたかったのよ。断崖絶壁に立って生きるスリルって、本当に好きだわ」

長い沈黙の後でジェフが言った。

「トレイシー……この生活をやめるってのは、どう思う？」

彼女は面食らって彼を見た。

「やめるって？　なぜ？」

「ぼくらはお互いに独りで生きてきたよね。だけど今、状況は変わったんだ。もうきみの身の上に何も起こってほしくないんだよ。これ以上、危険を冒す必要はないんじゃないか？　これから一生使いきれないくらいお金はあるし。二人して引き際を考えようじゃないかい？」

「じゃ、何をやるっていうの、ジェフ？」

ジェフはにっこり笑った。

「これから考えればいいよ」

「真面目な話なのよ、あなた。これからの人生をどうやって過ごすのよ？」

「好きなことをやればいいじゃないか。旅行してもいいし、趣味にふけったってかまわない。ぼくはかねがね考古学に魅せられていたんだ。チュニジアへ行って発掘をしてみたい。昔の友達に約束したことでもあるんでね。自分で負担できるくらいの発掘費用は持っているし。世界の隅々まで旅行しようじゃないか」

「面白そう」

「それじゃあ、引退についてのきみの返事を聞こう」

トレイシーはしばしジェフを見つめていた。

「それがあなたのお望みなら、そのとおりにするわ」

トレイシーは優しく答えた。

ジェフは彼女を抱きしめながら、笑い出した。

「警察に引退の正式通知を出そうかな？」

トレイシーもそのジョークにつられて笑い出した。


オランダの教会はどこも、クーパーがこれまで祈りを捧げたいかなる教会よりも古かった。あるものはその昔、異教徒によって建てられたもので、クーパーにしてみれば、時として悪魔に祈っているのか、神に祈っているのかわからなくなってしまうほどだった。古いビギュイン・コート教会、聖バボカーク、ピエターースカーク、そしてニューカークの教会で、クーパーは頭を垂れて祈り続けた。どこでも祈る言葉はただ一つであった。

「わたしが受けている苦しみを、あの女にもお与えください」


翌日、ジェフの留守中に、グンター・ハートックから電話がかかってきた。

「やあ、ご機嫌いかがかな？」

グンターは尋ねた。

「とってもご機嫌よ」

トレイシーは爽快に返事した。

グンターはトレイシーが病気してからというもの、毎日のように電話してきていた。トレイシーはジェフと自分のことを、まだグンターには話していなかった。今は自分の胸にしまっておいて、こっそり取り出してはひとりで喜び、大切にしておきたかったのだ。

「ジェフとはうまくいってるのかい？」

トレイシーは思わずニンマリとなった。

「とてもうまくいってるわよ」

「また二人で組んで仕事をするかい？」

ここまで尋ねられたら、もう話さなければいけないだろう。

「グンター……わたしたち……そのう……やめ……やめるつもりなの」

一瞬の沈黙があった。

「どういうことかね？」

「ジェフとわたしはね——昔のジェームス・キャグニーの映画でよく言ってたじゃないの——まっとうに生きるんだ、ってね」

「何だって？　だけど……また、どうして？」

「ジェフが言い出したの。もちろん、わたしも同意したんですけどね。もう、危険は冒したくないのよ」

「これから話そうとしている仕事は二百万ドルの報酬があって、危険などないと言ったらどうする

かい？」

「からかってるつもり、グンター？」

「真面目な話なんだよ。まず、アムステルダムに出るんだ。きみが今いるところから一時間の距離だよ。それで――」

「誰か他の人に頼むことね」

グンターはため息をついた。

「これをやるには他の者じゃ駄目なんだよ。少なくともジェフと相談だけでもしてくれないかい？」

「いいわよ。だけど可能性はうすいはずよ」

「夜また電話を入れるよ」

ジェフが外出から戻ってくると、トレイシーはグンターとの会話を報告した。

「彼に言えばよかったのに。ぼくたちは法を守る市民になったってことをね」

「ちゃんと言ったわよ。他の人に頼むようにってね」

「それで、他の人には頼みたくないって言ってるんだろう」

ジェフが推測した。

「グンターは、わたしたちでなきゃ駄目だって言ってるの。危険はほとんどない仕事だし、ほんのちょっとの骨折りで二百万ドルの報酬が得られるんですって」

「彼の言う、ほんのちょっとの骨折りってのがクセモノなんだよ」

「プラド美術館みたいにね」

トレイシーがいたずらっぽく言った。

ジェフもにやりと笑った。

「あの計画は抜群だったよ。ぼくがきみに惚れたのは、あの時なんだよ」

「わたしがあなたを憎み始めたのも、ちょうどあの時よ」

「いや、本当は違うね」

ジェフが訂正した。

「もっと前から、ぼくのことを嫌っていたはずだ」

「それよりも、どうする？　グンターには何て返事するの？」

「すでに断ったじゃないか。もう我々はその稼業から足を洗ったんだよ」

「せめて彼の計画だけでも聞いてあげない？」

「トレイシー、ぼくらはもう決めたじゃないか――」

「いずれにしてもわたしたち、アムステルダムへ出るんだし」

「それはそうだけど――」

「あそこにいる間、グンターの計画だけでも聞いてみましょうよ？」

ジェフは疑わしそうにトレイシーを見つめた。

「だけどまさか、引き受けるんじゃないだろうね？」

「それはないわよ！　ただ、彼がどんな計画を立てているか、聞くだけでも損はないでしょ……」

二人は翌日、アムステルダムまでドライブし、アムステル・ホテルにチェックインした。グンター・ハートックも、二人に会いにロンドンから飛んできた。

三人は普通の旅行者のふりをして、アムステルダム川を巡航しているプラス・モーター・ランチに乗り、そ知らぬ顔で隣り合わせに席を取った。

「きみたち二人の結婚の話を聞いて本当に嬉しいよ」

グンターは祝福した。

「心からおめでとうと言わせてくれ」

「喜んでくれてありがとう、グンター」

トレイシーにはグンターが本心から祝福してくれていることがわかった。

「きみたちが引退したい気持ちは尊重するよ。だけど、めったにないいい仕事があったもんでね、きみたちに連絡だけでもしておきたくてね。最後の仕事にふさわしいデカい稼ぎができると思うよ」

「聞いているわよ」

グンターは上半身を前かがみにして、声を潜めて話し始めた。話し終えると彼は言った。

「うまくせしめられたら二百万ドルの報酬だよ」

「不可能だね」

ジェフはきっぱりと断った。

「トレイシーも同じ――」

だが、トレイシーはジェフの言葉を聞いていなかった。どういうふうにすれば首尾よくなし遂げられるか、彼女の頭はすでに回転し始めていた。

アムステルダムの警察本部は、マーニックス通りとエラングラフト通りに面している。茶色のれんが造りの古く美麗な五階建てで、一階には白塗りの長い廊下があり、大理石の階段が上の階へと導いている。二階の会議室では、国家警察の集会が行われていた。会議室にいたのはオランダ人の刑事が六名。それに一人だけ外国人が加わっていた。ダニエル・クーパーである。

ヨップ・ファン・デュレン警部は巨人で、いかつい顔に口髭をはやし、われ鐘のような低音で喋ったので、実物よりもさらにごつく見えた。警部はツーン・ウィリエム警視総監に話しかけていた。総監は中肉中背で、いかにも有能そうだ。

「トレイシー・ホイットニーなる女は、今朝、このアムステルダムに着きました、総監。インターポールでは、彼女がデビアスのダイヤモンド盗難事件に関与していると睨んでいます。ここにおいでのクーパー氏は、彼女はわがオランダに別の事件をやらかそうとして来ている、とそうおっしゃってます」

ウィリエム警視総監はクーパーを見やった。

「どんな確証をお持ちですかな、ミスター・クーパー?」

ダニエル・クーパーには確証なんて必要なかった。トレイシー・ホイットニーのことなら、身の内も外も知っているつもりだった。決まりきったことじゃないか。トレイシーは、ここに雁首をそろえているマヌケ刑事どもの貧弱な想像力などでは及びもつかないほどの、悪質な犯罪をやらかすために来ているのだ。クーパーは高まる気分を抑えて冷静に言った。

「確証などありません。だから現行犯で捕まえるのです」

「だが、どうやればおっしゃるとおりにできるんですかな?」

「あの女から我々が片時も目をそらさないことですよ」

総監はクーパーが言った「我々」という代名詞が、妙に気になった。パリでトリニョン警部から、クーパーのことを聞いていたのだ。

『不愉快きわまりない男ですよ。だけど仕事はできます。もしわれわれがクーパーの意見に耳を傾けていたら、ホイットニーなる女を現行犯で逮捕していたでしょう』

トリニョン警部の告白は、今しがたクーパーが言ったことを裏付けている。

ツーン・ウィリエム警視総監は決定を下した。それは、デビアスのダイヤモンドハイジャック事件におけるフランス警察の失態が、世間にあまねく知れ渡っているという事実を念頭においてなした決定である。フランス警察は失敗したが、オランダ警察は成功するのだ。

「よろしい」

総監は言った。

「もしそのご婦人が、わが警察の能力をためしにオランダにやって来たというのなら、お手並みを

拝見しようではないか」

総監はデュレン警部に命令した。

「きみが必要と思うだけ動員して、捜査に当たりたまえ」


アムステルダム市は六つの警察管区に分かれ、各々の警察は自分たちの区域だけを管轄している。ヨップ・ファン・デュレン警部の指令で、その境界線は取り払われた。分署の異なる刑事たちの混成チームが組まれ、監視体勢がしかれた。

「一日二十四時間、彼女を見張れ。決して目を離すな」

ヨップ・ファン・デュレン警部は、ダニエル・クーパーを向いて言った。

「これでどうです、クーパーさん。ご満足ですかな?」

「あの女を捕まえるまでは、満足なんてとんでもない」

「捕まえますよ」

警部は自信にあふれていた。

「おわかりでしょう、クーパーさん。わが国の警察は世界一優秀だと誇りを持っておるんですぞ」


アムステルダムは旅行者にとって天国みたいな街である。風車小屋もあればダムもあり、傾きか

けた切妻の家々が隣同士おかしく支え合いながら、何列も連なっている。きれいな並木で飾られた運河には、個人所有の小さなボートがたくさん浮かび、このボートがまたゼラニウムの花やいろいろな植物でかわいらしく飾られ、船上に干された洗濯物が風に吹かれて旗のようにたなびいている。トレイシーは自分の知る限り、オランダ人が世界一親しみやすい人たちだと思った。

「みんな幸せそうね」

トレイシーが言った。

「それもそうよね。ここの人たちは花好き人種の元祖なんだから。チューリップのね」

トレイシーは楽しそうに笑い、ジェフの腕をとった。彼と一緒だと幸福だった。

〈最高の男性だわ〉

ジェフもトレイシーを見て思っていた。

〈ぼくは世界で最も幸運な男だな〉

トレイシーとジェフは、一般旅行者の観光コースを見て回った。アルベルト・キュイプ通りをぶらついて、青空市場を見物した。骨董品に果物、野菜、花、服などの出店が、幾区画にも渡って続いている。ダム広場をぶらつくと、そこには若者たちが集まり、旅回り一座の歌やパンクバンドの演奏に耳を傾けていた。

まるで絵のように美しい漁村のフォレンダムまで足を伸ばしたり、南ホーランド州まで出かけて、オランダ各地の名所を二十五分の一に縮小して再現したおとぎの町マドロダムを見物した。飛行機の発着が頻繁なスキポール国際空港のそばをドライブしながら、ジェフが言った。

「そんな昔のことではないんだけれど、この空港があるあたりは北海だったんだよ。スキポールっていうのは、船の墓場って意味なのさ」

トレイシーはジェフにぴったりと寄りそった。

「この人は知らないふりをして、何でも知っているんだから」

「驚いちゃいけないよ。オランダの二十五パーセントは埋め立てによって得られた土地なんだ。この国全体が、海面よりおよそ五メートル低いんだぜ」

「不気味だわね」

「心配はいらないよ。例の少年が堤防に指を突っ込んでいる限り、われわれは安全さ」

トレイシーとジェフが行くところはどこでも国家警察が尾行し、ダニエル・クーパーはデュレン警部に提出された報告書に、毎晩じっくりと目を通した。とりたてて注意を払うような行動はしていなかったが、クーパーの疑念は消えなかった。

〈何かを企んでいるのだ。何かどデカいことを。あの女は尾行されていることに気がついているのだろうか？　おれがやっつけようと狙っていることがわかっているのだろうか？〉

監視チームの刑事たちが見る限りでは、トレイシー・ホイットニーとジェフ・スチーブンスはただの観光客だった。

デュレン警部がクーパーに言った。

「あなたの思い違いってことはないですかな？　わが国にただ遊びに来たと、そのようには考えられませんかな？」

「そんなバカな!」

クーパーは頑固に否定した。

「間違いはない。監視を続行するんです」

トレイシー・ホイットニーが早く行動を起こさないと、またもや警察の監視体勢が解除されるのではないか、クーパーはそんな不吉な予感に悩まされた。監視を解いちゃならないのだ。いてもたってもいられなくなったクーパーは、自ら監視チームに合流した。


トレイシーとジェフは、アムステル・ホテルで隣同士の部屋に泊まっていた。

「このほうが世間体からいって、何かといいだろう」

ジェフはトレイシーに言った。

「かといって、ぼくはきみを離しやしないよ」

「約束ね」

夜毎、ジェフはトレイシーの部屋にいて、愛に疲れると明け方に自分の部屋に戻った。ジェフは夜のお相手としても変幻自在ぶりを発揮して、トレイシーを悦ばせた。優しく思いやりを込めて接するかと思えば、荒々しく激しく燃えた。

「今まで知らなかったわ」

トレイシーはささやき声で告白した。

「男の人にわかるかしら、この悦び。みんなあなたが教えてくれたのよ」

二人は行きあたりばったりに街を散策した。ヨーロッパ・ホテルのレストラン《エクセルシア》で昼食をとり、《バウエデリー》で夕食を味わった。インドネシア料理店の《バリ》で二十二品出てくる豪華なコースを食べもした。

オランダの赤線地帯である〝飾り窓〟も歩いてみた。キモノを着た肉太りの売春婦たちが、自らの商品をたっぷりさらけ出しながら、道路わきの窓ガラスの中に鎮座していた。

ヨップ・ファン・デュレン警部に提出される報告書の結び文句には、毎晩同じ言葉が書いてあった。

『不審な挙動は認められず』

〈我慢だ〉

ダニエル・クーパーは自分に言い聞かせた。

〈ひたすら耐えて待つんだ〉

クーパーにせき立てられて、デュレン警部は、ウィリエム総監に盗聴装置の取りつけ許可を願い出た。二人の容疑者のホテルの部屋に仕掛けようとしたのだ。申請は却下された。

「疑惑に関して何か立証するものがないことにはな」

総監は言った。

「具体的な証拠を持ってこい。それまでは盗聴を許可できない。ただオランダを旅行中というのでは罪にはできんのだよ」

警部と総監のそういう会話がなされたのは、金曜日であった。週が変わって月曜日の朝、トレイシーとジェフは、アムステルダムのダイヤモンドセンターがあるポーラス・ポッテル通りに出向いた。オランダのダイヤモンド研磨工場を見学するためである。ダニエル・クーパーは監視チームの一員に加わって尾行した。

ダイヤモンド研磨工場は、観光客で賑わっていた。英語のできるガイドが観光客を率いて工場を回り、研磨工程のそれぞれの作業を説明した。そして最後に、大きな陳列室に観光客の一団を案内した。そこは壁全体がショーケースになっていて、販売用のダイヤモンドがぎっしり並べてある。旅行客に研磨工場を見物させる究極の理由は、この部屋に案内して、ダイヤモンドを買わせることにあった。

部屋の中央には、演出効果満点のガラスケースが黒く高い台座にすえつけられ、その中に、ため息のもれそうな見事なダイヤモンドが飾ってある。

ガイドが誇らしげに説明を始めた。

「さて、ここにおいでの皆さん。おそらく皆さんも何かの記事でお読みになったことがあると存じますが、これがあの有名なルカラン・ダイヤモンドでございます。これは一度、さる舞台俳優に買い求められ、彼の妻の有名な映画スターに与えられたことのあるダイヤモンドであります。今の価格ですと一千万ドルは下りますまい。完璧な宝石ですので、世界で最も価値の高いダイヤモンドと

申しても過言ではありません」

「宝石泥棒の恰好の標的になるだろうなあ」

ジェフが大声で言った。

言葉を明瞭に聞き取ろうと、ダニエル・クーパーは前へ移動した。

ガイドはにっこりと微笑んだ。

「いいえ、あり得ないことですよ」

彼は陳列品のそばに立っている武装した警備員を向いてうなずいた。

「このダイヤモンドは、ロンドン塔の宝石よりも厳重に護衛されています。まったく安全なのです。あのガラスケースに誰かが触れただけで警報器が鳴り響き、この部屋の窓とドアのすべてが閉じられます。夜には電波が作動し、何者かが部屋に侵入すると、警察本部で警報が鳴り響く仕掛けになっています」

ジェフはトレイシーを振り向いて言った。

「それじゃあ、あのダイヤモンドは誰も盗めやしないよ」

クーパーは監視チームの刑事の一人と顔を見合わせた。ダイヤモンド研磨工場での二人の会話は、その日の午後のうちにデュレン警部に報告された。


翌日、トレイシーとジェフは国立美術館を訪れた。入口でジェフはプログラムを買い、トレイシ

ーと二人でメイン・ホールをぬけ、名誉の間へと入っていった。そこには、フラ・アンジェリコ、ムリリョ、ルーベンス、バン・ダイク、ティエポロらの作品が陳列してあった。二人はそれぞれの絵の前でしばし立ち止まってじっと見つめ、ゆっくりと進んでいった。やがて、レンブラントの最も有名な作品『夜警』が陳列してある部屋に入った。そしてその部屋にしばらく留まった。二人を尾行していた美人の一級刑事フィエン・ハウワーも、思わずつぶやいた。

〈何て素晴らしい!〉

その絵の正式な題名は『フランス・バニング・コック隊長とウィレム・ファン・ライテンブルフ副隊長の自警隊』である。カラフルな軍服姿の隊長の命令で、監視に赴こうとする兵士たちの一団を奔放な筆致と構図で描いた、見事な作品である。絵画の周囲にはビロードのロープが張られ、警備員が立っていた。

「信じられないことだが」

ジェフがトレイシーに言った。

「レンブラントはこの絵のお陰で、とんだ貧乏クジを引いたんだそうだよ」

「だけど、どうして? 素晴らしい作品じゃないの」

「彼のパトロンが——この絵の中の隊長なんだがね——レンブラントが他の登場人物まで熱心に描いたもんだから、ヘソを曲げてしまったんだとさ」

ジェフは警備員のほうを見て言った。

「この絵は厳重に警備してほしいですね」

「はい、ご心配には及びません。この美術館から盗もうったって、電波と防犯カメラですぐ見つかるし、夜中には二人の警備員が犬を連れて巡回していますから」

ジェフは即座に笑顔を返して言った。

「するとこの絵は、未来永劫ここに掛かっているわけだ」

以上のやりとりが、その日の夕方、デュレン警部に報告された。

「何！　今度はレンブラントの『夜警』を狙ってるだと！」

警部は思わず怒鳴った。

「バカをぬかせ。盗れるはずがない！」

ダニエル・クーパーは大きく見開いたド近眼をパチクリさせて、この巨人警部を見つめるだけであった。


アムステルダム国際会議場で切手蒐集家たちの会合が開かれたので、トレイシーとジェフはまっ先に会場に駆けつけた。展示されている切手は値打ちものばかりだったので、会場は厳重に警備されていた。クーパーとオランダ人の刑事は、二人の旅行者がめずらしい切手を見て回るのをしっかりと監視していた。トレイシーとジェフは、ガイアナの切手の前で立ち止まった。それは不気味な赤紫色をした六角形の切手だった。

「なんて気味の悪い切手かしら」

トレイシーが思わず言った。

「そんな悪口を言うなって。この種類では世界にたった一枚しかない切手なんだよ」

「どれくらいの価値があるの？」

「百万ドルってとこかな」

切手番をしていた人がうなずいた。

「おっしゃるとおりです。ほとんどの人は、これをただ見るだけで、何もわかっちゃいないんですよ。だけど、お客さんは違いますね。わたしと同じように、この切手の価値がおわかりになる。世界の歴史が、この中に詰められているんですよ」

トレイシーとジェフは次のショーケースに移動して『逆さのジェニー』という切手に見入った。それは飛行機がひっくり返って飛んでいる図案だ。

「これは面白い切手ね」

トレイシーは楽しげに言った。

そこの切手ケースの番人は説明しだした。

「この切手の値打ちは――」

「七万五千ドルは下るまいね」

ジェフがその後を引き継ぐと、店番はうれしそうに答えた。

「ご名答」

二人は青い二セント切手の『ハワイの宣教師』に移動した。

「これは二十五万ドルはするよ」

ジェフがトレイシーに教えた。

クーパーは人混みにまぎれ込んで、二人のすぐ後ろにいた。

ジェフが別の切手を指差した。

「これもめずらしいものだよ。モーリシャス郵便局の一ペンス切手だ。ぼけっとした製版工が〝郵料払い済み〟とすべきところを〝郵便局〟と彫り込んでしまったんだ。むろん、今ではすごい価値があるよ」

「でも切手って、みんな小さくてもろそうね」

トレイシーは言った。

「それに持ち出すのもたやすそう」

カウンターにいた警備員はにんまり笑った。

「泥棒は遠くまでは逃げられませんよ、お嬢さん。ここの陳列ケースには電流が通されていましてね、おまけにこの会場の外では武装した警備員が昼夜を問わずパトロールしていますから」

「それを聞いて安心した」

ジェフが感心したように言った。

「最近は、用心にも用心を重ねたほうがいいからね、そうでしょう?」

その日の午後、ダニエル・クーパーとヨップ・ファン・デュレン警部は、連れ立ってウィリエム警視総監に面会を求めた。デュレン警部は総監の机に監視報告書を置いて、総監の言葉を待った。

「これには明確なことは何も書いてないな」

読み終えると、総監は言った。

「とはいえ、やっこさんたちを怪しいと睨んでいるきみたちの疑惑の根拠は認めるよ。よし、わかった。警部、やりたまえ。二人のホテルに盗聴装置を設置するのを許可しよう」

ダニエル・クーパーは喜び勇んだ。もはやトレイシー・ホイットニーにはプライバシーがない。この時点から、トレイシーの考え、話し、していることのすべてが筒ぬけになるのだ。

クーパーは、トレイシーとジェフが同じベッドにいる光景を想像し、トレイシーの下着に頰ずりした時のあの感触を、もう一度思い出してみた。とても柔らかく、何とも言えぬ香り。

その午後、クーパーはまた教会に出向いた。


トレイシーとジェフが夕食をとりにホテルを後にすると、警察の工作班が作業に取りかかった。トレイシーとジェフのそれぞれの部屋に入り、額縁の後ろ、ランプの中、サイドテーブルの裏に、小さなワイヤレス送信機を取りつけた。

ヨップ・ファン・デュレン警部は、すぐ上の階の部屋を徴用し、そこに工作班がアンテナ付きのラジオ受信機を据え付け、録音機のコードを電源に差し込んだ。

「この装置は、声の感知で作動します」

工作員は説明を加えた。

「ここで傍受する必要はありません。誰かが声を発すると、自動的に録音を始めますからね」

だがダニエル・クーパーは、そこに潜んで傍受したかった。いや、そこにいなくてはいけない。

それが神のご意志に従うことになるのだ。

第三十三章

盗聴器を取りつけた翌朝早く、ダニエル・クーパーとヨップ・ファン・デュレン警部、それに若手のウィットカンプ刑事の三人は、上の階から下の部屋での会話に耳を傾けていた。

『コーヒーをもう一杯飲む？』

ジェフの声だ。

『もういらないわ、ダーリン』

トレイシーの声だ。

『このチーズを食べてみて。ルームサービスが持ってきたものだけど、とってもおいしいわよ』

しばしの沈黙。

『う～ん。こいつはうまい。さてと、今日はどこへ行きたい、トレイシー？　ロッテルダムまでド

『ライブしようか』

『今日はホテルにいて、くつろぎましょうよ』

ダニエル・クーパーは二人が合意した「くつろぎ」の意味を察して、口をぎゅっと結んだ。

『それもいいね』

『女王が新しい孤児院をお建てになるんだよ』

『ステキじゃない。わたし、オランダ人って世界でいちばん温かくて、おおらかな人たちだと思うわ。ルールで縛らないし、何かと禁止事項も作らないしね』

『賛成。だからオランダ人って大好きさ』

笑い声。

恋人同士なら誰でも交わす、ありきたりの朝の会話だった。

〈やつらはお互い、あんなに打ち解けていやがる〉

クーパーは思った。

〈だがな、トレイシーにはこの償いもさせてやるぞ〉

『温かくおおらかな人と言えばね』

ジェフの声——。

『このホテルに誰が泊まっていると思う？　あの逃げ足の早いマキシミリアン・ピアポントの旦那だよ。ぼくはやつを、クイーン・エリザベス二世号で追っかけそこなった』

『わたしもオリエント急行で会いそこなっちゃったわ』

『やつはここで次に獲物になる会社を狙っているんだろうな。せっかくやつを見つけたことだからさ、トレイシー、ぼくらはやつをどうにかすべきだよ。千載一遇のチャンスとは、まさにこのことだぜ……』

トレイシーの笑い声。

『ダーリン、大賛成よ』

『ぼくの知るところでは、われらがピアポント氏は、とほうもない高価な工芸品を持ち歩く習慣なんだ。そこでぼくの考えだが――』

別の女の声がした。

『おはようございます。お部屋の掃除をいたしましょうか？』

デュレン警部はウィットカンプ刑事のほうを向いた。

「マキシミリアン・ピアポントにも監視チームを振り分けろ。ホイットニーかスチーブンスが、彼と接触をはかる瞬間を見届けるんだ」

デュレン警部は、ツーン・ウィリエム警視総監に報告中だった。

「やつらの狙いはいろいろあるようですが、本命はまだどれとも特定できません、総監。マキシミリアン・ピアポントというアメリカ人の大金持ちに関心を示したり、切手蒐集家の会合に顔を出したり、ダイヤモンド研磨工場を訪れてルカラン・ダイヤモンドを見学したり、『夜警』を二時間も鑑

賞していたり……」

「何っ、あの『夜警』に目をつけただと？　バカな！　そいつは不可能だよ！」

警視総監は椅子に深々と身を沈め、自分はいたずらに貴重な人員と時間を浪費しているだけではないのか、と思い悩んだ。確たる事実は何ひとつなく、すべては推測ばっかりなのだ。

「ということは、あの二人が何を狙っているのか、いまだにつかめてないってわけなんだな？」

「おっしゃるとおりです、総監。やつらもまだどれにするか決めていないのではないでしょうか。ですが、決めた瞬間に、我々にもわかる仕組みになっています」

ウィリエム総監は眉をひそめた。

「わかる、だと？」

「盗聴装置ですよ」

デュレン警部は説明した。

「やつらは盗聴されているってことを知りませんから」

次の朝の九時に、警察は情報収集に成功した。トレイシーとジェフは、トレイシーの部屋で朝食をとり終えるところであった。すぐ上の部屋には、ダニエル・クーパーとヨップ・ファン・デュレン警部、それにウィットカンプ刑事が陣取っていた。コーヒーを注ぐ音が盗聴装置を通して聞こえてきた。

『ほら、面白い記事が載っているよ、トレイシー。わが友マキシミリアン・ピアポントはやってくれたよ。いいかい、読むよ。〝アムロ銀行は五百万ドルの金塊を、西インド諸島まで船で運ぶ予定である〟』

上の階にいたウィットカンプ刑事が、思わず言った。

「あれを盗むって？　無理な相談だね――」

「シーッ！」

三人は熱心に聞き耳を立てた。

『五百万ドル分の金塊ってどれくらいの重さなの？』

トレイシーの声だ。

『正確に言うとね、マイ・ダーリン。千六百七十二ポンドだ。延べ棒にして約六十七本ってところかな。金の素晴らしい点はね、どの延べ棒も、徹底的に同じに見えることなんだよ。それに溶かしてしまえばまったくわからなくなる。とは言ったものの、金塊をオランダから国外に持ち出すのは簡単な仕事ではないけれどね』

『持ち出せるとしても、まず手に入れる方法はどうするの？　銀行へふらふらと入っていって手づかみしてくるの？』

『まあ、ざっとそんなところだね』

『冗談はよしてよ』

『大金がかかっているんだ。冗談を言っている余裕はないよ。まずはアムロ銀行の周りをちょっと

うろついて偵察してみようよ、トレイシー』

『どうやるつもりなのか、あなたの考えを教えてちょうだい?』

『行きながら教えてあげるよ』

ドアの閉まる音がして、声はやんだ。

デュレン警部は盛んに口髭をひねっていた。

「バカな! あの金塊に手をつけられるわけがない。わたしが自ら出向いて、あれの警備の手配を承認したんだからな」

ダニエル・クーパーはそんな言葉など無視したように言った。

「銀行の警備装置に一ヵ所でも難点があれば、トレイシー・ホイットニーなら必ず嗅ぎつけますよ」

デュレン警部は毛が逆立つほどの癇癪を必死にこらえていた。この不気味な容貌のアメリカ人めに関しては、最初から虫が好かなかった。警部の先天的優越感が、クーパーのようなタイプの男を受け入れないのである。とはいえ、デュレン警部はとにもかくにも警察官なのである。しかも、この不気味な小男に協力するようにとの命令を受けているのだ。

警部はウィットカンプ刑事のほうを向いた。

「監視チームの人数を増やせ。すぐ手配しろ。やつらが接触した相手の写真を撮り、必ず聞き込みをしろ。わかったか?」

「了解しました、警部。ただちに!」

「くれぐれも目立たぬようにやれよ。こちらが見張っているのを、やっこさんたちに知られてはま

ずいからな」

「了解しました、警部」

デュレン警部はクーパーのほうを向いた。

「どうですか。これであんたも、少しは気分がおさまりましたかな？」

クーパーは返答もしなかった。


それからの五日間、トレイシーとジェフはデュレン警部の部下たちを引きずり回し、ダニエル・クーパーは毎日の報告書を仔細に検討した。夜になって、盗聴室から刑事たちが退散しても、クーパーだけは何のかんのと言って居残った。そして、階下で繰り広げられているに違いない愛のうごめきに、耳をそば立てた。実際には何にも聞こえなくても、クーパーの心には、トレイシーのもらすため息が感じとれる。

『ああ、ステキよ、ダーリン。ああ、どうしましょう、もう我慢できない……素晴らしいわ。……ああ、もう駄目……』

感極まった叫び声の後には、悩ましいため息がしばらく続き、その後には音楽のような静寂が訪れる……。クーパーの空想の喜びも、そこで終わるのである。

〈もうしばらくしたら、おまえはおれのものになるのだ〉

クーパーは思った。

〈もう、誰にもおまえを渡しはしないぞ〉

昼間、トレイシーとジェフは別々に行動し、それぞれに尾行がついた。ジェフが歓楽街で有名なリーダスプレイン広場のそばの印刷屋に入り、そこの主人と熱心に話し込んでいるのを、尾行した二人の刑事は通りから監視していた。ジェフが店を後にすると、刑事の一人が尾行を始め、もう一人の刑事は印刷屋に飛び込むと、店の主人に自分の身分証明書を示した。写真に国のスタンプ、赤白青の横線、プラスチックコーティングのされた、オランダ人なら誰でも知っている警察官の身分証明書だ。

「今しがたここを出ていった男のことなんだけど。やつは何を注文したのかね?」

「名刺を使い果たしちまったんですよ。ですから、それの印刷を頼みに見えたんですがね」

「見せてくれんかね?」

印刷屋は手書きの見本を刑事に示した。

アムステルダム保安サービス

主任調査員コーネリアス・ウイルソン

その次の日、一級警官で美人のフィエン・ハウワーは、リーダスプレイン広場に面したペットショップからトレイシーが出てくるのを待っていた。彼女は十五分ほどで出てきたので、フィエン・ハウワーは入れ換わるように店に飛び込み、身分証を提示した。

「今しがた出ていったご婦人は、どんな用件だったんですか？」

「金魚を一鉢とボタンインコを二羽、カナリヤと鳩を一羽ずつお求めになりましたよ」

妙な取り合わせであった。

「鳩、って言いましたよね？　普通の鳩のことですか？」

「ええ。だけど鳩は、ペットショップでは扱わないものなんです。ですので、取り寄せますと最前のお客さんには言ったんですけど」

「そのペットはどこへ届けるんですか？」

「ホテルですよ。彼女がお泊まりのアムステル・ホテルまでです」

町の反対側では、ジェフがアムロ銀行の副頭取と話をしていた。副頭取の私室で三十分ほどの用談を終え、ジェフが銀行を後にすると、すかさず一人の刑事がマネージャーの部屋を訪ねた。

「今までいた男のことをお聞きしたいのですが。彼は何をしにここに来たんですか？」

「ウイルソンさんのことですかな？　わたくしどもの銀行が使っておる保安会社の主任調査員ですよ。保安システムの変更の打ち合わせに見えたんです」

「ということは、あなた方は現行の保安システムについてもいろいろと話し合ったのですね？」

「ええ、まあ。当然そうですよ」

「それではあなたは、こと細かにやっこさんに話して聞かせたんですか？」

「もちろんですよ。ですが当然のように用心はしましたよ。彼の信任状が正当なものであるかどうかを電話で確認しましたからな」

「どなたにお電話なさったのですか？」

「保安会社ですよ——ほら、彼の身分証に印刷されていますから」

午後の三時、武装トラックがアムロ銀行の外に止まった。通りをへだてた地点から、ジェフがそのトラックをカメラに収めた。その数メートル離れたビルの入口から、ジェフの動作を刑事が写真に撮っていた。


エランズ通りにある警察本部で、デュレン警部はどんどん集まってくる証拠書類を、ツーン・ウィリエム警視総監の机の上に広げていた。

「これらの報告書が何を示唆しているというのかね？」

総監は乾いた細い声で尋ねた。

ダニエル・クーパーが切り出した。

「あの女の企みをわたしが話しましょう」

その口調は重々しく、確信に満ちていた。

「あの女は、金塊を輸送中にかっぱらうつもりなのです」

そこにいた全員の目がクーパーに注がれた。

ウィリエム総監が言った。

「するとあなたは、この女がどんな方法でその奇蹟をなし遂げようとしているのか、ご存知なので

すね、当然？」

「ええ、わたしにはわかっております」

クーパーは、オランダ警察にはわからなくても、自分だけはわかっているつもりであった。トレイシー・ホイットニーのことなら、心も魂も頭の中も知っているつもりでいた。彼はトレイシーの体に乗り移っていて、トレイシーの好み、トレイシーの計画、トレイシーの動きを嗅ぎつけようと今日まで努力してきたのだ。その成果を披露する時が来たのである。

「ニセの保安トラックを使い、本物より先に銀行に到着し、延べ棒をまんまと持ち運ぶって寸法ですよ」

総監は言った。

「確かかね、ミスター・クーパー」

デュレン警部が割り込んだ。

「計画がはっきりわかっているわけではありませんが、やつらが何かをやらかそうとしていることだけは確かです、総監。ここに二人の会話を録ったテープを持ってきました」

トレイシーとジェフの会話が再生されている間中、クーパーは勝手に空想を馳せ、夜のため息、叫び、うめきを聞いていた。色に狂った売女め。よし、どの男にもう二度と手の届かないところにおまえをぶち込んでやるぞ。

デュレン警部が話し続けている。

「やつらは銀行の保安体制の情報を仕入れています。武装トラックが何時に集配に来るか――」

机上に広げられた書類に目を通していた総監は言った。

「ボタンインコ、鳩、金魚、カナリヤ——何だね、これは？　こんなものが窃盗と関係があると、きみたちは思うのかね？」

「いいえ、思いません」

デュレン警部は答えた。

「思います」

クーパーは勢い込んで返事した。


フィエン・ハウワー一級婦人警官は、淡い青緑色のゆったりしたポリエステルの服を着て、トレイシー・ホイットニーを尾行していた。トレイシーがプリンゼン通りからマヘレ跳ね橋を渡り、運河の向こう側の公衆電話ボックスに入ったので、婦警は心の中で舌打ちした。だが、かりに彼女がその会話を聞いたとしても、何のことやらチンプンカンプンだっただろう。

ロンドンからグンター・ハートックが喋っていた。

「マーゴを使えるよ。だけど時間が必要だそうだ。少なくとも二週間はね」

しばらく聞き入ってから、彼は続けた。

「了解。すべての準備が整ったら、きみに連絡を入れよう。くれぐれも用心してくれよ。ジェフにもよろしく言っておいてくれ」

トレイシーは受話器を置くと公衆電話ボックスから出た。そうして外で順番待ちをしていた淡い青緑色の服の婦人にかすかに会釈した。

翌日の午前十一時に、一人の刑事がデュレン警部に報告していた。

「ウォルターズ・トラック・レンタル会社から電話しているところです、警部。ジェフ・スチーブンスがたった今、トラックを借りました」

「どんなトラックだね？」

「サービス・トラックです、警部」

「縦、横、高さなどの寸法を調べるんだ。このまま待っているからな」

数分後に刑事が電話口に戻ってきた。

「調べ終わりました。トラックは――」

デュレン警部がさえぎった。

「ステップバンだろう。長さ二十フィート、幅七フィート、高さ六フィート、二重アクセルのやつ、そうだろう？」

刑事は驚嘆して息を飲み込んだ。

「ええ、おっしゃるとおりです。どうしてわかるんですか？」

「そんなことより、色は何だ？」

「青です」

「スチーブンスは誰が尾行しているんだ？」

「ヤコブです」

「よし、戻ってきて報告したまえ」

ヨップ・ファン・デュレン警部は受話器を置いた。そうしてダニエル・クーパーを見上げた。

「あんたが言ったとおりだったよ。だけど、バンの色は青だそうだ」

「やつは次に、車を塗装屋に持っていくだろう」

塗装屋はダムラック通りのガレージにあった。ジェフが立って見ている前で、二人の男が黒光りする灰色をトラックに吹きかけていた。その光景をガレージの屋根にいた刑事が、天窓越しに写真に撮った。


その写真は、一時間後にはデュレン警部の机の上にあった。

警部はその写真をダニエル・クーパーの目の前に突き出した。

「本物の保安トラックと同じ色に塗っているところだ。これで逮捕できるな」

「何の容疑で？　ニセの名刺を作って、トラックに塗装したからかね？　容疑を決定的にするには、やつらが金塊を盗んだ現場を押さえる以外にないんだよ」

〈この男は、警察全体を動かしているつもりでいやがる〉

「それでは、やつらの次の行動は何だと予測するんだね？」

クーパーは仔細にその写真を調べていた。

「このトラックは金塊の重量に耐えられないな。今度は床板を補強するはずだ」


そこはムイデル通りから少し入り込んだ、はやらないガレージだった。

「おはようございます、旦那。何のご用で?」

「このトラックでクズ鉄を運びたいんだよ」

ジェフは説明した。

「ところが今のまんまじゃ、トラックの床板が重量に耐えられそうにないもんでね。金属のパイプか何かで補強してもらいたいんだよ。どうだね、できるかね?」

機械工はトラックをあちこちと点検した。

「ああ、お安いご用ですよ」

「ありがたい」

「できあがりは金曜日になりますね」

「明日までにやってもらいたかったんだがね」

「明日ですかい? 無理ですね。いくら何でも——」

「加工賃を倍額払うよ」

「木曜日なら何とかなるけど」

「明日までにやってくれよ。三倍分払うよ」

機械工は顎をぽりぽりかきながら思案した。

「明日の何時までですかい？」

「お昼でどうだ」

「よしきた、やりましょう」

「ありがとう。恩にきるよ」

ジェフがガレージを出ていって間もなく、刑事が機械工に質問していた。

その同じ朝、トレイシーを担当していた監視チームは、ウッド・シャンス運河方面へと彼女を尾行していった。トレイシーははしけの船主と三十分ほど話し込んでいた。彼女が立ち去ると、刑事の一人がはしけに乗り込んだ。刑事は、ご当地産の度の強いジンをひっかけてほろ酔い気分の船主に、身分証を見せると質問した。

「先刻のご婦人はどんな用事で見えたのかね？」

「ああ、旦那と二人で運河めぐりをしたいんだってよ。一週間ほどこの船を借り切りたいんだと」

「いつからかね？」

「金曜日からさ。うらやましいねえ、旦那。あんたもカミさんと一緒に良かったら――」

刑事の姿は消えていた。


トレイシーが注文していた鳩が、鳥かごに入れられてホテルまで届けられた。ダニエル・クーパ

ーはペットショップに引き返し、店主に質問した。

「どんな鳩を届けたんだね？」

「どんなって、普通のやつですよ」

「確かかね、伝書鳩じゃなかったかね？」

「いや」

店主はくすっと笑い声をもらした。

「伝書鳩であるはずがないですよ。その理由？　ほんとを言うと、昨夜、フォンデル公園であたしがこっそり捕まえた鳩だからですよ」

金の延べ棒が千ポンドに、一羽の鳩の組み合わせ？　何だ、こりゃ？　ダニエル・クーパーは考え込んでしまった。


アムロ銀行から延べ棒が移送される五日前、ヨップ・ファン・デュレン警部の机の上には、写真が山と積まれていた。

〈この写真の一枚一枚が、トレイシーを縛る鎖の輪なのだ〉

ダニエル・クーパーは思っていた。

オランダ警察の想像力に欠けるところは、クーパーの気に入らぬところであるが、その徹底した仕事ぶりは、彼といえども評価せざるをえなかった。やがて実行されるであろう犯罪に至るあらゆ

る行動が、写真に撮られ、書面にされている。どう見ても、トレイシー・ホイットニーの有罪は決まりだ。

〈彼女に課される罰は、わたくしへの救いでございます〉


新たに塗装されたトラックを受け取ると、ジェフはその車を、アムステルダムの旧市街ウッド・ジーズ・カークの近くに借りていた小さなガレージへ運転していった。六個の空の木箱も、そのガレージに運び込まれた。木箱には、「機械」と印字されている。

その木箱を撮った写真を机の上に置いて見つめながら、デュレン警部は録ったばかりのテープに耳を傾けていた。

ジェフの声だ。

『銀行から桟橋までトラックを運転する時は、制限速度を遵守するんだよ。どのくらいかかるか、正確な時間を知りたいんだ。ストップウォッチをあげるからね』

『あなたも一緒に来るんじゃないの、ダーリン?』

『いや、ぼくは行けないんだ。他にやることがあるからね』

『モンティはどうなってるの?』

『やつは木曜日の夜に着く手筈になってるよ』

デュレン警部は疑問を口にした。

「モンティって何者だ？」

「おそらく保安トラックの助手席に乗って、警備員のふりをするやつだろうよ」

クーパーが答えた。

「今度は警備員の制服を揃えるだろう」

ピエテル・コルネリッツ・ホーフト通りにあるショッピング・センターに、衣装店があった。

「仮装パーティに参加するんでね、制服が二着いるんだ」

ジェフは店員に説明した。

「ウインドーに飾ってあるのと同じやつを買いたいんだ」

一時間後、デュレン警部は警備員の制服の写真を見ながら、捜査員の説明を聞いていた。

「やつはその服を二着注文しました。店員には、木曜日に取りにくるって話したそうです」

二着目の制服の寸法は、ジェフよりはるかに大きいものであった。

警部は言った。

「これはモンティとかいう男用だな。察するに一九〇センチ、体重一〇〇キロというところだ。よし、インターポールのコンピュータに照会してもらおうじゃないか」

警部はダニエル・クーパーのほうを見てうなずいた。

「やつの身元が割れるかもしれんぞ」

ジェフが借りた個人ガレージでは、ジェフがトラックの屋根に上り、トレイシーは運転席に座って、ごそごそと作業をしていた。

「用意はいいかい？」

ジェフが合図した。

「そうれっ！」

トレイシーがダッシュボードのボタンを押した。するとトラックの両脇の帆布が一気にたれ下がった。『ハイネッケン・オランダ・ビール』と、広告文句が書いてあった。

「上出来だ！」

ジェフが歓声を上げた。


「ハイネッケンビールだと？　ふざけやがって」

デュレン警部は、自分の執務室に集まった刑事たちをぐるりと見回した。一連の引き伸ばし写真とメモが、部屋の壁いっぱいにピンでとめてある。

ダニエル・クーパーはその部屋の隅に座り、黙り込んでいた。クーパーにとって、この会合は時間の浪費でしかない。クーパーはずっと以前から、ここに至る筋書きは読めていたのだ。トレイシー・ホイットニーとジェフ・スチーブンスの二人は罠に入り込み、今まさに罠のふたが閉じられようとしている。部屋にいる刑事たちは高まる興奮に顔を紅潮させていたが、クーパーだけは醒めき

っていた。

「これですべて辻褄が合う」

デュレン警部が説明にかかった。

「容疑者たちは、本物の武装トラックが何時に銀行に着くかを知っている。そこでだ、やつらは保安上の理由からとか何とか言って、定刻より三十分早く到着するつもりなのだ。で、本物の移送トラックが銀行に着いた時には、やつらは姿をくらましているって寸法だろう」

警部は装甲を施したトラックの写真を指差した。

「やつらはこの外見で銀行から走り去るが、一区画も離れると脇道にそれ――」

そこで言葉を切り、ハイネッケンビールのたれ幕が下がった写真を指し示した。

「そのトラックは突如としてこの外見になるのだ」

後方にいた刑事のひとりが質問を発した。

「やつらはどのような手段で、金塊を国外へ運び出そうとしているんですか、警部？」

デュレン警部ははしけに乗っているトレイシーの写真を指差した。

「まずははしけに積み込む。わが国は運河と水路が縦横に交錯しておるので、それに紛れ込もうって作戦なのだ」

警部は、運河の脇を突っ走っているトラックを空から撮った写真を指し示した。

「銀行から栈橋までどれくらいの時間がかかるか、やつらが走行テストした時に撮ったんだよ。盗難が嗅ぎつけられる前に、金塊を船積みする時間はたっぷりあるってわけだ」

デュレン警部は壁に張ってある最後の写真、大きく引き伸ばした貨物船が写っているところまで歩み寄った。

「二日前、ジェフ・スチーブンスはオレスタ号に荷物積載を予約した。来週、ロッテルダムからやって来る貨物船だ。船荷は機械となっていて、行先は香港だ」

警部は再び刑事連中のほうに顔を向けた。

「さて、諸君。われわれとしてはだ、やつらの計画をちょっぴり変更してもらおうじゃないか。銀行からトラックに金の延べ棒を積み込むまでは、放っておくのだ」

警部はそこまで言うと、ダニエル・クーパーに視線を止めてにやりと笑った。

「現行犯だよ。この頭のいいお二人を、現行犯で押さえるんだ」


トレイシーを尾行していた一人の刑事は、彼女がアメリカンエクスプレスのオフィスに行き、中ぐらいの箱を受け取り、すぐにホテルへ戻ったのを一部始終見ていた。

「小包の中身は確認できていない」

デュレン警部はクーパーに話した。

「やつらがホテルから出かけるのを待って、両方の部屋を捜索したんだけどね、目新しいものは何も発見できなかったんだ」

インターポールのコンピュータは、体重一〇〇キロのモンティなる男の情報は何も検索できなかった。

木曜日の夜遅く、ダニエル・クーパー、デュレン警部、ウィットカンプ刑事の三人は、アムステル・ホテルの部屋に集まり、階下のトレイシーたちの会話に耳をそばだてていた。

ジェフの声だ。

『予定どおりに三十分前に銀行へ着ければ、金塊を積み込んでから雲隠れするまでの時間はたっぷりあるよ。本物の移送トラックが到着した時には、船積みも完了しているだろう』

トレイシーの声だ。

『トラックの整備点検はばっちりやってもらったし、ガソリンも満タンにしといたわ。万事OKよ』

ウィットカンプ刑事が思わず言った。

「抜け目ない連中だ。感心しますね」

「ところがみんな大ドジで終わるわけだ」

デュレン警部は素っ気なく言った。

ダニエル・クーパーはただ黙って聞いていた。

『トレイシー、これが終わったら、以前に話していた発掘に取りかかってみないかい？』

『チュニジアの遺跡のこと？　夢みたいだわ、ダーリン』

『決まりだね。そっちの準備をしなくっちゃ。これからはもう何もしなくていいんだ。ただくつろいで人生を楽しむだけだ』

デュレン警部は皮肉っぽく言った。

「たっぷりと二十年間、刑務所で人生を楽しむってわけか」

そう言うと立ち上がり、大きく伸びをした。

「さて、寝るとしようか。すべては明朝だ。今夜はみんなゆっくり寝ていいぞ」


ダニエル・クーパーは眠れなかった。トレイシーが警察に捕らえられ、手荒く扱われている姿を思い描いた。彼女の顔は恐怖で歪んでいる。陶酔にも似た興奮を覚えたクーパーは、浴室に駆け込み、熱いお湯を浴槽に張った。メガネをはずし、パジャマを脱ぎ、湯気を立てている浴槽に横たわった。クーパーの任務は終了しかかっている。かつて他の売女たちにも償いをさせたように、トレイシーにも償いをさせるのだ。明日の今頃は、自分は家路についていることだろう。

〈いやいや、家に帰るんじゃない〉

ダニエル・クーパーは自分の考えを正した。

〈アパートへ帰るんだ〉

クーパーにとって、家とは、かつて母親がこの世の中で誰よりも自分を愛してくれた、暖かく安

全な場所のことだった。

「おまえはわたしの生き甲斐だよ」

母は言った。

「おまえがいない生活なんて、とても考えられないよ」

クーパー家の父親は、ダニエルが四歳の時に蒸発した。最初、ダニエルはぼくのせいなのかなと思っていたが、母は、よそにできた女のせいだと説明してくれた。ダニエルは、母親を泣かせたそのよその女とやらを憎んだ。その女性に会ったことはなかったけれど、母親が売女って呼んでいたので、クーパーもその女を売女だと思っていた。後になって、ダニエルは父親を連れ去ってくれたそのよその女に感謝することになる。母が自分だけのものになったからだ。

ミネソタ州の冬は寒さが厳しかったので、母はダニエル少年が母親のベッドにもぐり込んでくるのを許していた。母の寝床は暖かく、何とも気持ち良かった。

「ぼく、いつか母さんと結婚するよ」

ダニエルは約束した。すると母は笑いながら少年の頭をなでてくれた。

ダニエル・クーパーは小学生の頃、いつもクラスで一番だった。母に自分を自慢してもらいたかったのである。

〈お利口なお坊ちゃんをお持ちでうらやましいですわ、クーパーさん〉

〈わかっておりますわ。うちの息子ほど聡明な子供はいませんもの〉

ダニエルが七歳になった頃、母は近所に住む大柄で毛深い男を、夕食に招くようになった。すると少年は病気になり、命が危ぶまれるほどの高熱を出して、一週間ほど寝込んだ。そこで母親はダニエルに、もう決して近所の人を食事には呼ばないわ、と誓ってくれた。

〈この世であなた以外は誰もいらないわ、ダニエル〉

ダニエルは世界一の幸福者だった。母親は世界で一番美しい女性なのだ。そこで母親が外出すると、ダニエル少年は母親の寝室に忍び込み、たんすの引き出しを開ける。母の下着を取り出して、その柔らかいものを自分の頬にこすりつける。頭がくらくらするほど魅惑的な香りだった。

ダニエル・クーパーは、アムステル・ホテルの温かい浴槽に浸かって、目を閉じた。すると母が殺されたあの惨劇の日のことが脳裏に甦ってきた。クーパーが十二歳の誕生日のことである。

その日、耳痛を理由に、クーパーは学校を早退した。実際には大したことではなかったのだが、痛いふりをすれば、母はベッドに寝かしつけてくれて、あれこれと世話をやいてくれるからだ。家に着いたダニエルは、母の寝室へと直行した。すると母は、素っ裸でベッドにいた。しかも一人ではなかった。隣の家の男と、とても口にできないような行為に及んでいたのだった。ダニエルが息を飲んで見つめる中、母は男の毛むくじゃらの胸から出っ張った腹へと唇を這わせていき、やがて股間でいきり立っている赤い巨大な武器へと到達した。それを見つめながら、母が猫撫で声で囁くのをダニエル少年は聞いてしまった。

「ああ、これはわたしの坊や、かわいい坊や！」

この言葉こそ、少年にとってこの上なく汚らわしいものだった。気分がむかついたダニエルは浴室へと走っていき、胃の中のものを全部吐き出した。次に、彼は服を脱いで体を洗った。どんな時でもこぎれいにしておくのよ、と口が酸っぱくなるほど言い聞かされてきた母の教えを守ったのだ。今では本当の耳痛がしていた。痛みでガンガンする鼓膜に、廊下のほうから声が響いてきた。

母の声だった。

「もう帰ったほうがいいわよ、ダーリン。わたし、シャワーを浴びて服を着なくちゃ。そろそろダニエルが学校から帰ってくるの。今日は息子のお誕生日なのよ。祝ってやるのよ。また明日ね、ダーリン」

玄関のドアの閉まる音がして、それから母親の浴室から水の流れる音が聞こえてきた。もうあの女はぼくの母なんかじゃない。よその男とベッドで汚らわしいことをする売女なのだ。あんなこと、ぼくとはしなかったじゃないか。

少年は母親がいる浴室へ入った。裸で浴槽に浸かっている女は、娼婦の笑みを浮かべている。気配に気づいた母親は、首を回して息子を見た。

「ダニエルじゃないの！　ダーリン、何を――？」

少年は重く大きな断ちバサミを手に持っていた。

「ダニエル――」

母親の口はピンク色の〝O〟の形に開かれ、少年の憤激の刃が乳房に突き刺さるまで声にはならなかった。ダニエルは母の絶叫に自分の怒りの声を唱和させた。

「売女め！　売女め！　売女め！」

息子と母親は惨劇のデュエットをし、やがては息子だけの声になった。

「売女め！……売女め！……売女め！……」

母の返り血をいっぱい浴びたダニエルは、その浴室のシャワーで、自分の体を皮膚がすりむけるまでこすって洗った。

〈母さんを殺したのは隣の男なんだ。そしてあいつが償いをするんだ〉

それから後のことは、この世のものでない透明さをもってなされる、奇妙なスローモーションとして思い出される。

ダニエルは大バサミの指紋を浴用タオルで拭き取り、それを浴槽へ投げ込んだ。ほうろうに当ったハサミはガチャンと鈍い音を立てた。服を着ると、警察に電話を入れた。警察の車が二台、カン高いサイレンを鳴らして到着し、刑事が乗り込んだ別の車もやって来た。ダニエルは刑事たちの質問に答えて、学校から早退したわけや、勝手口から隣人のフレッド・ジンマーが逃げていくのを見たことなどを話した。

隣人のフレッド・ジンマーは刑事たちの尋問に対し、ダニエルの母親の愛人であった事実は認めたものの、殺人に関しては否認した。ジンマーを有罪に追い込んだのは、ダニエル少年の法廷での証言だった。

『学校から家に帰った時、きみは隣人のフレッド・ジンマーが勝手口から逃げ出すのを見たんだね？』

『はい、そうです』

『はっきり彼とわかったのかね？』

『はい、そうです。ジンマーさんの手は血だらけでした』

『それからきみはどうしたのかね、ダニエル？』

『ぼく――ぼくはとっても怖くなりました。母の身に、何か恐ろしいことが起こったのではないかと思ったのです』

『それできみは家の中に入ったわけだね？』

『はい、そうです』

『それで、何があったのかね？』

『ぼくは大声で呼びました。〝お母さん！〟って。返事がなかったので、母の浴室に――』

ここまで言うと、少年は激しく泣き出したので、感情がおさまるまで、証言台から降ろさねばならないほどだった。

フレッド・ジンマーはそれから十三ヵ月後に処刑された。

ダニエル少年のほうは、テキサスにいる遠縁のマッティ叔母に引き取られることになった。それまで会ったこともない人である。マッティ叔母は厳格な女性で、敬虔なバプチスト教徒だった。正義感が強く、すべての罪人には地獄の業火が待っているという信念にあふれていた。愛も喜びも慈悲もない家で厳格に育てられることになったダニエルは、自分の罪の意識と、いつか下されるであろう天罰に脅えながら成長した。母を殺してからすぐ、ダニエルは視力が悪くなった。医者は精神

的なものから来る障害だと診断した。

「彼は何物かを見たくないのですな。意識して見ないようにしているのです」

医者はマッティ叔母に言った。

ダニエル少年のメガネのレンズは厚みを増していった。

十七歳になると、ダニエルはマッティ叔母とテキサスから永遠に逃げ出した。そしてヒッチハイクでニューヨークに出て、国際保険保護協会のメッセンジャーボーイに雇われた。三年もしないうちにそこの調査員に引き上げられ、やがて必要不可欠な人材となった。彼は昇給も待遇改善もまったく口にしなかった。そのようなことは取るに足りぬことだった。

ダニエル・クーパーは今、主の右腕、悪を懲らしめる神の笞となったのだ。


アムステルダムのホテルで、ダニエル・クーパーは浴室から上がると寝る用意をした。

〈いよいよ明日だぞ〉

クーパーは思った。

〈明日こそ、売女に天罰が下る日だ〉

その現場に母さんもいて見てくれたら、とクーパーは思った。

第三十四章

アムステルダム
八月二十二日——午前八時

ダニエル・クーパーと二人の刑事は盗聴室にこもり、トレイシーとジェフの朝食時の会話を聞いていた。

『スイートロールを食べる、ジェフ？　コーヒーはどう？』

『いや、もういいよ』

ダニエル・クーパーは思った。

〈おまえたちが一緒に食べる最後の朝食なんだぞ〉

『今日のことでわたしが一番楽しみにしていることが何だかわかる？　船の旅よ』

『今日は大変な一日になりそうなのに、船の旅にうきうきするって言うのかい？　またどうしてだい？』

『二人だけの旅になるからよ。わたし、頭がおかしくなってしまったかしら？』

『おかしいよ。だからこそぼくはきみにおかしくなっちまったんだけどな』

『キスしてよ』

キスの音がはっきりと聞きとれた。

〈トレイシーのやつ、ちっとも緊張してないぞ〉

クーパーは思った。

〈大事の前だ。トレイシーにはそれらしく神妙にしてもらわなくっちゃな〉

『ここを出ていくかと思うと、なんかお名残り惜しい気がするわね、ジェフ』

『ものは考えようだよ、ダーリン。別れを繰り返して、体験を豊かにしていくんだよ』

トレイシーの笑い声。

『そのとおりね』

午前九時になっても、階下の会話は続いていた。そこでクーパーは思った。

〈おかしいな。もうそろそろ用意にかからなければならないはずだ。最後の打ち合わせの時間のはずだぞ。モンティなる男はどうしたんだ？　どこでやつと会うことになっているんだろう？〉

ジェフの声だ。

『チェックアウトする前に、コンシエージュ（ヨーロッパのホテルにいる顧客よろず相談係）にチップをあげといてくれるね。ぼくはあれこれと忙しくなるから』

『いいわよ。彼はよく世話してくれたものね。どうしてアメリカのホテルには、コンシエージュがいないのかしら？』

『ヨーロッパの習慣だからだろうね。コンシエージュそのものの始まりを知ってるかい？』

『知らないわ』

『十七世紀にフランスのある王さまがパリに牢獄を建て、その管理をある貴族に命じたんだ。王さまはその貴族に、ろうそくの伯爵――コント・ド・シェルジュという称号を与えたんだそうだ。それがなまってコンシエージュになったわけなのさ。ちなみにその貴族の報酬は、お金二ポンドと王家の暖炉から出る灰だったそうだよ。後になって、牢獄や城などを管理する人のことをコンシエージュと呼ぶようになり、それから派生して、ホテルの接客係もそう呼ばれるようになったのさ』

〈何をごちゃごちゃと、知ったかぶりしやがって喋ってるんだ〉

クーパーは思った。

〈九時三十分だぞ。出発の時間じゃないか〉

トレイシーの声だ。

『どこで教わった話かは言わなくてもわかるわ――どうせ美人のコンシエージュから聞いたんでしょう？』

その時、奇妙な女の声が割り込んできた。

『おはようございます。奥さま、旦那さま……』

ジェフの声。

『コンシエージュに美人なんていないよ』

女の不思議そうな声が続く。

『どなたもいらっしゃいませんか？』

トレイシーの声。

『一人くらいはいるんじゃない。あなたなら見つけるはずよ』

新しく割り込んできた奇妙な女の声が、早口のオランダ語でまくしたて出した。クーパーには何のことやらさっぱり意味がつかめなかった。

「いったい、下はどうなっちゃってるんだ？」

クーパーは声を上げて言った。

刑事たちもわけがわからんといった様子だ。

「どうなっているんだろう。メイドが電話で責任者と話をしていますよ。部屋に掃除に来たんだけれど、何が何だかわからんと――声はするんだけれども人影がないと」

「何だって！」

クーパーはすっくと立ち上がるとドアへ走り、飛ぶように階段を降りていった。数秒後、クーパーと二人の刑事はトレイシーの部屋へ突入した。まごついているメイドがいるだけで、部屋はもぬけの空だ。長椅子の前にあるコーヒーテーブルの上でテープレコーダーが回っているだけだった。

ジェフの声。

『やっぱり、そのコーヒーもらおうかな。まだ熱いかい？』

トレイシーの声。

『まあね』

クーパーと二人の刑事は信じられない思いで、ぐるぐる回っている機械を見つめていた。

「ど、ど、どういうことなんだか、お、おれにゃあわからない」

刑事の一人がどもりながら言った。

クーパーは怒鳴った。

「警察への緊急電話は何番なんだ？」

「二二の二二の二二です」

クーパーは大急ぎで受話器を取り、ダイヤルを回した。

ジェフの声がまだテープレコーダーから流れている。

『うん、ほんとに、オランダのコーヒーはうまいねえ。それにひきかえ、アメリカのコーヒーはどうしようもなくまずいよ。どうしてだろうな』

クーパーは受話器にがなり立てた。

「ダニエル・クーパーだ。デュレン警部に連絡してくれ。ホイットニーとスチーブンスが消えちまった。ガレージを調べて、連中のトラックがまだあるかどうか確認するよう、伝えてもらいたい。わたしは銀行に直行する！」

そう言い捨てると、クーパーは受話器をたたき返した。

トレイシーの声がまだ言っている。

『卵の殻を入れて立てたコーヒーを飲んだことある？　なかなかの珍味で——』

クーパーは部屋をとび出していった。


デュレン警部が言った。

「心配無用だ。トラックはちゃんとガレージから出発しているよ。こっちに向かっていることだろう」

デュレン警部とクーパー、それに二人の刑事は、アムロ銀行の斜め向かいのビルの屋上に特設した警官隊の指揮所にいた。

警部が言った。

「やつらは盗聴にカンづいて、計画を早めることにしたんだろう。だけど、まあ落ち着きたまえ。ほら、これを見ていただきたい」

デュレン警部はそこに設置してある広角望遠鏡を見るよう、クーパーに勧めた。下の道路では、掃除夫の恰好をした男が、真鍮でできた銀行のネームプレートをせっせと磨いている……道路清掃人が通りを掃除している……街角に新聞売りがいる……修理工も三人仕事をしている。その全員がトランシーバーを携行していた。

デュレン警部は自分のトランシーバーに指令を発した。

「ポイントA、聞こえるか?」

掃除夫が返事した。

「はい、聞こえます、警部」

「ポイントB、そっちはどうだ?」

「はい、よく聞こえます、警部」

その声は道路清掃人からだった。

「ポイントC、どうだい?」

新聞売りがビルを見上げてうなずいた。

「ポイントD、そろそろだぞ」

修理工たちは仕事の手を休め、彼らのひとりがトランシーバーに喋りかけた。

「こっちの準備はすべて整ってます、警部」

ヨップ・ファン・デュレン警部は、クーパーのほうを向いた。

「心配無用だ。金の延べ棒はまだ銀行内に安全に保管されているよ。やつらが金に手を触れるには、とにかくここまで来なきゃならない。やつらが銀行に到着した途端に、道路は前も後ろも封鎖される。退路は断たれるって手はずになっておるんだよ」

警部は腕時計に目をやった。

「そろそろトラックが視界に入るぞ」

銀行の中では緊張が高まっていた。行員たちには細々と指示が出され、警備員たちも、到着した武装トラックに金塊の積載を手伝うようにと命令が出されていた。全員が協力することになっていた。

銀行の外では、様々な恰好の刑事たちが様々な仕事の手つきで、通りにトラックが現れるのを今かいまかと待ち受けていた。

ビルの屋上に陣取っているデュレン警部が、十回目の質問を発した。

「盗っ人どものトラックはまだ見えないか?」

「まだです」

ウィットカンプ刑事は腕時計を見た。

「予定時刻を十三分も過ぎていますよ。もしやつらが――」

トランシーバーがパチパチと活気づいた音を立てた。

「警部! トラックが視界に入りました! ローゼン通りを横切って銀行に向かっています。まもなくそちらの屋上からも見えるはずです」

空気が急にピーンと張りつめた。

デュレン警部はトランシーバーに向かって手短に指令を与えた。

「全員行動開始用意! 魚が網にかかるぞ。中に入れるんだ」

灰色の装甲トラックが銀行の入口にやって来て止まった。クーパーとデュレン警部が見つめる中を、警備服を着た二人の男がトラックから降りて銀行へ入った。

「女はどこなんだ？　トレイシー・ホイットニーはどこだ」

ダニエル・クーパーは思わず口走った。

「そんなことどうだっていいだろう」

デュレン警部が言った。

「いずれにせよ、金からそう遠く離れているやつらじゃないよ」

〈たとえこの場にいなくても〉

ダニエル・クーパーは思った。

〈それは重要なことではない。テープに録った会話で、あの女を十分有罪にできるはずだ〉

緊張した行員たちは、警備服を着た二人の男たちが金庫室から運搬トロッコで金の延べ棒を運び出し、装甲トラックへ積み込むのを手伝った。クーパーとデュレン警部は、通りを隔てたビルの屋上から、遠くの人の動きを見つめていた。

金塊の積み込みには八分かかった。トラックの後部ドアに鍵がかけられ、警備服の男二人が前部席に乗り込もうとした時、すかさずデュレン警部はトランシーバーにがなり立てた。

「やれ！　包囲するんだ！　逃がすな！」

大騒ぎとなった。掃除夫、新聞売り、オーバーオールを着た修理工、それに他の刑事たちの群も一斉に行動を起こし、武装トラックに押し寄せた。そして拳銃を構えながらトラックを囲んだ。道路は非常線が敷かれ、どちらの方向も交通が遮断された。

デュレン警部はクーパーを振り向いてにやりと笑った。

「これで現行犯逮捕だ。満足かな？　さて、仕上げにかかろうか」

〈とうとうやったぞ。遂に終わったんだ〉

クーパーはほっとした。

二人は急いで道路へと降りていった。警備服を着た二人の男が壁に向かって両手を上げ、武装した刑事や警官たちの輪の中心にいた。ダニエル・クーパーとデュレン警部は、人垣を押し分けながら進んだ。

デュレン警部が言った。

「よし、こっちを向いていいぞ。おまえたちを逮捕する」

二人の男は血の気の失せた顔で刑事たちのほうを向いた。ダニエル・クーパーとデュレン警部の顔に、ショックの表情が走った。手を上げている二人の警備員は、見たこともない顔の男たちだったのだ。

「誰だ——おまえは何者なんだ？」

デュレン警部が怒鳴った。

「わたし——わたしらは警備会社の、け、警備員です」

片方の男がどもりながら答えた。

「撃たないでください。撃たないでください」

デュレン警部はクーパーのほうを向いた。

「やつらの強奪計画に破綻が起きたんだ」

警部はヒステリックな口調で言った。

「やつらは中止したんだ」

ダニエル・クーパーの胃から、緑色の胆汁がゆっくりと食道を逆のぼり始め、胸、そして喉へと込み上げてきたので、彼が何かを言おうとしても声が詰まってしまった。

「ち、違う。中止なんかしていない」

「あんた、何を言ってるんだね？」

「やつらの狙いは金塊ではなかったんだ。装甲トラックのほうは囮だったんだ」

「そんなバカな！　トラック、はしけ、警備服――写真もある……」

「まだわからんか？　やつらは気づいてたんだよ。われわれが尾行し、盗聴していることをとっくに知っていやがったんだ！」

デュレン警部の顔面が一瞬にして蒼白になった。

「まいったな！　するとやつらは、いったい何処にいるんだ？」

トレイシーとジェフは、ポーラス・ポッテル通りを、オランダ・ダイヤモンド研磨工場のすぐ近くまで来ていた。ジェフは顎髭と口髭をつけ、頬と鼻には海綿状のスポンジを押し込んで人相を変えていた。スポーティな身なりに、リュックサックを背負っている。

トレイシーは黒いかつらをかぶり、ふくらませたお腹に妊婦服を着、厚化粧をして、黒のサングラスをかけていた。そして大きいブリーフケースと、茶色の包装紙にくるまれた丸い包みを抱えていた。

二人は待合室に入り、バスでやって来てガイドの説明に聞き入っている見学客の一団に合流した。

「……と言うわけであります。こちらにいらっしゃいませ。皆さま、ダイヤモンドを研磨している作業工程がご覧になれますだけでなく、見事なダイヤモンドをお買いになれるわけでして……」

ガイドに案内されて、見学客の一団は工場の中へと入っていった。トレイシーは他の客の流れに身をまかせ、一方のジェフは一団の最後尾をぶらぶら歩いていた。トレイシーたちの一群が工場内に入り終わると、ジェフはくるりと向きを変え、地下室に通じる階段を一目散に降りていった。

人気のない地下室まで行くと、ジェフはリュックサックを開け、油混じりの作業服と小さな工具箱を取り出した。彼は作業服を着込んで配電板へ近寄り、腕時計を見た。

階上で、トレイシーは他の見学客と一緒に部屋から部屋へと移動していき、ダイヤモンドの原石が磨かれていく過程をガイドに説明してもらっていた。トレイシーもまた、自分の腕時計に何度も視線を走らせていた。一行の見学は予定時間より五分ほど遅れていた。ガイドがもっと急げばいいのに、とトレイシーはいらいらしていた。

やがて見学客の一団は、最後にダイヤモンドの陳列部屋に到達した。ガイドがロープを張った台座へと歩いていった。

「このガラスケースをご覧ください」

ガイドは誇らし気に口上した。

「ルカラン・ダイヤモンドです。世界で最も価値の高い宝石なのです。かつて有名な舞台俳優が妻の映画女優に買ってやったことがあります。今のお金ですと、一千万ドルは下りますまい。そして最新式の方法で警備――」

と、照明が消えた。すかさず警報器が鳴り響き、窓やドアの鋼鉄製シャッターがガシャンと閉じられ、すべての出口が塞がれた。悲鳴を上げる見物客も出た。

「お静かに願います！」

ガイドが大声で叫んだ。

「ご心配には及びません。単なる電気系統の故障です。すぐに緊急用発電機が作動して――」

照明が点灯した。

「ほら、おわかりでしょう」

ガイドは見学客たちを安心させた。

「心配なさることはまったくないのです」

ドイツ人の見学客が鋼鉄製のシャッターを指差して言った。

「なぜ、シャッターなんか閉めるのかね？」

「異状の場合の安全を期した用心のためなんです」

ガイドが説明した。そして奇妙な形をした鍵を取り出すと、壁の孔に差し込んで回した。ドアや窓に降りていた鋼鉄製のシャッターが上がった。机の上にあった電話が鳴ったので、ガイドが受話器を取り上げた。

「こちらはヘンドリックです。ありがとうございます、係長。いいえ、まったく異状はありません。警報器の誤作動です。ヒューズが飛んだのだと思います。すぐに点検させておきます。はい、了解」

ガイドは受話器を置くと、見物客のほうを向き直った。

「まことに失礼いたしました。ここにあるのは何しろ高価な宝石ばっかりなものですから、用心するにこしたことはないのです。さてと、これらの見事なダイヤモンドのどれかをお買いになりたければ――」

またしても照明が消えた。警報器が鳴り響き、鋼鉄製のシャッターが降りてきて、再びすべての出口が閉じられた。

見学客の中の一人の女性が金切り声を上げた。

「ここから出ましょうよ、ハリー」

「静かにしてるんだ、ダイアン」

夫らしき男性の声がたしなめた。

階下の地下室では、ジェフが配電板の前に立ち、階上での見学客たちの騒ぎに耳を澄ませていた。彼が数秒ほど間をおいてスイッチを接続すると、階上の照明がチカチカッと点滅した。

「皆さま、落ち着いてください」

ガイドが騒音よりもっと大声で叫んでいた。

「まったく技術的な故障なのです」

ガイドは再び鍵を取り出し、壁の孔に差し込んだ。鋼鉄製のシャッターが上がった。

電話が鳴った。ガイドは急いで受話器を取り上げた。

「こちらはヘンドリックです。いいえ、違います、係長。あ、はい、そうです。できるだけすみやかに修理させましょう。どうもありがとうございます」

その部屋のドアが開くと、作業帽をちょこんとかぶり、工具箱を手にしたジェフが現れた。

彼は大声でガイドに呼びかけた。

「どうしたんですか？ 電気回路の故障とか言われて参りましたが」

「照明がついたり消えたりするんだ」

ガイドが説明した。

「なるたけ早く修理してくれ。頼むよ」

ガイドは見学客を振り返り、口元にどうにか笑みを浮かべて言った。

「どうです、お客さま方。これらの見事なダイヤモンドが、お手頃のお値段でお求めになれるのですよ。お買いになりませんか？」

見学客たちは陳列ケースのほうへ動き始めた。ジェフは雑踏の中に紛れ込み、作業服からこっそりと円筒状の物体を取り出すと、気づかれないようにピンを抜き、ルカラン・ダイヤモンドが飾っ

てある台座の後ろに放り投げた。その装置は火花を吐き、煙をもくもくと出し始めた。

ジェフは大声でガイドに呼びかけた。

「ほら！　故障はここだよ。床の下の電線がショートしているらしいぜ」

見学客の一人の女性が悲鳴を上げた。

「火事だわ！」

「お静かにしてくださいまし。お客さま」

ガイドが絶叫した。

「うろたえないでください。落ち着くんです」

ガイドはジェフを向いてがなり立てた。

「早く！　急いで修理してくれ！」

「かしこまりました」

ジェフは気安く返事し、台座を取り巻いているビロードのロープのほうへ進んだ。

「行っちゃいかん！」

警備員が注意した。

「そっちに近づいちゃいかん！」

ジェフは肩をすくめた。

「あっしはかまわねえですよ。じゃあ、あんたが修理してください」

そう言って立ち去りかけた。

黒煙はもっと激しく吹き出してきた。見学客はまたしてもパニック状態になっていた。

「待ってくれ！」

ガイドが懇願するように言った。

「今しばらく待ってくれ」

ガイドは電話へと急ぎ、ダイヤルを回した。

「係長ですか？　こちらヘンドリックです。警報器の電源を一時的に切ってもらえないでしょうか？　ええ、ちょっと事故が発生しまして。はい、わかりました」

ガイドはジェフのほうを向いた。

「どのくらいの時間、必要なのかね？」

「五分もあれば」

ジェフが答えた。

「五分だそうです」

ガイドは受話器に返事した。

「ありがとうございます」

ガイドは受話器を置いた。

「警報器は十秒ほどで解除される。頼むから急いでやってくれ。本当は警報装置は絶対切ってはいけないことになっているんだ」

「急げって言われても、あっしも手は二本しかありませんから」

ジェフは十秒ほど待って、ロープの中へ入り、台座に近づいていった。ガイドのヘンドリックが、武装した警備員に目配せした。警備員はうなずいて、ジェフの動きに注意を配った。

ジェフは台座の背後で仕事にかかった。動転しながらも、ガイドは見学客のほうを向くと、お決まりの文句を喋り始めた。

「さて、皆さま、これらの選びぬかれた見事なダイヤモンドが、割安で買えるのです。クレジットカードでも結構ですし、トラベラーズチェックでも大丈夫です——」

ガイドは忍び笑いをした。

「——現金が駄目なんて申しません」

トレイシーはカウンターの真ん前に立っていた。

「あたし、ダイヤモンドを売りたいんですけども、ここで買い上げてもらえますか?」

トレイシーは大声で尋ねた。

ガイドはトレイシーを見つめた。

「何ですって?」

「夫が採掘者なんです。南アフリカから帰国したばっかりで、このダイヤモンドをわたしに売ってこいって」

トレイシーはそこまで言ってブリーフケースを開けたが、逆さに持っていたので、キラキラ光るダイヤモンドが滝のようにほとばしり落ちて、床いっぱいにはねた。

「ああ、ダイヤモンドが!」

トレイシーは叫んだ。

「どうしましょう！」

凍りついたような沈黙が一瞬あり、たちまちのうちに地獄の混乱となった。礼儀正しかった群衆が暴徒と化した。ほとんど全員が腕や膝でダイヤモンドを奪おうとし、お互いを突き飛ばし、はねのけ合った。

「拾ったぞ……」

「たくさん拾いな、ジョン……」

「駄目じゃない。それはわたしのよ……」

ガイドと警備員はなすすべがなかった。ポケットや財布にダイヤモンドを詰め込もうと右往左往して這いつくばる欲張りな人間どもに、はねのけられてしまった。

警備員が怒鳴り声を上げた。

「立つんだ！　やめろ！」

その先を言う前に、彼は殴り倒されていた。

バス一台分のイタリア人の見学客がこの混乱の部屋に入り、状況に気づくと、我を争って修羅場に加わった。

警備員は立ち上がって警報器を鳴らそうとしたが、すさまじいまでの人波にはあらがうべくもなかった。警備員は踏みつけられっぱなしだった。世の中が急に狂ってしまったのだ。まるで終わりそうもない悪夢であった。

人波に蹂躙されて頭がくらくらになった警備員は、どうにか立ち上がり、混乱の中をかき分けて台座に到達した。顔を上げて陳列ケースを見た彼は、自分の見たものが信じられなかった。ルカラン・ダイヤモンドが煙のように消えていた。妊娠した女も、電気技師もだ。

トレイシーは、ダイヤモンド研磨工場から数区画離れたオーステル公園の公衆便所の仕切りの中で、変装を取った。そして茶色の包装紙にくるんでいた包みを持って、公園のベンチへと向かった。すべてが完璧に運んでいる。ほとんど無価値の模造ダイヤモンドを拾おうとして狂奔した連中のことを思い出すと、つい吹き出してしまう。

ジェフがダークグレイのスーツを着てやって来た。顎や口にあった髭はきれいに消えていた。トレイシーは弾むようにして立ち上がった。そばまで来ると、ジェフはにやりと笑った。

「愛しているよ」

ジェフはそう言うと、ジャケットのポケットからルカラン・ダイヤモンドを取り出して、トレイシーに手渡した。

「こいつをきみのお友達とやらに与えてくれよ。じゃあ、後で会おう」

トレイシーが見つめる中を、ジェフはぶらぶらと歩き去った。トレイシーの目はきらきらと輝いていた。二人は一心同体だ。お互いが別々の便でブラジルまで飛び、そしてその後は一緒の人生を

過ごすのだ。

トレイシーは辺りをぐるりと見回し、誰からも注目されていないことを確認してから包みを開いた。中身は小さな籠で、青みがかった灰色の鳩が入っていた。それは三日前、アメリカンエクスプレスのアムステルダム事務所に届いた荷物にこっそり入れられていた伝書鳩で、トレイシーは受け取るとすぐホテルの部屋に持ち帰り、ペットショップで買った鳩とすり換えたのだった。ペットショップのほうの鳩は窓から逃がすと、不恰好に飛び去っていったものだ。そして今、トレイシーはハンドバッグから小さなセーム皮の袋を取り出し、その中にダイヤモンドを入れた。次に、籠の中から伝書鳩をつかみ出して抱きかかえ、ダイヤモンド入りの袋を鳥の足に慎重に結びつけた。

「いいこちゃんねえ、マーゴ。お家に帰るのよ」

いずこからともなく、制服姿の警官が現れた。

「動くな！　おまえ、何をしておるんだ？」

トレイシーは心臓が止まった心地がした。

「何——いったい何ですの？」

警官は鳥かごに視線を注ぎ、怒った声で言った。

「何が悪いかはわかっておるだろう。鳩に餌をやるのはかまわん。だが捕まえて鳥かごに入れるのは法律違反だぞ。さあ、逮捕されないうちに鳩を離すんだ」

トレイシーはごくりと息を飲み込み、大きく深呼吸した。

「おっしゃるようにしますわ、お巡りさん」

トレイシーは両手につかんでいた鳩を空中高く放り上げた。トレイシーがにこにこ笑顔で見送る中を、マーゴは高く高く舞い上がっていった。空中で大きく円を描くと、三百七十キロ西方のロンドンへ向かった。伝書鳩は平均時速六十五キロで飛ぶと言ったグンターの言葉から察すると、マーゴはおよそ六時間で家に帰り着くだろう。

「もうやっちゃいかんぞ」

警官はトレイシーに注意した。

「もうしません」

トレイシーは真面目くさって約束した。

「決してしませんわ」


その日の夕方のスキポール空港。トレイシーは、ブラジル行きの便に乗り込むゲートへ向かっていた。ダニエル・クーパーがゲートの角に立ち、厳しい目でトレイシーを見つめていた。ルカラン・ダイヤモンドを盗んだのはトレイシー・ホイットニーに違いない。クーパーはダイヤモンド盗難の報告を受けた瞬間にそう確信したのだった。大胆で想像力に富んだ手口は、トレイシーの流儀そのものだったからである。それがわかっていながら、どうすることもできなかった。デュレン警部はダイヤモンド陳列室の警備員に、トレイシーとジェフの写真を見せた。

「いいえ。どっちも初めて見る顔ですね。男の賊はアゴと口に髭をはやしていましたし、頬と鼻は

もっと膨らんでいましたよ。ニセのダイヤモンドをまき散らした女のほうは、黒い髪で妊娠していました」

ダイヤモンドの痕跡はまったくなかった。ジェフとトレイシーは身体検査をされ、荷物も徹底的に調べられた。

「ダイヤモンドはまだアムステルダムにあるぞ」

デュレン警部はクーパーに誓った。

「必ず見つけ出す」

〈いいや、無理だろうね〉

クーパーはむかっ腹を立てながら思った。トレイシーは鳩を取り替えたのだ。ダイヤモンドは伝書鳩で国外に持ち出されたに違いない。

クーパーは、トレイシー・ホイットニーが人の流れに沿って歩いていくのを、無念の思いで眺めていた。クーパーを初めて打ち負かしたのがトレイシー・ホイットニーだった。彼女のせいでクーパーは地獄に堕ちるのである。

トレイシーは搭乗ゲートにたどり着いた。そこで一瞬ためらい、振り向いてクーパーの目を正面から見据えた。クーパーが復讐鬼となって、ヨーロッパ中、彼女をつけ回しているのを、トレイシーはとっくに知っていた。トレイシーが見たその時のクーパーの顔には、屈折した表情があった。凄みのある顔にはどことなく哀愁がただよっている。なぜか理由はわからないが、トレイシーにはクーパーがとても気の毒に思えた。トレイシーは永遠の別れの意を込めて、クーパーにかすかに手

を振ると、くるりと向きを変えて飛行機へ乗り込んでいった。

ダニエル・クーパーは、ポケットにしのばせていた辞表届を握りしめた。


パン・アメリカン航空の大型ジャンボジェット、ボーイング七四七のファーストクラスは、豪華な内装がほどこされてある。トレイシーは通路側の4Bに席をとり、目前の旅立ちに心をときめかせていた。あと数時間でジェフと会える。二人はブラジルで結婚式を挙げる予定だった。

〈もう、ペテンからもオサラバだわ〉

トレイシーは思った。

〈だけど、寂しくないわ。わたしにはわかっている。ジェフ・スチーブンス夫人になれば、人生はもっとスリリングで楽しくなるはずだもの。これからはみんなと同じように、明るい太陽の下で正々堂々と生きていくわ。もう、運命のいたずらに弄ばれることもないのだわ〉

「ちょっと失礼」

トレイシーは見上げた。太って好色そうな中年の男が、すぐ横に立っている。男は窓際の席を指差した。

「そこがわたしの席でしてね、お嬢さん」

トレイシーは彼が通れるように体をねじった。その瞬間、スカートがめくれて、なまめかしい足がのぞいた。男はそれをちゃんと盗み見して楽しんだ。

「いやあ、なかなかいいお日和ですな。フライトには絶好だ」

いかにも誘いたげな口調であった。

トレイシーは顔をそむけた。乗り合わせた旅行客とお喋りするのは趣味ではない。今は考えることがたくさんある。一人にしてほしかった。

〈人生を一からやり直すんだ。どこかに住居を決めて、模範的な市民になろう。後ろ指なんて差されないジェフ・スチーブンス夫妻になるのだわ〉

隣の席の男が、肘でそっとつついた。

「せっかくこうやって隣同士に乗り合わせたことですし、どうです、お嬢さん、お友達になりませんか？　わたしはマキシミリアン・ピアポントと申します」


（了）

あとがき

「超訳」について

弊社から発行したシドニィ・シェルダン氏の前作「ゲームの達人」は大好評であった。オリジナル版、普及版上下合わせて六百万部を越え、今なお凄い勢いで売れているから、翻訳文芸書の発行部数記録をうちたてたものと信じている。特に喜んでいただけたのは新方式の二重翻訳による読み易さである。原作の意味を忠実に日本語にする訳者と、それをまた自然な日本語に書きなおす文章家とが仕事を分担、協力して日本語版をつくり上げるのである。時間と手間のかかる作業であるが、前回とまったく同じメンバー、大勢の読者からの励ましの言葉に勇気づけられ、今回の作品「明日があるなら」を戸惑うことなく完成することができた。

「訳者」と「文章家」の分担と協力も、一歩間違えば水と油のように分離してしまうところ。その仕組みから不必要な誤訳も生じる。それを見つけ一つひとつなおし全体をまとめる、いわば行司役を務めてくれたのが「ゲームの達人」の時と同様、亀井俊介氏であった。労のみ多い困難な仕事を快く引き受けてくれたのも、日米文化の結びつきを大切にされる氏の親心からと頭の下がる思いである。

この新方式の翻訳を「超翻訳」、略して「超訳」と名付け、小生はじめスタッフ一同、これからも勉強を続け、この方式に更に磨きをかけていきたいと思っている。

熱狂

ブロードウェイの劇作家として、ハリウッドの脚本家として栄華を極めていた五十歳のある日、自由が欲しいと、友人に紹介された出版社から「Naked Face」を出したのが小説家シドニィ・シェルダンの誕生となった。第二作目の「The Other Side of Midnight」が出版されるや、その底知れぬ面白さに口コミが口コミを呼び、たちまちのうちに全米にシェルダンブームが巻き起こった。北米だけですでに一千万部を超すこの作品、今もまるで新刊のように売れ続けているという。

その後、二年に一度新作を書くごとに、全米を熱狂の渦に巻き込み、必ず前作を上回る売れ行きを記録している。今回の作品「明日があるなら」は第七作目、発行の翌週にしてニューヨーク・タイムスのベストセラーリスト第一位になり、これまでと同様「ゲームの達人」を含む前作品のいずれをも越す売れ行きになっている。

シェルダン〝先生〟

この本の印刷準備が大分進んだころ、作者のシドニィ・シェルダン氏をロサンジェルスの自宅に

訪問する機会があった。空港から電話をすると、直行せよ、昼めしを食おう、ということになり、時差ボケを調整する間もなく氏の自宅での昼食となったのだが、ほんの挨拶のつもりの会食が延々四時間もの英語の授業になってしまった。

訳者から頼まれて用意しておいた、原文の意味に関する質問をボソボソと始めると〝よくぞ聞いてくれた〟とばかり、解答、解説の連射が始まったのである。世の中に「教え好き」とか「教え魔」と呼べる人がいるが、シェルダン氏はその代表になれる人である。食事をしながらであるから、口に入れたものが飛び出そうがお構いなし、熱弁にジョークを交えて笑わせながら教えてくれるから、時差ボケもふっ飛んで、一つひとつの解説がビシビシと頭に納まる。

弊社の別事業として「イングリッシュ・アドベンチャー」という独習用英語教材を発行しているが、このナレーションに名優と名高いオーソン・ウェルス氏や人気コメディアンのジェリー・ルイス氏に出演していただき、大変な好評を得ているが、そのテキストの執筆者こそシドニィ・シェルダンその人であるといえば、その好評ぶりも解っていただけるのではないだろうか。初級者用の「家出のドリッピー」、初中級向け「コインの冒険」、中級用「追跡」、上級向け「ゲームの達人」と四つのコースが揃っているが、「ゲームの達人」以外は全部「イングリッシュ・アドベンチャー」のために書かれたもので、単行本にすればいずれもミリオンセラー間違いなしと言える傑作である。

本書の巻末に、この英語講座に寄せられた感想文とPR文を掲載するので、英語をマスターしたい方はぜひ参考にされるようおすすめする。

最後に、この翻訳原稿を完成させるに際し、打ち合わせ等の作業を小生の都合、わがままで、小

刻みに、突然、場所も転々という具合いに行なったが、いつも明るく助手を務めてくれた博学の中村君、生き字引きの岩崎君の二人の若者に感謝したい。

益子邦夫

英文和訳・天馬龍行
〃 木下 進
〃 高峰泰和
〃 海野幸平

総改文・中山和郎

助言・訂正・亀井俊介

企 画・益子邦夫

英語マスターする日近付けた教材
――イングリッシュ・アドベンチャー

素早く確実な効果に、学生もビジネスマンも、先生も技術者も、OLもスポーツマンもみんな感激した。受験を突破する人、楽しみで学ぶ人、ビジネスを成功させる人、旅行を楽しくする人等々。「イングリッシュ・アドベンチャー」を活用して英語ペラペラになる人がこれから益々増えるだろう。『家出のドリッピー』『コインの冒険』『追跡』に入会して英語を学ぶ人々から毎日たくさんの感謝状が届く。少し整理して紹介しよう。

素晴らしい内容

★大変素晴らしい内容でもう最高です。これからもどんどん「イングリッシュ・アドベンチャー」の新コース（ｅｘ、中上級コース、特上級コースｅｔｃ）を作っていって下さい。

★〝これが英語の教材!?〟という感じです。バック・ミュージックが素晴らしい!! オーソン・ウェルスの声も〝脳に響く〟って感じ。毎日コツコツがんばります。

★オーソン・ウェルス氏のナレートはすばらしい。完全に登場人物になりきっていて、話術というのですか？ ついつい話に引きこまれてい

きます。

★本当にすばらしい教材だと思います。初めは半信半疑で、いざとなったら返品しようと思っていました。しかし、効果音もすばらしいし、オーソン・ウェルスのすばらしいナレートにひきつけられて、二巻目が楽しみでした。

★「コインの冒険」は、まるで映画のように迫力があります。

★面白いストーリーと味のある朗読、それに愉快な効果音と美しいBGM、それらの全てが本当に良かったです。

成績もうなぎ上り

★一度は挫折していた高校の英語に興味がまたわいてきました。それに、クラスごとにわけてある英語講座でもトップクラスにはいることができました。

★成績もうなぎ上りです。広告はうそではなかった!!

★〝ドリッピー〟は最高におもしろく成績も中間・期末共に満点を取ることができました。英検二級の試験がやさしかったです。ありがとう。

★学生時代は単語や熟語ひとつ覚えるにも、ノートに何度も何度も書かないと覚えられなかったのに、EAはテープを2、3回きくだけで自分でも信じられないくらい単語が頭に入ってきます。本当に素晴らしい教材をありがとう!!

★おかげ様で希望大学の英文科に入学出来、四

月から上京しております。

★「イングリッシュ・アドベンチャー」はおもしろい。英語が娯楽のようにおもえてくる。おかげで四十五だった模試の偏差値が七〇までUP、校内で三位になりました。感謝。

★高校二年生です。英語の成績が10になりました。英検二級に合格しました。一年間どうもありがとう!!

面白くて、病みつきに…

★おもしろくて病みつきになりそうです。一日一度はテープを聞かないと落ちつきません。中毒症状があらわれています。

★耳だけでなく、身体全体がすいこまれる感じで、次々すすむんです。通学中でも口から会話が出て来るくらいです。もう、たのしくってたのしくって、苦痛な単語覚えも音楽と一緒に頭に入ってきます。

★すっごくおもしろい!! 音楽ファンの私が他のテープやCDに耳もくれずききつづけています♡もうEAファンです!!

★ただ魅せられたかのように、ひたすら Listening することに、何の抵抗もない。

★オーソン・ウェルスの語りのうまさに魅了されてしまいました。

★噂通り素晴らしいテープで、まさに虜になりました。息子の為に買いましたのに、二人で楽しんで聞いております。

大好評のイングリッシュ・アドベンチャー
まず10日間試聴してみよう

イングリッシュ・アドベンチャーには、いつでも、日本中どこからでも、申し込むことができます。ただ、正式に会員となって受講を続ける前に、第1回目の教材を10日間試聴できますから、まず、その試聴をお申し込み下さい。

イングリッシュ・アドベンチャーには次の3つのコースがあります。

1、初級コース「家出のドリッピー」
2、初中級コース「コイン冒険」
3、中級コース「追跡」

右のどのコースもCDかカセットか選ぶことができます。

ご希望のコースの第1回目を試聴してみて続けたくないと判断した場合は、教材を10日以内に返品して下さい。

受講を続ける方は、教材をそのまま使っていれば、自動的に会員として登録され、翌月には第2回目の教材が届けられます。

各コースともテキストのストーリーは12章1年で完結しますが、イングリッシュ・アドベンチャーは2年間履修を基準とします。つまり、「家出のドリッピー」に入会した方には、2年目に入ると自動的に「コインの冒険」をお届けします。「コインの冒険」に入会した方には2年目として

「追跡」を。「追跡」に入会した方の2年目は、上級コースの「ゲームの達人」です。

ただし、すべての会員は1年間だけで終えるのも、途中の章で終えるのも一切自由です。その場合は、電話またはハガキで連絡するだけで済みます。

受講会費は教材費、送料込みで、カセットの場合月4、000円(税別)、CDは月4、500円(税別)です。会員には毎月、会員同志が心の交流ができる機関誌「MEET」が無料で配布されます。

試聴の申し込み方

この本の読者カードは試聴申し込みにも利用できますので、必要事項を書いてお送り下さい。

なお、早く教材の欲しい方は左記に電話で申し込むことができます。

日本全国フリーダイヤル

0120−077077

東　京　03(3464)1010

東　京　03(3496)6666

札　幌011(631)7777

仙　台022(265)5555

名古屋052(971)2222

京　都075(701)6666

大　阪　06(452)2222

福　岡092(831)3333

電話は休日も受け付けています。

〒150　東京都渋谷区鉢山町15−5

アカデミー出版

新書判
明日があるなら（下）

一九九〇年四月一日　第一刷発行
一九九四年六月二十日　第五十一刷発行
一九九四年十月十日　第五十二刷発行
一九九四年十一月二十日　第五十三刷発行
一九九五年二月十日　第五十四刷発行
一九九五年四月一日　第五十五刷発行
一九九五年八月二十日　第五十六刷発行
一九九五年十一月一日　第五十七刷発行
一九九六年一月二十日　第五十八刷発行
一九九六年五月二十日　第五十九刷発行
一九九六年十月十日　第六十刷発行

著者　シドニィ・シェルダン
訳者　天馬龍行
中山和郎
発行者　益子邦夫
発行所　㈱アカデミー出版
東京都渋谷区鉢山町15－5
郵便番号　一五〇
電話　〇三(三四九六)六六六六
FAX　〇三(三四七六)一〇四四
印刷所　廣済堂印刷株式会社

ISBN4-900430-09-9

シドニィ・シェルダンの傑作

日本の出版史上に輝かしい金字塔を
打ち立てる超ベストセラー

天才作家シドニィ・シェルダンの作品を
「超訳」で、お楽しみ下さい。

時間の砂

真夜中は別の顔　新書判　上巻　六五〇円　下巻　七五〇円

血族　新書判　上巻　六五〇円　下巻　七五〇円

明け方の夢　新書判　上巻　六五〇円　下巻　七五〇円

私は別人　新書判　上巻　六〇〇円　下巻　七五〇円

天使の自立　新書判　上巻　八五〇円　下巻　八五〇円

星の輝き　上巻　一、二五〇円　下巻　一、二〇〇円

神の吹かす風　上巻　一、二〇〇円　下巻　一、三五〇円

ミスター・ベストセラー

シドニィ・シェルダン氏と
出版権独占契約

引き続きシェルダン氏の作品を弊社の「超訳」で
お楽しみ頂けます。乞うご期待!

裸の顔（仮題）
Naked Face

来たるべき日の陰謀（仮題）
The Doomsday Conspiracy

不滅のものなどない（仮題）
Nothing Lasts Forever

"*Money Tree*"他／短、中編10タイトル

米国の偉大なベストセラー作家
ダニエル・スティールの傑作

ダニエル・スティールさん

しのぎを削る米国のベストセラー競争の中で、新作が常にベストセラーの一位に輝く作家は数名しかいません。その中の一人ダニエル・スティールさんの新作をアカデミー出版社が、大好評の「超訳」でお届けできることになりました。

その第一弾は、発売以来連続五週間ベストセラーの一位になり、その後数か月間にわたってベストセラーの上位にランクされた最新作『ACCIDENT』。第二弾は、米国読書界で作者の名声を不動のものにした傑作『REMEMBRANCE』です。

天馬龍行氏の装いも新たな「超訳」でお楽しみいただけます。ご期待下さい。